經學研究叢書・經學史研究叢刊

現代學術視域中的民國經學

——以課程、學風與機制為主要觀照點

車 行 健 著

目　次

自序

　　隨著大清王朝的覆滅，百年來中國逐漸走向全面的現代化，舉凡政治、經濟、社會、學術、教育與文化……等各領域，莫不經歷一場天翻地覆的改變，而傳統的諸多要素，亦莫不嚴酷地接受所謂「現代化」的生存考驗。通過這場考驗的，就仍然可以安穩地立足於現代社會當中，並成為組成現代社會中的一環。反之，則被人們掃進記憶的垃圾場，只供少數的學者專家研究或懷舊之士憑弔。與學術教育有關的學科體制與學問門類的發展情況就很能具體而微地體現這個狀況。如傳統的四部之學，在這場涉及傳統學術教育領域現代化的轉型過程中，似乎除了四部居首的經學之外，其他的史部、子部與集部之學都大致可以與西方現代的學科體制與學問門類銜接得上，如史部之學之於歷史學，子部之學之於哲學，集部之學之於文學，甚至連做為經學附庸的小學也因有西方的語言學（linguistics）及語文學（philology）的存在而得以順利地接軌轉型。但惟獨經學因為西方學科體制與學問類別中沒有相應的對象，所以不但連早期的「經學門」之學科體制被取消掉，甚至連做為一門學問的正當性地位皆被質疑，其地位之窘迫，處境之尷尬，可想而知。這種情況就好比黃河裏那群奮力躍過龍門的鯉魚，當牠們躍過高聳的龍門後，據說就可以變成龍升天而去了。但如果跳不過龍門的話呢？則鯉魚終究仍只是一隻普通的鯉魚，甚至還逃不過被漁夫補獲的命運。經學難道就像是那躍不過龍門的鯉魚？或根本是無龍門可躍的

鯉魚？

　　當然，實際的情況並不盡然如此悲觀，因為雖無西方相應的學科體制與之轉軌銜接，但並不意味著經學的研究就無法現代化，而只能停留在傳統的研究模式中。事實上，從二十世紀以來的學術發展情況來看，經學的研究也如同其他學問領域，早已受到現代學術的洗禮與影響，民國時期的經學研究成果已充分說明這點。現代學術之於傳統經學而言，就好比三稜鏡之於光線，它可將光線分解成為不同的光譜成分，當一束光線通過三稜鏡後，便會分出紅、橙、黃、綠、藍、靛、紫等七種顏色的光。因此傳統經學經過現代學術三稜鏡的折射後，所呈現出來的是更多的分析性、理論性、學術性與專業性，但也不可避免地失去經學原有的整全混沌的總體性與經世致用的實用性格。伴隨而來的是經學的影響逐漸從政治、經濟、法律、社會、教育、文化等與人們現實生活息息相關的各層面消退，而最後只退居到校園的講堂與學者的書齋案頭之間，醇化為純粹知識的傳授與學術的探索，不再主宰人們的價值意識與精神生活，而終成為少數學者專家苦思冥求，勞心費神的心智探索的活動。以此來觀之，這百年來在接受現代學術洗禮或衝擊下的經學，亦何嘗不是面臨著「二千年未有之大變局」？然而在經過現代學術三稜鏡折射後的這個時期的經學，其發展的樣態、面貌及其內涵究竟如何？對這些問題的梳理與解答並不只是單純的做學術史式的回顧與總結，而是具有高度的現實意義，亦即應能對經學這門學問的未來走向及定位，起著一定程度的積極作用。

　　本書所謂的「民國經學」有廣狹二義，狹義的民國經學指涉的是民國時期的經學，也就是從一九一一至一九四九年這三十八年間的經學發展。而廣義的民國經學則是泛指民國以來的經學，亦即從一九一一年迄今為止，不限定於特定的空間，籠統的概括以中文書

寫的與經學或經書有關的研究成果。本書取廣義，不過重點仍在一九四九年以前，但由於學人與學術的活動常是有延續性的，因此本書某些篇章所討論的論題皆勢不可免地會跨越至一九四九年後的中國及臺灣。而所謂的「現代學術」影響籠罩的層面也很廣，除了具體的學術內容之外，也包括學校體制、學科建制、學術機制、學術風尚與學術典範等方面，本書用現代學術的視域來看待此時期的經學表現與成就，主要集中在課程、學風與學術機制三個面向。課程包含了學科建制以及依此建制所設計的課程內容與實際操作，當然這一切都是依附在現代大學的體制中方得以實現的。而學風所關注的主要是深受西方學術（主要是考古學與人類學）所啟迪的考古發掘與田野考察風氣，這些新式的學風所形成的研究方式及研究成果亦對民國經學帶來了一定程度的影響。至於機制則是指因應現代學術體制的需求所發展出來的種種制度性的設計，如審查、獎勵等，這也提供了檢視民國經學的一個特殊的視角。

在跨進民國學術這塊似熟悉，但卻又陌生的領域的過程中，如果沒有林慶彰老師的鼓勵支持與協助，本書是無法如此順利完成的。其他如胡楚生教授、顧潮教授、王學典教授、聞黎明教授、許振興教授、蔣秋華教授、楊晉龍教授、賴貴三教授、林啟屏教授、張素卿教授、徐其寧同學、張濤同學、袁明嶸先生與張晏瑞先生，皆曾在本書的成書過程中，或指點，或解惑，或提供資料，或判讀資料，或查找資料，或協同研究，或編輯文稿，給予本人程度不一的協助，謹在此一併致上深摯的謝忱。

中華民國一百年八月車行健謹識於國立政治大學

第一章
現代中國大學中的經學課程

第一節　一九三〇年：大學經學課程終結的年代？

錢穆（1895-1990）晚年在《師友雜憶》一書中曾提到過一件關係現代大學中的經學教育至鉅的事情，其云：

> 余撰〈劉向歆父子年譜〉，及去燕大，知故都各大學本都開設「經學史」及「經學通論」諸課，都主康南海今文家言。余文出，各校經學課遂多在秋後停開。[1]

據錢先生此書自序，他起稿這本帶有回憶錄性質的書係始於一九七七年冬，直至一九八二年的雙十節全書方竣成，前後一共歷時五年，完成時他年已八十四歲了。[2]有鑑於此書係錢先生垂暮之年所作，故《錢賓四先生全集》編輯委員會在為該書所撰之〈出版說明〉中便提醒讀者，錢先生在撰寫此書時，一方面因其「雙目已失明不見字，凡所載錄，全憑老年記憶所及」，另一方面又受限於當時海峽兩岸的客觀情勢，「通訊不便，遇有疑慮，無從查訊。」因而書中「所記若干細節，或與事實不免稍有出入。」編委會做的補救措施便是：「遇

1　錢穆：《師友雜憶》（收入《錢賓四先生全集》〔臺北：聯經出版事業公司，1998 年〕，第 51 冊，《八十憶雙親師友雜憶合刊》），頁 163。
2　錢穆：《師友雜憶》，《八十憶雙親師友雜憶合刊》，頁 34。

有先生誤憶之處，則另加附注說明。」[3]不過在《全集》版中的《師友雜憶》並沒有為這則回憶加附注補充說明，或許編委會並不認為這則敘述與事實有所出入。

其實，錢先生對此事件的印象是極強烈且深刻的，他不但書之於筆墨，在《師友雜憶》中敘及此事；甚至口宣於講堂，在一九七四年九月至翌年暑假的學年中，他在為當時仍為中國文化學院（今已改制為中國文化大學）的研究生所開之「經學大要」課堂中，便曾屢致其意，如在〈第一講〉中，他說道：

> ……那時北大、清華、燕大、輔仁、師大等各大學，都有經學課程，都照康有為的講法，說今文經是真的，古文經是假的。待我這篇〈劉向歆父子年譜〉刊出，從此北京各大學的經學課程一律停開了。[4]

又曰：

> 民國初年，雖有新文化運動，各大學沒有不開經學課程的，而這些課程便和新文化運動相呼應，盡是疑古辨偽，一筆抹搬。但從民國十九年以後，經學不能再照康有為那麼講，從此沒人開這些課。直到今天，也就很少人學經學了。[5]

---

3 錢賓四先生全集編輯委員會：〈出版說明〉，《八十憶雙親師友雜憶合刊》，頁2。
4 錢穆口述、胡美琦、何澤恆、張蓓蓓整理：《經學大要》（收入《錢賓四先生全集》，第52冊，《講堂遺錄》），頁267。
5 錢穆口述、胡美琦、何澤恆、張蓓蓓整理：《經學大要》，頁267。

在〈第八講〉中他又說道：

> 我一到燕大，別人便告訴我，北平各大學的經學課程都停開
> 了。他們讀了我這篇文章，知道從前學的一套都不能成立，
> 因此不願再這樣教課了。[6]

案：目前收錄在《錢賓四先生全集》中的《經學大要》一書係根據
當時上課錄音整理而成，在該書的〈出版說明〉中不但交代了錢先
生開設此課的經過，而且還詳述錢先生對開設此類課程的心境：

> 先生當年開設此一課程，乃為了卻其數十年之心願。蓋民國
> 十九年，先生撰〈劉向歆父子年譜〉一文，在《燕京學報》
> 發表。其前北平各大學本皆開設「經學史」及「經學通論」
> 諸課，並主康有為今文家言，是文一出，今文家言不能成立，
> 此等課程遂多在是年秋後停開。此本為一時現象，假以時
> 日，學術界自可有一適當調整。不料時局動盪，繼以日本大
> 舉侵華，國家存亡未卜，人心惶惶，再無人有心及此專門學
> 術探討。經學一課停開，竟因循數十年未能恢復，先生引為
> 內疚，曾言其撰文主旨，本為看重經學，故特指出講經學不
> 能專據今文家言，未料結果竟正相反。為此耿耿在懷，屢思
> 有所匡正，而皆不果。[7]

由此可知，錢先生晚年對此事的認知仍是相當一貫且堅定的，絕無

---

6 錢穆口述、胡美琦、何澤恆、張蓓蓓整理：《經學大要》，頁413。
7 錢賓四先生全集編輯委員會：〈出版說明〉，《經學大要》，頁2-3。

因年老而誤憶的可能。但須注意的是。錢先生所強調的經學課程是特指以經學為整體且以經學為名所開設的課程，如「經學通論」、「經學概論」、「經學大要」、「經學史」等，並不包括個別的經書課程，如《尚書》、《詩經》、《三禮》等。

錢先生這個說法在學術界的影響不小，如廖伯源在評價錢先生〈劉向歆父子年譜〉的貢獻時便是如此說的：

> ……此文有許多考證、辨偽，把事實系統地排列，理路很清楚，明顯證明劉歆不可能假造這麼多東西。所以此文一出震動當時的文史學界，北京各大學的經學課遂多在秋後停開。[8]

羅義俊也對此文的影響做了如此的評述：

> 廓清摧陷，盡掃所謂劉歆遍造群經說，為經學撤藩籬而破壁壘，破門戶而顯真是，解決了清道咸以來經學家今古文爭議，在經學史上另闢了以史治經的嶄新路徑，對中國經學史的研究，有劃時代的貢獻。故此文一出，北方學界大震撼，令人歎為「學術界上大快事」（《大公報·文學副刊》137 期）。北平各大學「經學史」及「經學通論」課，原俱主康說，亦即在秋後停開，開大學教學史之先例。[9]

---

8 廖伯源：〈讀劉向歆父子年譜〉，《錢穆先生紀念館館刊》第 5 期（1997 年），頁 97。

9 羅義俊：〈錢賓四先生傳略〉，《錢穆紀念文集》（中國人民政治協商會議江蘇省無錫縣委員會編，上海：上海人民出版社，1992 年），頁 277-278。

而錢先生的夫人錢胡美琦女士在〈錢賓四先生年譜‧上篇〉中亦將
錢先生對此事的說法採入其中。[10]杜正勝在〈錢穆與二十世紀中國古
代史學〉與華定謨在〈自學成才的錢賓四先生〉文中皆亦沿襲此說，
杜氏認為「此文發揮了相當大的作用」[11]，而華氏則形容〈劉向歆父
子年譜〉一文的刊出「引起學術界的震動」。[12]此外，顧潮在撰寫其
父顧頡剛（1893-1980）的傳記時，在敘及顧頡剛將錢穆從蘇州一中
學教師引薦至北平燕京大學，而使其在當時中國學術中心逐漸嶄露
頭角的這段經歷時，也援用了錢先生在《師友雜憶》中的這段回憶。
[13]

　　因為一篇〈劉向歆父子年譜〉而導致現代中國大學中的經學相
關課程（經學通論、經學史）的終結，錢先生晚年在回憶此事時，
透過上述〈出版說明〉的輔助解說，不難讓人察知表露在錢先生口
語文詞上的自得之意中，還是難掩其深沈的自責歎惋之情。有趣的
是，錢先生這種反應與西方當代科學哲學鉅擘卡爾‧巴柏（Karl

---

10 錢胡美琦：〈錢賓四先生年譜‧上篇〉，《錢穆先生紀念館館刊》第 3 期（1995
　　年），頁 161。
11 杜正勝：〈錢賓四與二十世紀中國的古代史學〉，《新史學之路》（臺北：三
　　民書局，2004 年），頁 218。
12 華定謨：〈自學成才的錢賓四先生〉，《錢穆紀念文集》，頁 99。
13 顧潮：《歷劫終教志不灰——我的父親顧頡剛》（上海：華東師範大學出版社，
　　1997 年），頁 139-140。案：也有的學者在述及此事時，態度較為矜慎，如單
　　周堯、許子濱合撰之〈錢賓四先生劉向歆父子年譜與左傳真偽問題研究〉（《紀
　　念錢穆先生逝世十週年國際學術研討會論文集》，臺北：國立臺灣大學中國
　　文學系編印，2001 年），在敘述到此事時，用了「據說」二字（頁 85）。此
　　外，錢穆的學生嚴耕望（1916-1996）所撰述的〈錢穆賓四先生行誼述略〉文
　　中敘及到錢穆寫作〈劉向歆父子年譜〉的這段過程時，卻對所謂導致北平各
　　大學經學課停開之事隻字未提。嚴文見氏撰：《錢穆賓四先生與我》（臺北：
　　臺灣商務印書館，1992 年），頁 3-37；又收入《錢穆紀念文集》，頁 105-122。

Popper，1902-1994）自承他必須為二十世紀三十年代至五十年代盛
極一時的邏輯實證論（Logical positivism）的消亡「負責」，如出一
轍。其云：

> 如今，每個人都知道邏輯實證論已逝。可是好像沒有人曾想
> 到過此中可以問一個問題：亦即「誰該負責？」的問題，或
> 是乾脆問「誰幹的？」……恐怕我該認罪。[14]

對卡爾・巴柏來說，幹掉邏輯實證論非其本意，因為他只不過是想
要指出一些在他看來很根本的錯誤。[15]而對錢先生來說，他的初衷也
是因為想反駁康有為（1858-1927）及今文學家的謬說，其目的亦非
想要終結大學講堂中的經學課程。從這二位中西人文學術大師的現
身說法中，一方面不禁令人對中西學術發展中的某些雷同之處感到
驚奇，另一方面也使人對這二位大師展現在學術上的坦率真誠與執
著嚴肅的態度，為之動容。

然而問題是，事實的真相是否真是如此？大學中的經學課程是
否真的在一九三〇年被錢先生的一篇文章給終結掉了？將來的教科
書或學術史在記載到民國時期的經學活動時，是否能這樣書寫著：
從清末民初以來，一直有在北京各大學課堂中講授的「經學通論」

---

14 以上引文見卡爾・巴柏的自傳《無盡的探索》（*Unended Quest：An Intellectual
Autobiography*, London：Routledge, 1992）。該書目前有二種中文譯本，一是劉
久清所譯，題為《封閉社會的敵人：巴柏》（臺北：北辰文化股份有限公司，
1988 年）；另一則是邱仁宗所譯，題為《無盡的探索：卡爾・波普爾自傳》
（南京：江蘇人民出版社，2000 年）。經比對原著後，發現劉久清譯本較邱
仁宗所譯流暢準確，因此正文所引相關文句係以劉久清譯本為主。中譯本引
文見頁 132-133；英文原著見頁 88。

15 參卡爾・巴柏：《無盡的探索》，中譯本頁 133，英文原著頁 88。

與「經學史」等經學課程，因為錢穆先生於一九三〇年六月發表於《燕京學報》第七期的〈劉向歆父子年譜〉的鉅作而紛紛停開，影響所及，最終導致了經學課程在中國大學中的全面終結？

第二節　一九三〇年後尚未自中國大學講堂絕跡的經學課程

雖然錢穆始終深信自己在一九三〇年六月刊登於《燕京學報》第七期的〈劉向歆父子年譜〉一文導致了經學課程的終結，不過仔細檢視錢先生的相關言論，卻發現他對此事件的敘述也存在著若干令人疑惑的地方。首先，錢先生所強調的重點究竟是當時北平各大學大多停開經學課程，或是全部都停開？其次，經學課程的停開，其影響的範圍是只侷限於故都北平，或遍及於全中國的大學？第三，經學課程的停開是一時的現象，抑或持續的狀況？整體來說，雖然錢先生在《師友雜憶》中說的是北平「各校經學課遂多在秋後停開」，但在《經學大要》中卻用極為肯定的語氣強調「一律都停開」、「都停開了」。二者看似稍有不同，不過對照著《經學大要》的〈出版說明〉對錢先生晚年心境的披露，還是可以察知在錢先生的認知中，中國現代大學中的經學課程自一九三〇年秋天後，不但在空間上從故都北平的各大學中消失了，同時也遍及於全中國的大學，甚至還涵蓋了錢先生待過的香港及晚年定居的臺灣之高等學府，而且在時間上也一直延續到錢先生晚年來臺定居的一九七〇、八〇年代。

不過，錢先生這些對現代中國大學中的經學課程置廢狀況的描述基本上仍是屬於個人回憶的性質，並沒有客觀的史料為之佐證，因而其可信度與真實性仍是需要被檢驗的。

在錢先生的回憶中，一九三〇年秋的北平是很關鍵的時空背景，因此，檢視錢先生說法可靠與否最主要的方法就是去察考一九三〇年以後，北平各大學開設經學課程的概況。在筆者目前所掌握的史料中，與錢先生所述一九三〇年秋最接近的課程資料是一九三一年北京大學中國文學系的〈課程指導書摘要〉。這份包含了全系課程大綱的課程指導書是適用於一九三一年九月至一九三二年六月的學年，恰巧是錢先生所敘及的一九三〇年秋的下一學年。這份北大中文系的課程指導書將該系課程分為 A、B、C 三類，A 類的課程以中國語言文字學為主，B 類的課程是以中國文學為主，C 類則是以文獻、考證的課程為主。[16]在 C 類的課程中赫然就列有「經學史」的科目，所表列的教員為時任北大中文系系主任的馬裕藻（幼漁，1878-1945）。[17]馬裕藻開設此課並非偶一為之，在一九三五學年度的北大文學院中國文學系的「課程一覽」中，依然可見馬氏開設此課程，且在此「課程一覽」中更可以清楚的看到，此課是上下學期二

---

16 據該〈課程指導書摘要〉云：「本系科目內容，實包含中國語言文字學，中國文學兩系之全部及考古學之一部。」（《北京大學日刊》〔北京：人民出版社，1981 年影印〕，民國 19 年 9 月 14 日第 5 版。）案：據一九二二年考上北大國文系預科的著名語文學家陸宗達（1905-1988）的回憶，當時北大的課分成三個專業，即文學專業、語言專業與文獻專業。（參陸宗達：〈我的學、教與研究工作生涯〉，《陸宗達語言學論文集》〔北京：北京師範大學出版社，1996 年〕，頁 665。）與該〈課程指導書摘要〉所分的三類課程若合符節。當時所謂之考古學之一部，即陸宗達所認為的文獻專業，裡面的課包含目錄學、校勘學、古籍校讀法、經史、國學要籍解題實習、考證方法論、三禮名物、古聲律學、古曆學、古地理學、古器物學等。看來，考據學的色彩還是很濃厚的。

17 《北京大學日刊》民國 20 年 9 月 14 日第 5 版。案：馬裕藻自一九一七年至一九三五年間長北大中文系，直至一九三五年方因校內風潮卸下主任的職位。參馬泰：〈永遠的北大人──記述先父馬裕藻教授〉，《我的父輩與北京大學》（錢理群、嚴瑞芳主編，北京：北京大學出版社，2006 年），頁 68。

學分的課。[18]有趣的是。馬氏講授經學史的課綱依然可以在一九三五年度的《國立北京大學一覽》中看到，其云：

> 先述孔子作經之始末，次就兩漢博士之師傳，劉歆古文之偽跡，以及鄭玄以降雜糅今古文諸端，分別敘列。至宋儒疑古之精神，清儒考訂之特色，凡關於經學者亦略具於篇，而以劉逢祿、龔自珍、魏源、邵懿辰、康有為、崔適諸家之說終焉。[19]

純是今文家的口吻[20]，似乎錢先生的大作對他絲毫不曾發生影響。

18 王學珍、郭建榮主編：《北京大學史料》（北京：北京大學出版社，2000 年），第 2 卷，中冊，頁 1163。案：日本著名漢學家吉川幸次郎（1904-1980）在一九二八年來中國留學時，就曾聽過馬裕藻開設的經學史課程，當時他在北京大學文學院擔任旁聽生，從他保存完好的民國十七年度的北大旁聽證上可以清楚的看到他旁聽的科目。除了 2 學分的「經學史」外，還有馬裕藻的「中國文字聲韻概要」（3 學分）及朱遜先（希祖，1879-1944）的「中國文學史」（3 學分）與「中國史學史」（2 學分）。（參吉川幸次郎撰、錢婉約譯：《我的留學記》〔北京：光明日報出版社，1999 年〕，頁 48-49。）又北平《新晨報》於一九三〇年六月出版的《北平各大學的狀況》一書中，亦載有北京大學中國文學系的課程開設情況，其中「經學史」一科仍由馬裕藻開設。（參新晨報叢書室編輯：《北平各大學的狀況》〔北平：新晨報，1930 年 6 月增訂再版〕，頁 22。）

19 國立北京大學編：《國立北京大學一覽（民國二十四年度）》（北平：國立北京大學，1935 年），頁 172。

20 馬裕藻雖為章門弟子，但據黎錦熙（1889-1978）謂：馬氏是與錢玄同（1887-1939）談今文經學的朋友之一，陳以愛據此判斷馬氏似為章太炎門生中態度較為傾向今文經學者。黎說參氏撰：〈錢玄同先生傳〉，《錢玄同印象》（沈永寶編，上海：學林出版社，1997 年），頁 77；陳說參氏撰：《中國現代學術研究機構的興起——以北京大學研究所國學門為中心的探討（1922-1927）》（臺北：國立政治大學歷史學系，1999 年），頁 248。又據吉川幸次郎對馬裕藻的近距離觀察，他認為馬裕藻和錢玄同「都是從老師的

　　同樣被錢先生所提到的北平輔仁大學，其中國語言文學系在一九三〇年代的經學課程的傳統其實也未曾中斷過。據《北京輔仁大學校史》所載的「中國語言文學系課程設置一覽表」中，可以清楚的看到列有「經學通論」的課程，任課的教員一共有二位，一是長期擔任系主任的余嘉錫（1884-1955），另一位則是劉盼遂（1896-1966）。余先生授課的時間是從一九二七年至一九三七年，正好涵括錢先生所說的一九三〇年秋天的學年，劉盼遂則是在一九四三年開設此課。[21]

　　此外，北平師範大學在一九三三年八月所重新修訂的〈學則〉中也清楚地規定了國文系的開設課程，其中在二年級的必修課目中

　　古文派轉向今文派的人」，而轉向的原因則是因為讀了皮錫瑞（1850-1908）的《經學歷史》，對皮書十分讚賞、佩服。因而在課堂上，他們二人都不說《左氏傳》，而說《偽左氏傳》。馬裕藻在講到劉歆的〈移書讓太常博士〉時，還說劉歆是個偽造者，《左傳》及其他古文經典都是他偽造的。甚至在一次宴會的場合，馬裕藻還跟同為章門弟子的吳承仕（1884-1939）為了該不該信守鄭玄經說的問題而起了激烈的爭論，馬裕藻認為鄭玄的經學都是牽強附會的，而吳承仕則反對馬氏這種說法。（以上俱見氏撰：《我的留學記》，頁 57-58、60、66-67。）

21 以上俱見北京輔仁大學校友會編：《北京輔仁大學校史（1925-1952）》（北京：中國社會出版社，2005 年），頁 122。案：據周祖謨、余淑宜所撰之〈余嘉錫先生傳略〉所記，余嘉錫一九二八年方自湖南北上至北平定居，一九三一年任輔仁大學教授兼國文系系主任，主任一職一直持續到一九四九年，且在其任教期間開設的課程中確有「經學通論」。（參《余嘉錫文史論集》〔長沙：嶽麓書社，1997 年〕，頁 665-666。）又《余嘉錫著作集》之〈出版說明〉所述亦大致相同。（參《世說新語箋疏》〔北京；中華書局，2007 年 2 版〕，上冊，頁 1。）不過，《北京輔仁大學校史（1925-1952）》卻記載余氏係一九二七年來北京，一九三二年後方任國文系系主任。（頁 109、111）孫邦華編著之《會友貝勒府──輔仁大學》（石家莊：河北教育出版社，2004 年）一書亦謂余氏一九二七年出任輔大國文系教授（頁 41），與周祖謨、余淑宜所記不同。雖然如此，綜合這幾種記載還是可以證實余氏於一九三〇年至一九三七年間確實曾在輔仁大學開設過「經學通論」的課程。

就有「經學史略」[22]，當時授此課者應是錢玄同[23]，此時距錢先生〈劉向歆父子年譜〉的刊布時間，不過二年左右。如此看來，北平大學中的經學課程似乎一時之間並未消歇。

　　經學課程不但未曾在一九三〇年代的北平高等學府消聲匿跡，在北平之外的中國大學中也有開設經學課程的紀錄，例如在廣州的國立中山大學中國語言文學系一九三三年度的授課科目中就有「經學通論」的課程[24]，而一九三五年度的授課科目中更列有「經學通論」與「經學歷史」，前者還被列在一年級的必修課目中，而後者則被列在選修課目中。直到一九三七年度，雖然「經學史」已從該校中文系的課表中消失，但「經學通論」仍然還是大一的必修課。[25]值得一提的是，該系在一九三五年度的大三和大四的必修課目中共設有《毛

22　北京師範大學校史編寫組：《北京師範大學校史（1902-1980）》（北京：北京師範大學出版社，1982 年），頁 98。

23　據黎錦熙〈錢玄同先生傳〉謂錢玄同在一九二八年擔任北平師範大學系主任時，兼授「說文研究」、「經學史略」、「周至唐及清代思想概要」、「先秦古書真偽略說」諸科目。又說當時北師大國文系的科目有「經學史略」一門，他每年總要自己擔任，因為怕「人家把它教得烏煙瘴氣的」。他在北師大的教職一直維持到抗戰之前。（以上俱參《錢玄同印象》，頁 42、77。）由此可知，一九三〇年後，他應該都還有在北師大教授「經學史略」。曹述敬的《錢玄同年譜》（濟南：齊魯書社，1986 年）、吳奔星的〈錢玄同年譜〉（收入氏撰：《錢玄同研究》，南京：江蘇古籍出版社，1990 年）及李可亭的〈錢玄同年譜簡編〉（收入氏撰：《錢玄同傳》，開封：河南大學出版社，2002 年）三者記載皆同，當是同出於黎錦熙的〈錢玄同先生傳〉。曹書見頁 102、吳書見頁 140、李書見頁 256。

24　國立中山大學文學院編輯：《國立中山大學文學院概覽》（廣州：國立中山大學出版部，1933 年），頁 26。

25　國立中山大學編：《國立中山大學現狀》（廣州：國立中山大學出版部，1937 年），頁 75、77-79。

詩》、《左傳》、《禮記》、《尚書》與《周易》等五門專經研究的課。[26]
而一九三三年度必修科目中的「基本國文」，從一年級至四年級共有
七種，分別講授《孝經》、《論》、《孟》（基本國文一）、《毛詩》（基
本國文二）、《禮記》（基本國文三）、《左傳》（基本國文四）、《周禮》
（基本國文五）、《尚書》（基本國文六）、《周易》（基本國文七）。[27]由
此可見，當時廣州中山大學中文系對經學課程的重視恐怕是無與倫
比的。[28]

又如在武昌的國立武漢大學，在其中國文學系一九三五與一九
三六年度的課程指導書中同樣可看到「經學概論」的課目，此課被
安排在二年級的必修課程中，授課者是劉異（蓉龍）。在該年度文學
院的學程內容中，還載有他的課程綱要，可以約略看出他對這門課
的構想：

> 本學程以論為經，以表為緯。先綜論經之名義，體性，源流，
> 次第，傳授，師法，今古文，傳注，漢宋，經緯經子，經史，
> 經文，治經，致用，俾得一總括之概念，及知經與群書之關
> 係。次分述經，傳，內容特殊之點，使略知個別之要義。再
> 緯之以經數，篇目，義數，字數，傳授，經文異同，今古文

---

26 國立中山大學編：《國立中山大學現狀》（廣州：國立中山大學出版部，1935
　年），頁 86-89。
27 國立中山大學文學院編輯：《國立中山大學文學院概覽》，頁 22-24。
28 案：此應與當時廣東當局與中山大學校方積極推行之讀經運動有關。關於前者，
　胡適（1891-1962）在一九三五年所撰寫之《南遊雜憶》即曾對此運動加以批
　判。（見《胡適作品集》〔臺北：遠流出版公司，1986 年〕，第 16 冊，《神
　會和尚傳》，頁 206-218。）而至於後者，則參劉小雲：〈20 世紀 30 年代中
　山大學讀經考察〉，《中山大學學報》（社會科學版）48 卷，2008 年第 4 期，
　頁 69-80。

異同，石經，及他各概表。以期學者於經學得一整個之常識，
以為進究專經之基礎。[29]

此外，在顧潮所編的《顧頡剛年譜》中亦可看到顧頡剛於抗戰
期間避難西南時，曾於昆明的雲南大學文史系開設過「經學史」的
課程。他開設此課的時間是從一九三八年十二月初至一九三九年七
月，這門課程也是他短暫任職雲大期間所開設的兩門課程中的其中
一門。[30]不止於此，在他於一九三九年九月轉任至內遷於成都的齊魯
大學國學研究所的次年，他便在所裡開設「經學」的課程。[31]有趣的
是，據錢穆自述，他當年寫作〈劉向歆父子年譜〉一文主要針對的
其實就是顧頡剛[32]，但顯然顧頡剛並沒有因為這篇力破今文家言的文
章而放棄開設經學課程，從《顧頡剛年譜》的記載更可以知道，顧
頡剛在一九三八年十二月至一九三九年七月於雲大開設經學史之
前，他並沒有開設相關課程的紀錄。[33]由此可知，顧頡剛在雲南大學

---

29 以上俱參見：國立武漢大學編：《國立武漢大學一覽（民國二十四年）》（臺
　　北：傳記文學出版社，1971 年影印），原書頁 19、39；國立武漢大學編：《國
　　立武漢大學一覽（民國二十五年）》（武昌：國立武漢大學，1936 年），頁
　　21、43。

30 另外一門課是他拿手的「中國上古史」。以上俱參顧潮編著：《顧頡剛年譜》
　　（增訂本，北京：中華書局，2011 年），頁 329、331。

31 參顧潮編著：《顧頡剛年譜》，頁 345。

32 錢穆《師友雜憶》云顧頡剛曾告訴他說：「彼在中山大學任課，以講述康有為
　　『今文經學』為中心。」（《八十憶雙親師友雜憶合刊》，頁 149）又云顧頡
　　剛邀他為《燕京學報》撰文，但因其之前在後宅任教時，「即讀康有為《新
　　學偽經考》，而心疑。又因頡剛方主講康有為，乃特草〈劉向歆父子年譜〉
　　一文與之。然此文不嘗特與頡剛諍議。」（《八十憶雙親師友雜憶合刊》，
　　頁 154）

33 顧頡剛從一九二六年下半年辭掉北大研究所國學門助教一職，南下廈門大學擔
　　任國學系教授及研究所導師後，方才正式展開其教職生涯。從一九二六年至

及齊魯大學國學研究所開設經學的課程正好與錢穆所述及的現象背道而馳，顧頡剛當時為何要開設這方面的課？其動機頗耐人尋味。

在中國內地的大學中，經學課程的傳統直至中共建政後的一九六〇年代也都還未絕跡，據周予同（1898-1981）自述，一九五六年時，當時的中國十二年科學遠景規劃中就有「中國經學史」一項專題，而自一九五九年起，上海復旦大學歷史系「中國古代史專門化」復又開始設立「中國經學史」的課程。[34]據周予同的弟子朱維錚的記述，周予同是在一九五九年至一九六六年的七年間開設這門課的。雖然其時中國的大學已開始按照蘇聯綜合大學的模式分成「專門化」，但中國古代史專門化中的一門主修課程卻是「中國經學史」。

一九三八年間，他曾分別在廈門大學、中山大學、燕京大學及北京大學任教過，其所開設的課計有：「經學專書研究」〔以《尚書》為主〕（廈大，1926年，《顧頡剛年譜》〔以下簡稱《顧譜》〕，頁 145）、「中國上古史」、「《書經》研究」、「書目指南」、「文史導課」〔《詩經》、三百年思想史〕（中大，1927 年秋至 1928 年暑假，《顧譜》，頁 162、164）、「古代地理研究」、「春秋研究」、「孔子研究」、「中國上古史實習」、「三百年來思想史」（中大，1928 年秋至 1929 年寒假，《顧譜》，頁 180、188），「中國上古史研究」（燕大，1929 年秋、1930 秋、1931 年上半年，《顧譜》，頁 197、211、214）、「《史記》研究」（北大，1929 秋，《顧譜》，頁 198）、「《尚書》研究」（燕大、北大，1931 年秋至 1932 年暑假，《顧譜》，頁 214、218、223）、「中國古代地理沿革史」（燕大、北大，1932 年秋至 1933 年暑假、1933 年秋至 1934 年暑假，《顧譜》，頁 227、231、237、240、245）、「中國通史」（北大，1932 年秋，《顧譜》，頁 228）、「秦漢史」（燕大，1933 年上半年，《顧譜》，頁 232）、「春秋戰國史」」（燕大、北大，1934 年上半年，《顧譜》，頁 240）、「春秋史」（北大，1935 年秋至 1936 年暑假，《顧譜》，頁 267、279；燕大、北大，1936 年秋至 1937 年暑假，《顧譜》，頁 290-300）、「古跡古物調查實習」（燕大，1936 年秋至 1937 年暑假，《顧譜》，頁 290、300）。

34 周予同：〈「經」、「經學」、經學史──中國經學史論之一〉，《周予同經學史論著選集》（增訂版，朱維錚編，上海：上海人民出版社，1996 年第 2版），頁 649。

當時的課程設計是規定修讀一學年，每週四學時，朱維錚回憶說：「這是當時全國大學文科中獨一無二的一門課程」。[35]不過朱維錚的回憶若只針對「中國經學史」的課程或許是有可能的，但若從整體經學課程的角度來看，則就不是那麼獨一無二了。因為無獨有偶的，顧頡剛也曾在一九六四年應北大中文系古典文獻專業之約，為四、五年級講「經學通論」。這個為期僅有五週的課程，雖因顧頡剛僅上了三週便因病而不了了之[36]，但無論如何，這也證明了在文化大革命之前，經學的課程在中國大陸南北的重要大學中都未真正的絕跡。而且令人感到有意思的是，有意識開設此課者都是立場較傾向於今文經學者，此中又透露出什麼訊息？[37]

　　與一九四九年後的中國大陸之蕭條景象形成鮮明對比的是，經學課程在此時臺灣的高等教育卻呈現出一片花團錦簇的榮景，誠如林慶彰先生所說的：「播遷來的學者成了宣揚經學的新種子，使臺灣

---

35 以上俱見朱維錚：〈周予同經學史論著選集增訂版前言〉，《周予同經學史論著選集》，頁 5-7；朱維錚：〈中國經學史研究五十年——周予同經學史論著選集後記〉，《周予同經學史論著選集》，頁 980。相關敘述又見許道勛、徐洪興：《中國經學史》（上海：上海人民出版社，2006 年），頁 425-426。

36 參顧潮：《歷劫終教志不灰——我的父親顧頡剛》，頁 294。

37 就顧頡剛而言，其深受今文經說影響，此乃不待多言之事實。然其主要成就在古史，故其對經學的態度就頗值得玩味。他曾在日記中記錄下他對這門學問的觀感：「現在研究經學人士寥寥可數，只沈鳳笙、張西堂數君，予苟不為，則康、崔之緒即斷。故此後研究工作，必傾向經學，庶清代業績有一碩果也。」（顧頡剛：《顧頡剛日記》〔臺北：聯經出版事業公司，2007 年〕，第 6 卷，頁 401，1949 年 1 月 5 日記）。由此可知，難怪他會願意接受北大「經學通論」課程的邀約，因為他所抱持的態度就是：「甚欲延此緒之業」。（顧潮：《歷劫終教志不灰——我的父親顧頡剛》，頁 294。）再就周予同來說，其亦自承在立場上較傾向今文經學者，見氏撰：《經今古文學》，《周予同經學史論著選集》，頁 24。

成為發揚經學的唯一聖地。」[38]就筆者粗淺印象所及，曾在北部大學中講授經學相關課程的著名學者就計有程發軔（1895-1975，曾於臺灣師範大學國文研究所講授「群經大義」）、戴君仁（1901-1978，曾於臺灣大學中文系所講授「經學史」）[39]、屈萬里（1907-1979，曾於臺灣大學中文系講授「經學專題討論」及東吳大學中文所講授「經學史」）[40]、胡自逢（1917-2004，曾在中央大學中文所講授「經學史」、東吳大學中文所講授「群經大義」）、程元敏（曾長期在臺大中文系所教授「經學史」）、蔡信發（曾在中央大學中文所講授「經學史」）、李威熊（曾在政治大學中文所及中央大學中文所教授「經學史」）、董金裕（曾在政治大學中文所教授「經學史」）、夏長樸（曾於空中大學人文學系開設「經學通論」）、林慶彰（曾於中央大學中文所及東吳大學中文所等校教授「經學史」）、汪惠敏（曾於輔仁大學中文系教授「經學通論」）、葉國良（曾於空中大學人文學系開設「經學通論」）、何澤恆（目前仍持續在臺大中文系所教授「經學史」）、李隆獻（亦曾於空中大學人文學系開設「經學通論」，與葉國良、夏長樸二教授合開）。[41]從這極不完整的授課概況中即可看出，大學中的

---

38 林慶彰：〈序〉，《五十年來的經學研究》（林慶彰主編：臺北：臺灣學生書局，2003年），頁Ⅲ-Ⅳ。

39 戴君仁於臺大中文系所開設「經學史」係始於一九五九年九月，直至一九七○年，參阮廷瑜：《戴君仁靜山先生年譜及學術思想之流變》（臺北：國立編譯館，2008年），頁156、336。

40 屈萬里任臺大中文系「經學專題討論課」事見李偉泰：〈屈萬里先生傳〉，《國立臺灣大學中國文學系系史稿》（國立臺灣大學中國文學系編撰，臺北：臺灣大學中國文學系，2002年），頁245。

41 其中部分資訊係筆者向明道大學中文系開悟講座教授胡楚生先生及中央研究院中國文哲研究所蔣秋華與楊晉龍二位研究員詢查，蒙三位教授不吝告知，在此特致謝忱。附帶一提的是，據胡教授告知，他亦曾於一九六六年至一九六八年左右在新加坡南洋大學中國語言文學系開授過經學史的課程，在他之前任此課者是黃六平（向夏）。此外，又據陳萬雄所撰之〈由一封信說起——

經學課程的傳統顯然在一九五〇年代後的臺灣是未曾中斷過的，僅從這點來說，臺灣即已不負「經學王國」的美譽。[42]

　　由以上的敘述可以知道，錢先生的回憶顯然是與事實不相吻合，甚至有段不小的落差，何以致此？其中最主要的原因恐怕是他在《經學通論・第八講》中所說的：「我一到燕大，別人便告訴我，北平各大學的經學課程都停開了。他們讀了我這篇文章，知道從前學的一套都不能成立，因此不願再這樣教課了。」由此線索或許可以做如此推想，植根於錢先生腦海長達半世紀的這個「心理真實」（Psychological truth）應是來自於旁人對他的〈劉向歆父子年譜〉的推崇讚美之語。[43]對於一九三〇年秋天甫從南方來到北平的錢先生而言，他對故都各大學中的生態其實是陌生的，加上他初任教的燕京大學在當時又地處市郊，而他平常又「絕少外出」。[44]因此從常理來判斷，他應該是無法自行得出「余文出，各校經學課遂多在秋後停開」這樣一個明顯不合乎事實的判斷。因而，錢先生很可能是在接受了旁人帶有恭維性質的閒談話語所造成的先入之見後，遂因此形成了如此一個牢不可破的「心理真實」。

　　在一九三一年九月十四日刊載於《北京大學日刊》的〈文學院各學系課程大綱〉中，除了在第五版和第六版中列有〈中國文學系課程指導書摘要〉外，在第八版和第九版中亦同時刊載了〈史學系課程一覽〉。其中就列有錢先生自己在北大史學系所開設的「中國上

　　追憶牟師潤孫先生〉，牟潤孫（1908-1988）曾於一九六〇、七〇年代在香港中文大學新亞書院歷史系講授過「中國經學史」的課程。參牟潤孫：《海遺叢稿二編》（北京：中華書局，2009 年），頁 341。

42 「經學王國」的封號見林慶彰：〈序〉，《五十年來的經學研究》，頁 V。

43 關於「心理真實」的相關討論請參余英時：《論戴震與章學誠》（香港：龍門書店，1976 年），頁 59。

44 錢穆：《師友雜憶》，《八十憶雙親師友雜憶合刊》，頁 161。

古史」、「漢魏史」和「中國近三百年學術史」，但有趣的是，馬裕藻的「經學史」就出現在第五版的中文系 C 組的課程中。當時剛從燕京大學轉入北京大學的錢先生是否看到過這份發行於北大校園內帶有公報性質的刊物？他是否有從該《日刊》中或校內其他的訊息管道留意到中文系的課程？抑或看到之後，但最後也隨著日子的流逝而逐漸淡忘了？……這些問題都是無法再去證實的，但有一點似乎是比較肯定的，意即，錢先生在形成他的「心理真實」的過程中，他對大學中的經學課程的消亡與否有時並不是抱持那麼絕決而肯定的態度，例如，他在一九六九年三月為劉百閔（1898-1968）的《經學通論》寫序時便曾表達過如下的意思：

> 晚近中國大學設經學科者已不多……竊謂經學既為中國文化淵源所自，於大學文學院設科講授，自屬必要。……如今在大學文學院設「經學通論」一科，以一年之課程，每週兩小時，全年不到一百小時，亦可使學者稍知經學之大體大意，揭示其大義要旨而有餘矣。劉君此書，若繩之以清儒之榘矱，誠若寡薄，未進於專門之奧窔，然庶有當於大學設教之所期嚮。[45]

劉百閔長期任教於香港大學中文系，錢先生曾與其共事過。[46]《經學通論》一書係劉氏的遺稿，錢先生認為此書「似為其在港大之講義」。

---

45 錢穆：〈劉百閔經學通論序〉，《素書樓餘瀋》（收入《錢賓四先生全集》第53 冊），頁 41-43。

46 錢穆：〈故友劉百閔兄悼辭〉，《八十憶雙親師友雜憶合刊》，頁 419-424；又參錢穆：《師友雜憶》，《八十憶雙親師友雜憶合刊》，頁 304-305。

[47]對照錢先生這些話，不禁令人有如下的猜想，亦即：劉百閔在港大中文系教授經學相關的課程，而《經學通論》一書當為其上課講義。[48]亦曾在港大中文系任教過的錢先生[49]，或許在寫〈序〉的當時，腦海中還存有劉百閔在港大講授經學的印象，所以才有如上「於大學文學院設科講授，自屬必要」、「如今在大學文學院設『經學通論』一科，以一年之課程，每週兩小時……亦可使學者稍知經學之大體大意」等帶有欣勉嘉許意味的話語。尤其直謂劉氏此書「庶有當於大學設教之所期嚮」，更可明白看出錢先生此時應該不會有前引《經學大要》之〈出版說明〉所謂之「經學一課停開，竟因循數十年未能恢復」之絕決認知。

　　但畢竟先入為主的成見往往是牢不可破的，錢先生有時雖似有察覺實際情形的言論表現，但隨著他年歲的增加，以及晚年視力的衰退，盤桓在他腦海長達數十年的印象終究還是構成了他對此事的主要認知，而此認知不但形成了他的「心理真實」，而且還透過了錢先生的鉅大學術影響力，主導了許多學者對這段攸關現代大學中之經學教育的歷史認知，而且更可能從而形塑或構造出了這段歷史。

47　錢穆：〈劉百閔經學通論序〉，《素書樓餘瀋》，頁 41。

48　單周堯主編之《香港大學中文學院歷史圖錄》（香港：香港大學中文學院，2007年）所收錄的香港大學 1953-54 年度校曆複印圖版所載之文科中文課程（頁 73-75），以及羅香林（1906-1978）在〈香港大學中文系之發展〉文中根據香港大學一九五七年至一九六〇各年度之校曆整理出香港大學中文系這五年來各年級之課程內容，其中一年級中國文學的課程中皆有「經學導論」（Introduction to the Chinese Classics）這門課。羅文同時又提到劉百閔於一九五二年被港大中文系聘為專任講師，一九五六年升任為高級講師，而系中中國文學方面的課程由劉百閔與饒宗頤二先生講授。由此可以證實劉百閔確曾有在港大中文系開設過「經學導論」的課程。羅香林此文收入氏撰：《香港與中西文化之交流》（香港：中國學社，1961 年初版），引據相關段落參頁 231-232。

49　參錢穆：《師友雜憶》，《八十憶雙親師友雜憶合刊》，頁 304-305。

如果一旦正式進入學術史家的歷史書寫中，這個印象就很可能變成
二十世紀經學史的組成部分與其中內容。

第三節　從大學課表中逐漸被擦掉的經學課程

　　雖然錢先生上述的回憶與事實不合，自一九三〇年秋天之後，
經學課程並未完全從大學課表中消失，但即使經學的講授在若干大
學講堂中仍然弦歌不輟，然而這卻猶如殘陽落日的光暉，畢竟掩蓋
不了經學在現代高等教育體系中全面潰退的命運。從這個角度來
說，錢先生的回憶雖在某些細節上與史實不合，但卻也敏銳地洞悉
了這個趨勢。

　　最具關鍵意義的事件是國民政府教育部所主導的大學院系課程
之整理修訂工作，從其中很可以窺見經學課程在現代大學教育體系
中的地位之升降。一九二九年，教育部組織成立了大學課程及設備
標準起草委員會，正式展開了對大學課程之整理工作。到了一九三
八年，教育部決定先從文、理、法三學院的課程開始整理，並隨之
頒布了「文、理、法、農、工、商之分院共同必修科目表」（於一九
三八年度實施）。一九三九年時，教育部又制定了「師範學院分系必
修及選修科目表與各學院分系必修選修科目表」（於該年度第二年級
學生開始施行），以作為抗戰初期統一各校標準，提高學生程度而修
正大學課程之依據。[50]此後每隔四、五年即再加以修訂，直至一九八
一年，一共進行了七次的課程修訂，其中與文學院與師範學院課程

---

50 參中華民國史教育志編纂委員會：《中華民國史教育志（初稿）》（臺北：國
　史館，1990 年），頁 164。

有關的修訂共有六次。[51]在教育部於一九三八年九月二十日所頒布的
「文學院共同必修科目表」，以及一九三九年八月十二日頒布的「大
學文理法農工商各學院分系必修及選修科目表」與一九三九年十二
月發頒的「師範學院分系必修及選修科目表」中，其中無論在「文
學院共同必修科目表」中，還是在「中國文學系必修科目表」、「中
國文學系選修科目表」、「中國文學系語言文字組必修科目表」、「中
國文學系語言文字組選修科目表」，以及師範學院中的「國文學系必
修科目表」、「國文學系選修科目表」中都完全不見經學的課程。而
在歷史學系的必、選修科目表和師範學院中的史地學系必、選修科
目表中，情況亦皆然。[52]這些科目表到了一九四四年又做了第一次的
修訂，於該年九月二十七日公布，情況依然沒有改變。[53]一九四八年
十二月二十日教育部所頒發的〈大學文理法醫農工商師範八學院共
同必修科目表及分系必修科目表〉是第二次的課程修訂，在文學院
的共同必修科目，以及中文系、歷史系、師範學院國文系與史地系
等必修科目中也都找不到一門經學的課。[54]雖然據《北京大學校史》
的記載，當時學校當局對於全校共同必修課目基本上是按照部訂的
課程來實施的，但各系的必修和選修科目在實際確定課程時是多有
變通的，並沒有完全按照教育部制定的一套執行。[55]但從全國最高教

---

51 參中華民國史教育志編纂委員會：《中華民國史教育志（初稿）》，頁 166-167；
　　另參教育部高等教育司編印：《修訂大學課程報告書》（臺北：教育部高等
　　教育司，1973 年），頁 3-4、6-7、9-11。

52 參教育部編：《大學科目表》（重慶：正中書局，1940 年），頁 23-24、35-40、
　　48-51、108-111、123-127。

53 參教育部高等教育司編訂：《修訂大學科目表》（臺北：教育部高等教育司，
　　1955 年重印），頁 74-84、90-93、146-150、152-156。

54 參教育部高等教育司編訂：《修訂大學科目表》，頁 4-6、8-9、65-66、69-70。

55 參蕭超然等編著：《北京大學校史（1898-1949）》（北京：北京大學出版社，
　　1998 年），頁 382-383。

育主管機關對大學統一課程的制定過程中所展露出對經學課程的態度，以及統一課程實施後所發揮的實際影響，還是可以很具體的評估經學課程在大學教育體系中所受到的衝擊，以及其地位陵夷的趨勢。以燕京大學和北京大學為例，這兩校中文系分別在一九四一年和一九四八年的課程中，就如同教育部所頒布的統一課程，都沒有任何一門經學的課。[56]

國民政府遷臺之後，情況是否有好轉？詳查一九五八年十二月三十日教育部頒布的第三次課程修訂的結果：「修訂文學院共同必修科各學系必修科科目表」，其中還是沒看到經學的課程。[57]一九六五年九月二十一日公布的「修訂文學院共同各學系必修科目表」，這是第四次對文學院課程的修訂，但情況依然沒什麼改變。[58]直到一九七二年與一九七五年，教育部又分別對當時的大學課程進行第五與第六次的修訂，在這兩次修訂所頒布的「大學必修科目表」中，無論是文學院中的中國文學系（含文藝組）、歷史學系，或師範學院中的國文學系與歷史學系亦均未見經學課程的踪影。[59]

須聲明的是，這些部頒的大學科目表所規範的都是大學及學院中的課程，並未包括研究所，而且自一九四八年第二次課程修訂後幾次所頒佈的大學科目表，其所規範的也是必修科目，未包括選修

---

56 燕京大學中文系的課程參燕京大學編：《燕京大學課程一覽》（北平：燕京大學，1941 年），頁 28-37。北京大學中的課程參蕭超然等編著：《北京大學校史（1898-1949）》，頁 466。

57 參教育部高等教育司編著：《大學科目表彙編》（臺北：正中書局，1961 年臺初版），頁 8-11、14-15、158-159、162-163。

58 參教育部高等教育司編印：《修訂大學科目表》（臺北：教育部高等教育司，1965 年初版、1970 年再版），頁 2-5、13-14、20-21、24-25。

59 參教育部高等教育司編印：《修訂大學課程報告書》，頁 33-35、53-54、494-496、499-500。

科目，因此也許不能完全反映現代大學，尤其是一九四九年後的臺
灣地區大學中的經學教育的真實情況。應該這麼說，臺灣經學教育
的重心其實是擺放在研究所階段，而非大學部。以臺灣師範大學一
九五九年和一九七〇的課程為例，這兩個年度的大學部的國文學系
都沒有一門經學的課，但一九五九學年度的國文研究所卻同時開設
了「群經大義」和「經學史」兩門課，一九七〇學年度的國文研究
所也依然有「群經大義」這門課，而且還是必修課。[60]與此類似的是，
在國立政治大學一九六二年中文系的課表中也沒有一門經學的課。[61]
但若翻查教育部高等教育司於一九七八年編印的《大學暨獨立學院
各研究所碩博士班現行科目表》，其中設有中文或國文研究所的大專
院校計有臺灣大學、政治大學、臺灣師範大學、臺灣省立高雄師範
學院、東海大學、輔仁大學、東吳大學與中國文化學院等八校，除
了臺灣大學和東吳大學之外，其餘六校的中文所或國文所在一九七
七學年度報給教育部的課程中皆有經學的課程。[62]臺灣的中文研究所
教育重視經學的課程，這也反映在從一九五〇至一九八〇年代，中
文研究所碩、博士班充斥著大量以經學為研究主題的學位論文，以

---

60 參臺灣省立師範大學編印：《臺灣省立師範大學課程綱要》（臺北：臺灣省立
　　師範大學，1959 年），頁 16-17、32；國立臺灣師範大學編印：《師大要覽》
　　（臺北：國立臺灣師範大學，1970 年），頁 60、67、90-93。

61 參國立政治大學編印：《國立政治大學課程說明概覽》（臺北：國立政治大學，
　　1962 年），頁 2b-3b。

62 政大中文所碩士班開有「經學史」、臺師大碩博士班、高雄師範學院碩士班、
　　東海大學碩士班和文化學院碩士班皆有開「群經大義」、輔仁大學則是開「經
　　學專題研究」。以上參教育部高等教育司編印：《大學暨獨立學院各研究所
　　碩博士班現行科目表》（臺北：教育部高等教育司，1978 年），頁 159、301、
　　311、480、482、504、602。

及不少學校博士班入學考試還保有中國經學史這個學科。[63]嚴格來說，臺灣所擁有的「經學王國」的光環應該是在那個年代才是最閃亮耀眼的，特別是對照著中國大陸自一九六六年爆發文化大革命後，不但經學學科從各級學校的課目中消失，而且圖書館的圖書分類更見不到經學的類目的悲慘狀況[64]，這個光環顯著更加的光彩奪目。

但隨著時代環境的變遷，光環畢竟也有生鏽的時候，誠如林慶彰先生所說的：

> 民國八、九十年代以來，臺灣本土化的呼聲越來越強烈，所謂本土化，就是要強調臺灣的主體性。什麼可以反映臺灣的主體性，在學校課程方面，就是要增加臺灣文學的課程，甚至設立臺灣文學系、臺灣文學研究所。現在設有臺灣文學系、所的學校還不多，但在中國文學系、所中挪出部分中國文學的課程，改開臺灣文學課程，也是必然的事。哪些課程應該被取代，最先受影響的是小學、經學的課程，也就是本土化壓縮了小學和經學的空間。由於臺灣文學的課程越開越多，許多研究生選擇以臺灣文學作為學位論文也加倍的成

---

63 以臺大中文系為例，其在一九七四年二月九日的系務會議中曾規定，非中文研究所碩士班之畢業生報考該系博士班者應舉行筆試，而在六科筆試科目中的「中國學術史」一科就包含了「文學史」、「經學史」與「哲學史」。此外，在一九七五年一月二十九日討論刪減研究所入學考試專科選考種類的五人小組會議中亦做出決議，將「經學史」一科列入刪減後的二十四種選考科目之一。（以上俱參國立臺灣大學中國文學系編撰：《國立臺灣大學中國文學系系史稿》，頁 54、59。）

64 以上俱參林慶彰：〈序〉，《五十年來的經學研究》，頁 V。

長，這又奪走了部分想研究經學的學生。[65]

就筆者的理解，小學、經學的課程的被擠壓，不能完全歸咎於本土化教育的抬頭，而是整體古典課程（包含古典文學、義理、經學、小學及圖書文獻學）被現代課程（現代文學、用白話文書寫的臺灣文學及文學創作與傳播）侵蝕的結果。但雖同樣受到現代課程的侵逼，古典課程中的古典文學、義理及小學的課程，或因其本身仍有一定的學科競爭力，或因其有必修及研究所考試的保障，因而基本上還能維持一定的局面於不墜。但既未受到必修保障，又未受到研究所考試青睞的經學及圖書文獻學，其在現階段臺灣的大學教育中的前景似乎就不那麼樂觀了。誠如林慶彰先生所觀察的，臺灣的經學因為還保有數十年深厚的傳統（筆者案：也就是還有一定的學科競爭力），至少還能維持小康的局面。但如果局面再持續惡化下去，恐怕「三十年後反而要再向大陸取經」。[66]

　　從清末民初到戰亂頻傳的三、四十年代，直到一九四九年後兩岸分治後的情勢，以迄今日，可以看到，大學中的經學課程的逐漸沒落消失似乎是一個整體的大的趨勢，但為何如此？其原因何在？這當然與經學在現代學術體系中的地位的衰微有直接的關係。陳以愛在《中國現代學術研究機構的興起——以北京大學研究所國學門為中心的探討（1922-1927）》一書中是這樣分析經學在近代的式微的：

　　　　扼要的說，從思想的層面看，諸子思想的再發現，清末的今
　　　　古文之爭，西學的傳入，以及經學面對世變的束手無策，都

65　林慶彰：〈序〉，《五十年來的經學研究》，頁 V-VI。
66　林慶彰：〈序〉，《五十年來的經學研究》，頁 VI。

造成經學地位的動搖。從制度上看，科舉制度的廢除，使經學頓失其社會基礎。清政權的結束，更切斷了長期以來經學與政治的緊密聯繫。1912 年，蔡元培任民國首任教育總長時，宣布廢止大學經科，經學的研究項目併入文科各學門，更加速了經學沒落的腳步。[67]

上述所羅列的種種因素，有外在的原因，如政治、制度的改變，也有學術本身內部的原因，如諸子學興起、今古文之爭、西學的衝擊等。不過這些恐怕都不是最主要、最關鍵的因素。因為向來被視做經學附庸的小學，何以沒有因此隨著經學一起沒落，反而在現代學術體系中獲得新生，站穩了其在中文學門中的地位？筆者揣測最重要的原因應該是經學未能在這場由古到今、由舊到新、由中到西、由傳統到現代的學術轉型中，找到其適切相應的位置。在這個新舊、中西學術轉型運動中，凡是能順利轉換軌道的，大概都能在現代學科體系與教育系統中獲得安身立命的機會，如傳統的辭章之學轉換為「中國文學（史）」的研究與教學，傳統的義理之學及子學、理學等可以轉換為「中國哲學（史）」或「中國思想史」，小學則有西方的語言學（linguistic）及語文學（philology）以資銜接，傳統的史學亦可銜結上西方的歷史學。但經學呢？經學是面臨根本的「無軌可轉」的窘境[68]，甚至連保有「經學」之名的正當性亦倍受挑戰，如

---

67 陳以愛：《中國現代學術研究機構的興起——以北京大學研究所國學門為中心的探討（1922-1927）》，頁 265-266。

68 關於學術體系轉換的討論可參陳以愛：《中國現代學術研究機構的興起——以北京大學研究所國學門為中心的探討（1922-1927）》，頁 410-419；及左玉河：《從四部之學到七科之學——學術分科與近代中國知識系統之創建》（上海：上海書店出版社，2004 年），頁 423-432。

朱希祖就曾在一九一九年強烈的呼籲:「經學之名,亦須捐除」。[69]正是在這樣一個從傳統「四部之學」轉換到現代學術體系的過程中,無軌可轉的經學其存在之正當性不但飽受質疑,且其學科本身之整體性、獨立性與主體性也隨之消融殆盡,因而其在現代大學教育中的結局就是被支解分裂成個別經書典籍,蒙文通(1894-1968)對此深有所感,其云:

> 自清末改制以來,昔學校之經學一科遂分裂而入於數科,以《易》入哲學,《詩》入文學,《尚書》、《春秋》、《禮》入史學,原本獨特宏偉之經學遂至若存若亡。[70]

左玉河亦持類似的觀點:

> 1912 年民國成立後,經學科正式從分科大學中取消,經學及其所屬之典籍,被分解歸併到文、史、哲等近代學科體系中,經學因失去其必要的生存空間而漸趨衰亡。[71]

69　朱希祖:〈整理中國最古書籍之方法論〉,《朱希祖文存》(周文玖選編,上海:上海古籍出版社,2006 年),頁 94。

70　蒙文通:《經史抉原》,《蒙文通文集》(成都:巴蜀書社,1995 年),第 3 卷,頁 150。蒙先生對這樣的發展態勢自然是難予以苟同的,他將原因歸咎於「殆妄以西方學術分類衡量中國學術,而不顧經學在民族文化中之巨大力量、巨大成就之故也。」因為在他眼中,「經學即是經學,本為一整體,自有其對象,非史、非哲、非文,集古代文化之大成,為後來文化之先導者也。」(同上)

71　左玉河:《從四部之學到七科之學——學術分科與近代中國知識系統之創建》,頁 247。

一九三八年參與教育部課程整理的朱自清（1898-1948）正是抱
持這樣的想法[72]，如他在〈部頒大學中國文學系科目表商榷〉一文中
就是如此說的：

> 按從前的情形，本來就只有經學，史子集都是附庸；後來史
> 子由附庸而蔚為大國，但集部還只有箋注之學，一直在附庸
> 的地位。民國以來，康、梁以後，時代變了，背景換了，經
> 學已然不成其為學；經學的問題有些變成無意義，有些分別
> 歸入哲學、史學、文學。諸子學也分別劃歸這三者。集部大
> 致歸到史學、文學；從前有附庸和大國之分，現在一律平等，
> 集部是升了格了。[73]

既然經學已然不成其為學，因此在大學中文系的課程中，沒有經學
的課也是理所當然的。

經學雖然不成其為學，但不表示構成經學的主體——經書——是
沒有價值的，在朱自清參與修訂的一九三八年的大學科目表中，中
國文學系的必修科目表就列有「中國文學專書選讀（一）」的課，其
內容則是「群經諸子」。[74]這就是典型的將經學支解為經典的做法，
一個龐大的經學體系（包含經學學理、意識型態及世界觀等）就如
同被拆碎下來的七寶樓臺，僅成個別存在的「經典」、「經書」或「古
籍」而已，此所以朱自清特別強調經典訓練的重要。他在一九三四

---

72 朱自清不但參與一九三八年的課程修訂，而且還是中國文學系的科目表草案的
　　起草人員，參教育部編：《大學科目表》，頁 11。
73 朱自清：〈部頒大學中國文學系科目表商榷〉，《朱自清先生全集》（南京：
　　江蘇教育出版社，1993 年），第 2 卷，頁 10。
74 教育部編：《大學科目表》，頁 35。

擔任清華大學中國文學系系主任時，曾為入學新生撰寫過一篇介紹清華中文系概況的文章，他將系裡的必修課程分為基本科目及足資比較研究之科目。而所謂基本科目又兼指工具科目與國學基礎的科目。在他的心目中，「中國文字學概要」、「中國音韻學概要」及「英文」是屬於工具科目，而「中國哲學史」、「中國文學史」與「國學要籍」則是屬於國學基礎科目。他認為「國學要籍」一科，「用意在讓同學實實在在讀些基本的書，培養自家的判斷力；不拾人牙慧，不鑿空取巧。」當時清華中文系所定的要籍共有《論語》、《孟子》、《莊子》、《荀子》、《韓非子》、《史記》、《詩經》、《楚辭》、《文選》與《杜詩》，等。[75]由此又可看出，他雖然重視經典，但經典卻早已超出經學的範圍，而包括史、子、集三部的書了。這個態度與他在一九四二年寫成於昆明西南聯大的《經典常談》是一致的，他在這本書的序言中力陳傳統的讀經教育之「偏枯失調」，使學生食而不化，也批評了民國以來的讀經運動之不當。他認為初、高中的國文教材，從經典中選錄的也不少，「可見讀經的廢止並不就是經典訓練的廢止」。他更進一步強調，經典訓練不但沒有廢止，而且是擴大了範圍。不但不以經為限，而且又按著學生程度選材，可以免掉他們囫圇吞棗的弊病，他直承「這實在是一種進步」。[76]

　　將經學取消，使傳統的經學教育化整為零，成為經典的教育，再將經典的範圍擴大，涵蓋史、子、集的典籍，這樣的課程觀念也貫徹在朱自清曾主持過的西南聯大中國文學系。[77]自一九三七年至一

---

75 以上俱見朱自清：〈中國文學系概況〉，《朱自清先生全集》，第 8 卷，頁 413-414。

76 朱自清：《經典常談·序》，《朱自清先生全集》，第 6 卷，頁 3。

77 朱自清在一九三七年抗戰初期，北京大學、清華大學與南開大學初遷至長沙組織成立長沙臨時大學時，即已擔任中文系教授會主席，實際主掌系務，此時他仍繼續擔任清華大學中文系主任。至一九三八年臨大遷至昆明，改稱西南

九四六年的九年中，聯大中文系一共開出了 107 門專業課，其中文學課程約占 65%，語言文字課程約占 35%，沒有一門經學的課。經書被置放在「中國文學專書選讀」這門必修課中。這門課一共開了 25 種專書，與經學有關的經典計有《詩經》、《尚書》、《周易》、《左傳》、《論語》、《孟子》等六種。[78]

　　將經學支解為經書，使經學的課程在大學文學院（中文系、歷史系與哲學系）的講堂中「經書化」、「經典化」、「專書化」、「古籍化」，甚至「史料化」，這恐怕是經學最終在大學教育中的宿命。朝樂觀方向來看，在大學講堂中講授經書，這代表經學的傳承還沒有真正的斷絕。但部分的總合畢竟不等於整體，更何況在現實的情況下，這些個別經書的課程往往也並沒有什麼機制將其從整體經學的角度整合在一起，甚至教授者也非採取「經學本位」的立場來講授，而是從文學、語言文字學、史學或哲學等其他學科的立場來看待這些經書。因而從悲觀的方向來看，現代大學中的經學教育的命運或許就像全球暖化效應下的北極冰山，隨著外在大環境的不斷惡化，正一步步朝向冰融山崩的結局。

聯合大學，一九三九年六月，教授會主席改稱系主任，同年十一月，朱自清因病休養，主任由羅常培（1899-1958）暫代。一九四〇年六月，朱自清辭去聯大及清大中文系主任職務，分別由羅常培、聞一多（1899-1946）接任。以上參西南聯合大學北京校友會編：《國立西南聯合大學校史——一九三七至一九四六年的北大、清華、南開》（修訂版，北京：北京大學出版社，2006 年 2 版），頁 89、95。

78 參西南聯合大學北京校友會編：《國立西南聯合大學校史——一九三七至一九四六年的北大、清華、南開》，頁 91-95。又蕭超然等編著的《北京大學校史（1898-1949）》亦載有聯大中文系 1944-1945 年度的課程表，以及該課的實施方式，參該書頁 387-389、393。

第四節　結論

　　對現代大學中的經學教育的研究不但有助於釐清一些學術史上的疑問，而且也可使吾人能更加深入地掌握該學科在由傳統走向現代學術體系的建構過程中，其所面臨的種種挑戰，以及可能開發出的種種新的關注面向與研究議題。

　　就前者而言，本文檢討了錢穆在《師友雜憶》及《經學大要》中對現代大學中的經學課程終結的回憶之真實內容及所反映的實質情景。錢先生回憶的關鍵就在於他的那篇深具影響力的〈劉向歆父子年譜〉一文。照錢先生的敘述脈胳來看，他寫作此文的主要目的是要破除當時盛行於學界的以康有為為代表的今文經說，而康說的主旨就在於劉歆遍偽群經。康說既破，自然就消弭了晚清以來紛擾於學界的今古文之爭，這是錢先生此文所發揮的第一個效應。此外，從錢先生的角度來看，康有為的說法又佔據當時北平各大學經學課程的講堂，因此當今古文之爭消弭平息下來之後，教授經學的教師們無法再照從前的方式教下去，便紛紛停開此課，終於導致了經學課程從大學講堂中「下市」、「下架」的命運，這是錢文所發揮的第二個效應。[79]因此可知，錢文這兩個效應是前後連動的，而最主要的關鍵也就在於錢文能否平息今古文之爭，或至少能說服立場傾向今文經學的學者，使其放棄劉歆造偽說的看法。對於錢文究竟能否達到這樣的效果，不但錢先生本人對此是堅信不疑的，而且也獲致許多學者的支持，如李木妙便直言：

79　王汎森在〈錢穆與民國學風〉一文中就直云：「此文一出，各校以今文經學　　為主的經學史課為之停開。」（見氏撰：《近代中國的史家與史學》〔香港：　　三聯書店，2008 年〕，頁 228。）

自此書出，而晚清以來一百年的經學今古文爭論，遂得定讞；而乾嘉漢宋之爭，亦可由此推斷其無當。[80]

汪學群也如此認為：

〈劉向歆父子年譜〉不僅結束了清代經學上的今古文之爭，平息了經學家的門戶之見，同時也洗清了劉歆偽造經書不白之冤。[81]

錢先生著名的弟子余英時對此亦是深具信心，其云：

錢先生民國十八年在《燕京學報》上發表了〈劉向歆父子年譜〉，根據《漢書》中的史實，系統地駁斥了康有為的《新學偽經考》。這是當時轟動了學術界的一篇大文字，使晚清以來有關經今古的爭論告一結束。[82]

而錢先生另一位弟子何佑森（1931-2008）更以為此文：

不但結束了清代的今古文之爭，平息了經學家的門戶之見，同時也洗清了劉歆偽造經書的不白之冤。自從《向歆年譜》

---

80 李木妙：《國史大師錢穆教授傳略》（臺北：八方文化企業公司、揚智文化事業股份有限公司聯合出版，1995 年），頁 89。

81 汪學群：〈錢穆經學思想初探〉，《錢賓四先生百齡紀念會學術論文集》（香港：中文大學新亞書院，2003 年），頁 317。

82 余英時：《猶記風吹水上麟——錢穆與現代中國學術》（臺北：三民書局，1991 年），頁 138。

問世以後，近四十年來，凡是講經學的，都能兼通今古，治
今文經的兼治古文，治古文經的兼治今文，讀書人已不再固
執今文古文孰是孰非的觀念⋯⋯。[83]

實情是否真如錢先生及其支持者所評估的那樣樂觀？這的確是個令
人好奇的問題。然而從馬裕藻在一九三五年北大中文系的經學史課
綱仍較傾向今文學說立場、顧頡剛本人在一九三〇年一至六月編寫
的《中國上古史研究講義》、同年二月底至六月初撰寫的〈五德終始
說下的政治和歷史〉及一九三三年二至六月撰寫的《漢代史講義》
（即一九三五年上海亞細亞書局刊行的《漢代學術史略》）等論著中
皆並未放棄劉歆作偽說[84]，以及收錄在一九三五年出版的《古史辨》
第五冊中的多篇文章（尤其是錢玄同的〈左氏春秋考證書後〉、〈重
論經今古文學問題〉）皆嗅不出錢文的影響等反應來看，所謂平息今
古文之爭的評斷似還留有不少再評估的空間。[85]

---

83 何佑森：〈錢賓四先生的學術〉，《清代學術思潮：何佑森先生學術論文集・
下冊》（臺北：臺大出版中心，2009 年），頁 471。

84 參顧潮編著：《顧頡剛年譜》，頁 200-201、205、232-233。案：顧頡剛在撰
寫這三部論著時皆已讀到錢穆此文，甚至在撰寫《中國上古史研究講義》與
〈五德終始說下的政治和歷史〉時，他還同時在校對錢文以編入《燕京學報》。
（參顧潮編著：《顧頡剛年譜》，頁 208。）更有甚者，在〈五德終始說下的
政治和歷史〉的長文中，他也坦承在起草此文時，錢文所尋出的「許多替新
代學術開先路的漢代材料」，使他「得到很多的方便」。（見《顧頡剛全集》
〔北京：中華書局，2010 年〕，第 2 冊，《顧頡剛古史論文集》卷 2，頁 323。）
但胡適卻對顧頡剛這種態度感到頗不以為然，他在一九三〇年十月二十八日
的日記中記道：「顧說一部分作於曾見〈錢譜〉之後，而墨守康有為、崔適
之說，殊不可曉。」（《胡適日記全集》〔曹伯言整理，臺北：聯經出版事
業公司，2004 年〕，第 6 冊，351。）

85 相關討論參劉巍：〈劉向歆父子年譜的學術背景與初始反響——兼論錢穆與疑
古學派的關係以及民國史學與晚清經今古文學之爭的關係〉，《紀念錢穆先

就後者來說，從學科建構史的角度來省視經學學科在現代學術
體系及高等教育系統中的地位及命運，無疑也是具有相當意義的工
作。正如陳平原對中國文學史的反省，以及劉龍心對現代中國史學
建立的探討[86]，均是足資借鑑的重要參考對象。有著兩千多年的中國
經學這門學問，當其試圖轉型至現代學術的場域中時，同樣值得人
們對其重新建構的種種過程，施以更多的關注。這種建構的過程涉
及了學術體系與教育系統這兩個面向，本文所探討的現代大學中的
經學教育議題就屬於後者。筆者認為，就經學學科在高等教育系統

生逝世十週年國際學術研討會論文集》，頁 101-144。案：所謂平息今古文之
爭的問題可以從兩個面向來思考，史實事件之探究與評斷是一回事；史實事
件所產生之影響與效應又是一回事。就前者而言，錢文是否最終地解決了此
問題，限於學識，吾人不敢論定。但就後者而言，無論就當時及往後的學術
發展情況來看，皆似乎是超出錢穆的估計的。正文所引證的材料反映的是一
九三〇年代學界的情況，但即使是到了一九七〇、八〇年代，今文經學的陰
魂也始終沒有完全消散掉，如徐復觀（1903-1982）在一九八〇年所出版的《周
官成立之時代及其思想性格》（臺北：臺灣學生書局，1980 年）一書中便持
「《周官》乃王莽劉歆們用官制以表達他們政治理想之書」的觀點（〈自序〉，
頁 I。）余英時就直指其「又回到廖（平）、康（有為）的立場」（見氏撰：
《猶記風吹水上鱗》，頁 144。）又徐仁甫（行）於一九八〇年撰成《左傳疏
證》（成都：四川人民出版社，1981 年）一書亦仍持《左傳》劉歆偽作之說。
由此看來，錢先生的這場驅除今文經學陰魂的工作還未能說已竟其功。又案：
顧頡剛在一九三七年四月二十一日所寫的一段話或許可為思考此問題提供一
具有啟發性的線索，其云：「近來學者厭倦於經今古文學的爭論，相率閉口
不談這個問題，但古史問題又是非談不可，於是牽纏於漢人的雜說，永遠弄
不清楚。」（見顧潮編著：《顧頡剛年譜》，頁 307。）因此究竟是今古文的
爭論被「平息」、獲得「定讞」或「告一結束」了，還是這問題因經學在現
代學術體系中的地位的消褪而根本被人們所遺棄了？頗令人玩味。
86 陳平原輯有《早期北大文學史講義三種》（北京：北京大學出版社，2005 年），
其相關意見可參他為該書所撰寫的〈序〉，以及〈新教育與新文學〉（收入
氏撰：《中國大學十講》，上海：復旦大學出版社，2002 年）等文。劉龍心
的相關論述則見於其所撰之《學術與制度——學科體制與現代中國史學的建
立》（北京：新星出版社，2007 年）一書。

中所涉及的相關議題，除了課程的設置規畫與課綱內容所可能呈現出的學風流派外，教材與教科書也頗能顯現其時經學教育的相關內容。如京師大學堂時期的經學科教習王舟瑤（1858-1925）就曾編撰過《經學講義》。這部年代早於劉師培（1884-1920）《經學教科書》的講義很可能是中國現代最早的經學史專著[87]，長期無人重視，但其在內容上卻反映了當時的時代氛圍[88]，仍是有一定的價值。[89]又如香港大學中文學院區大典（1877-1937）所編撰的《香港大學中文學院經學講義》[90]，際遇亦一如王舟瑤的書，罕人聞問。這些書的客觀學

---

[87] 一般都認為劉師培的《經學教科書》第一冊是中國最早的經學史著作，（參林慶彰：〈經學史研究的基本認識〉，《中國經學史論文選集》〔林慶彰編，臺北：文史哲出版社，1992 年〕，上冊，頁 1；陳恆嵩：〈經學史研究〉，《五十年來的經學研究》，頁 253。）但劉師培的《經學教科書》約成書於光緒三十一年（1905），（參陳居淵：〈前言〉，《經學教科書》〔陳居淵注，上海：上海古籍出版社，2006 年〕，頁 6。）而王舟瑤的《經學講義》卻成書於光緒 29 年（1903），刊行於光緒三十年（1904）。其書共有二編，第一編主要論述經學家法，歷述孔門教育、易家、尚書家、詩家、禮家、春秋家、孝經家、論語家、孟子家、爾雅家與小學家，粗具經學史的規模。（參《經學講義》〔北京：光緒甲辰官書局刊本〕，第一編，〈目錄〉）若該書經學史論述的性質可以確立的話，則王舟瑤的《經學講義》第一編就應是中國最早的經學史著作。

[88] 此可從《經學講義》第二編的〈目錄〉即可略窺一二，如〈通變篇〉、〈自強篇〉、〈進化篇〉、〈新民篇〉、〈大同篇〉、〈君民篇〉及〈復讎篇〉等。

[89] 張舜徽（1911-1992）對其《經學講義》評價頗不低，其謂：「余早歲讀其所編京師大學堂《經學講義》，內分《經學家法述》、《群經大義述》二編，考鏡源流，辨章同異，鈎稽博取，融會貫通。非群經爛熟於胸，實亦無由著筆。」（見氏撰：《清人文集別錄》〔武漢：華中師範大學出版社，2004 年〕，頁 552。）又對《經學講義》相關的評介，請另參莊吉發：《京師大學堂》（臺北：國立臺灣大學文史叢刊，1970 年），頁 70-71。

[90] 《香港大學中文學院經學講義》原署名「遺史」輯，約刊行於一九三〇年左右。梁紹傑判斷此書係該系創系主任賴際熙（1865-1937）所撰，然據許振興考證，認為該書的作者係當時在港大中文系負責講授經學的區大典，而非賴際熙。梁說見單周堯編：《香港大學中文學院歷史圖錄》，頁 19；許說見氏撰：〈民

術價值姑且不論，但做為現代大學中的經學教育的重要一環，其本身的存在亦足夠反映現代經學教育中的相關面貌，在學術史上當然具有一定程度的重要性，不容忽視。

原發表於中央研究院中國文哲研究所主辦之「變動時代的經學和經學家（1911-1949）第三次學術研討會」，2008 年 7 月 17 日，原題作〈近代大學中的經學教育〉。又刊於《漢學研究通訊》28 卷 3 期（2009 年 8 月），頁 21-35。

國時期香港的經學：1912-1941 年間的發展〉（發表於中央研究院中國文哲研究所主辦之「變動時代的經學和經學家〔1912-1949〕第一次學術研討會」，2007 年 7 月 12-13 日），頁 19。

第二章
胡適、許地山與香港大學經學教育的變革

第一節　引言

　　胡適（1891-1962）在一九三五年元月因接受香港大學頒贈的法學名譽博士學位，便作了生平第一次的南遊，在香港待了五天，在廣州住了兩天半，在廣西玩了十四天。[1]他在回去之後，便陸陸續續地將這次的遊覽經過寫了出來，從是年二月完成〈香港〉一節、三月初寫就〈廣州〉一節、四月初前寫成〈廣西山水〉一節，一直到八月十二日才最終將〈廣西的印象〉一節脫稿。[2]雖然胡適在這篇遊記的序言中調侃自己：「天天用嘴吃喝，天天用嘴說話，嘴太忙，所以用眼睛耳朵的機會太少了。」因而前後二十多天之中，他竟沒有工夫記日記，再加上回家後又兩次患流行性感冒，「前後在床上睡了十天」，所以難免追憶起來印象模糊。[3]言下之意，似乎頗有為自己這篇遊記寫得不夠翔實周到而感到遺憾的味道。但若細讀全文，仍可發現胡適這篇遊記還是記載了許多豐富的考察遊覽內容，尤其在

---

1 參胡適：《南遊雜憶》（收入《胡適作品集》第 16 冊，臺北：遠流出版公司，1986 年），頁 197。

2 參胡頌平編著：《胡適之先生年譜長編初稿》（臺北：聯經出版事業公司，1984 年），第 4 冊，頁 1347、1353、1403。

3 以上俱見，胡適：《南遊雜憶》，頁 197。

香港和廣州的部分並非只是單純的旅遊，還同時涉及了不少與學術、教育及社會文化活動有關的現象，如香港大學中文教學的改革與廣東執政當局所強力推動的讀經運動等，而他的香港之行更事關整個香港高等教育中之中文教學改革的問題。胡適對香港大學中文教育之觀察及所懷抱之改革理想，透過了他所舉薦的實踐者——許地山（1893-1941）——之具體作為，為香港的當代文化造成了深遠的影響。胡從經從五四新文化思潮的角度，將胡適和許地山的南來香港分別視為新文化思潮影響及於香港的第二波及第三波，第一波則是魯迅（1881-1936）於一九二七年蒞港演講及稍後發表一系列關於香港新文化發展的文章對香港文化界所造成的迴響。[4]而胡適與許地山對香港大學中文教育的改革理想當然亦是屬於新文化思潮的一個重要環節，其重要性不言可喻。

從民國時期大學中之經學教育的角度來講，胡適和許地山對香港大學中文教學的改革亦對該校的經學課程帶了極大的變革，對這樣變革的來龍去脈及其所蘊含的社會文化意涵之探討，無論是對香港三十年代以降的中文教育及經學在現代大學中之地位及命運，應該都是極有意義的工作。

第二節　胡適與香港大學中文教育的改革

胡適是在一九三五年元旦上午從上海搭船南下，一月四日早晨抵達香港，住在香港大學副校長韓耐兒（William Hornell）的家裡。

---

4 參氏撰：〈新文化運動在香港迴響與勃興的實錄——讀陳君葆日記〉，《陳君葆日記全集》（謝榮滾主編：香港：商務印書館，2004 年），卷 7，頁 603-611。

而他在香港五天的行程則是由香港大學文學院長佛斯脫先生（Dr. L. Forster）代為排定的。每天上午留給胡適自由支配，一切宴會講演都從下午一點開始。胡適很滿意這樣的安排，讓他很從容自在的玩了不少地方。[5]

在他的遊玩過程當中，他也對香港大學做了一番深入的觀察，他認為香港大學最有成績的是醫科與工科，而文科則「比較最弱」。[6]胡適甚至認為香港大學的文科教育完全和中國大陸的學術思想不發生關係。他指出問題的癥結在於：

> 這是因為此地英國人士向來對於中國文史太隔膜了，此地的中國人士又太不注意港大文科的中文教學，所以中國文字的教授全在幾個舊式科第文人的手裡。[7]

他感歎大陸上的中文教學早已經過了很大的變動，但港大卻還完全在那個變動大潮流之外！[8]

胡適所指的「舊式科第文人」就是香港大學中文系的創系主任賴際熙（1865-1937），以及區大典（1877-1937）、溫肅（1879-1939）與朱汝珍（1870-1940）等人。賴際熙為廣東增城人，以增生入廣雅書院，光緒十五年（1899）舉人，光緒二十九年（1903）進士，欽點翰林院庶吉士，散館授編修，充國史館纂修，民國肇建後，僑居

5　胡適：《南遊雜憶》，頁 198。

6　胡適：《南遊雜憶》，頁 199。

7　胡適：《南遊雜憶》，頁 199。

8　胡適：《南遊雜憶》，頁 199。

香港。[9]區大典為廣東南海人，光緒二十三年（1897）科舉孝廉，光緒二十九年賜進士出身，授翰林院編修，辛亥革命後亦移居香港。[10]溫肅為廣東順德人，亦光緒二十九年癸卯科翰林，散館授編修，官至副都御史。[11]朱汝珍則為廣東清遠人，光緒三十年（1904）甲辰科榜眼，授翰林院編修，光緒三十二年（1906）奉派留日，畢業於法政大學，回國後擔任京師法律學堂教授。[12]至於他們與香港大學中文教育的關係，據長期擔任香港大學中文系系主任的單周堯教授的描述：

> 香港大學中文學院，創始於 1927 年，初名中文系。……中文系成立之初，賴際熙、區大典二太史任專席講師，仿照廣雅書院學制，所授者經史、文詞為主。[13]

但賴際熙與區大典這兩位前清翰林與港大的淵源並非始於一九二七年中文系創設之時，事實上早在一九一三年二人便同時受聘於剛成

9　參鄧又同輯錄：〈賴際熙太史事略〉，《學海書樓主講翰林文鈔》（香港：學海書樓，1991 年），頁 47-48；羅香林（1906-1978）：〈故香港大學中文學院院長賴際熙先生傳〉，《香港與中西文化之交流》（香港：中國學社，1961 年），頁 245-246。

10　參鄧又同輯錄：〈區大典太史事略〉，《學海書樓主講翰林文鈔》，頁 33；又參羅香林：《香港與中西文化之交流》，頁 247。

11　參鄧又同輯錄：〈溫肅太史事略〉，《學海書樓主講翰林文鈔》，頁 69；又參羅香林：《香港與中西文化之交流》，頁 247-248。

12　參鄧又同輯錄：〈朱汝珍太史事略〉，《學海書樓主講翰林文鈔》，頁 95；又參羅香林：《香港與中西文化之交流》，頁 248。

13　見單周堯：〈序〉，《香港大學中文學院歷史圖錄》（香港：香港大學中文學院，2007 年），未標頁碼。

立的香港大學文學院，分別講授經學與史學課程。[14]香港大學中文學院的許振興教授對當時的課程設施有相當清楚的說明：

> 當時大學的四年學制被區分為中期課程（Intermediate Course）與終期課程（Final Course）兩階段。學生修習中期課程的時間不得少於兩學年。採漢語授課的「傳統漢文（Classical Chinese）」課程由「史學（History）」與「文學（Literature）」兩科目組成。「史學（History）」講授中國歷史，由賴際熙負責，選取二十四史、《資治通鑑》、《續資治通鑑》、《通典》、《通考》、《通志》、《通鑑輯覽》與宋、元、明的歷史載錄，講授三代至東晉（中期課程）與南北朝至明朝（終期課程）的歷史；「文學（Literature）」則講授經學，由區大典負責，選授朱熹（1130-1200）與其他學者對《四書》（中期課程）與《五經》（終期課程）的評註。[15]

從一九一三年至一九二七年中文學院創設前的這期間，傳統中文課程又歷經一番調整，其結果是將原有四年的教學內容壓縮為兩年，當然學生接受史學與經學訓練的課時也相應地減少了半數。[16]

　　直至一九二七年香港大學中文學院成立後，賴際熙被委任為學院的中國史學教授（Reader in Chinese History），而區大典則獲委為

14　參許振興：〈區大典孝經通義考論〉（發表於香港嶺南大學中文系、臺灣中央研究院中國文哲研究所合辦之「經學國際學術研討會」，2009 年 5 月 29-30 日），頁 3。然梁紹傑在單周堯主編之《香港大學中文學院歷史圖錄》中之相關說明卻謂二人於 1912 年同獲香港大學聘為漢文講師。（見頁 1）。

15　許振興：〈區大典孝經通義考論〉，頁 4。

16　許振興：〈區大典孝經通義考論〉，頁 5-6。

中國文學教授（Reader in Chinese Literature）[17]，此後賴港府及社會人士多方贊助，教職員亦迭有增加，除原有之賴、區二先生及擔任翻譯講師的林棟（1890-1934，香港大學文學院首屆文學士〔一九一七年畢業〕）三先生外，溫肅、朱汝珍、舉人羅憩棠、秀才崔百樾等人亦先後應聘為兼任講師。[18]從單周堯主編的《香港大學中文學院歷史圖錄》中所影印的香港大學一九二七年度校曆所載之中文系課程可以很清楚地看到當年的課程內容。當時在四年的學制中皆設有經學、史學與文詞學三個科別，所教授的內容包括經學之《四書》（第一年）、《詩經》與《書經》（第二年）、《三禮》（第三年）、《春秋》及《三傳》（第四年）。史學則皆集中在歷代治亂興衰與歷代制度沿革這兩個主題，而授課材料則以《二十四史》、《資治通鑑》、《通鑑紀事本末》、《續資治通鑑》、《通鑑輯覽》與《九通》為主。文詞學則是以歷代名作為主，包含駢散文名著與詩文名著等。[19]

　　透過以上對港大早期中文教育的概略介紹，便不難想見這樣以傳統經史為主的課程內容及師資陣容會給胡適這樣的新派學人留下什麼好的印象，所以他才會在〈南遊雜記〉中對此大加嘲諷譏評。[20]

17 許振興：〈區大典孝經通義考論〉，頁 6。
18 參羅香林：〈香港大學中文系之發展〉，《香港與中西文化之交流》，頁 224、229。
19 見單周堯編：《香港大學中文學院歷史圖錄》，頁 8-11。
20 胡適在〈南遊雜記〉中對這批舊式科第文人的譏評還算客氣，他在香港公開發表的演說中就毫不留情面地予以大肆抨擊，如其於元月六日下午在華僑教育會向兩百多位華文學校的教員演說時就曾說了如下的一段話：翰林在江浙方面多得很，並不值得令人怎樣的驚美，因為他們是不適用的東西了，猶如豆油燈是不應該貴重一樣。（見鄭德能：〈胡適之先生南來與香港文學〉，原載於一九三五年六月一日《香港華南中學校刊》創刊號，收錄於盧瑋鑾編：《香港的憂鬱──文人筆下的香港（1925-1941）》〔香港：華風書局，1983年〕，頁 73。）又關於胡適在香港的演講行程請參胡適：《南遊雜憶》，頁 203。

　　其實也不只胡適對此現象深感不耐，早在一九二六年英國威靈
頓代表（Willington Delegation）的報告書中就已經對港大偏重傳統
經史的中文教育提出類似胡適的看法，其謂：本港大學應盡其所能
以造就人才，其中文課目，雖不宜廢止經史，但大學之中文教育，
不以造就中國舊式學者為鵠的，而另有其現代意義云云。[21]然而讓胡
適感到不滿的局面似乎有所改善，胡適說港大副校長韓君與文學院
佛君都很注意這個問題，他們二人曾在一九三四年去中國北方訪問
考察，且同年夏天港大還曾邀請了廣東籍學者陳受頤（1899-1977）
和容肇祖（1897-1997）來港大研究該校的中文教學問題，請他們自
由批評並提出改革的途徑。此外胡適也提到，他在香港時，深刻地
感到港大當局改革中國文字教學的誠意，而當地紳士如周壽臣
（1861-1959）、羅旭和（1880-?）等人也都熱心贊助這件改革事
業。[22]為此，他們希望能有一個主持這種改革計畫的人，但此人
本須兼具四種資格：一、須是一位高明的國學家；二、須能通曉英
文，能在大學會議席上為本系辯護；三、須是一位有管理才幹的人；
四、最好須是一位廣東籍的學者。但有這種條件的人才畢竟一時難
覓，所以胡適在這篇遊記中也只以「這件改革事業至今還不曾進行」
為此事的敘述做個收束。[23]

21　參羅香林：〈香港大學中文系之發展〉一文所引述，見氏撰：《香港與中西文
　　化之交流》，頁 223。

22　案：周壽臣，廣東寶安人。一八七四年隨容閎（1828-1912）赴美國留學。歸
　　國後歷任駐朝鮮仁川領事、京奉鐵路局總辦、香港大學董事、香港行政局非
　　官守議員、救國公債香港分會主任等。羅旭和又作羅旭龢，香港太平紳士。
　　一九二二年被港督授為香港定例局華人代表，歷任香港工務委員會委員、團
　　防局紳、保良局紳、香港大學董事會會員等。（以上參《陳君葆日記全集》，
　　卷 1，頁 141-142，編者附注。）

23　胡適：《南遊雜憶》，頁 200。

其實胡適在這篇遊記中未曾寫出的真實情況是：胡適在港大改革中文教育一事上著力甚深，此從陳受頤和容肇祖二人受邀來港大研究中文教學，其背後的推薦人就是胡適一事上即可看出端倪。[24]此外，港大當局真正中意來主持改革計畫的人選就是胡適本人，但胡適並沒有接受港大的邀請。[25]雖然如此，胡適最終還是給港大推薦了兩位人選，一是許地山，另一則是陸侃如（1903-1978）[26]，後來港大當局接受了許地山。[27]胡適對此結果顯然很滿意，他在一九三五年七月十四日的日記中如此寫道：

> 港大決定先請許地山去作中國文學系教授，將來再請陸侃如去合作。此事由我與陳受頤二人主持計畫，至今一年，始有

---

24 胡適在一九三四年五月十八日的日記中明確記道：「下課後，E. R. Hughes 來談香港大學中文講師事。我寫一信與 Sir William Hornell。薦陳受頤與容肇祖兩兄去考察一次，然後作計畫。」（《胡適日記全集》〔曹伯言整理，臺北：聯經出版事業公司，2004 年〕，第 7 冊，頁 116-117。）又於同年六月四日記道：「為香港大學中文部事，發兩電，一與 Sir Wm. Hornel，一與容元胎（肇祖）。陳受頤兄不日南行，將與元胎同視察香港大學的中文部，為他們設計。」（同上，頁 123。）

25 關於此事，在胡適自己的記述資料中並沒有太直接的表露，但根據從一九三四年即受聘於香港大學，長期擔任該校馮平山圖書館主任兼文學院教席的陳君葆（1898-1982）的日記所記載的內容，卻可以證實港大當局確曾希望聘請胡適前來主持中文部，但胡適在一九三五年年中回電說：「不能來。」此外，從陳君葆日記中也可發現，港大當局也同時邀聘陳受頤，但陳氏也同樣回電加以婉拒。（見《陳君葆日記全集》，卷 1，頁 167，1935 年 5 月 2 日日記。

26 參胡適：《胡適日記全集》，第 7 冊，頁 198-199，1935 年 5 月 10 日日記；陳君葆：《陳君葆日記全集》，卷 1，頁 167，1935 年 5 月 2 日日記。

27 關於許地山在港大內部同意聘用的過程，《陳君葆日記全集》中多有披露，相關資料可參見卷 1，1935 年 5 月 2 日條（頁 167）、5 月 9 日條（頁 169）、6 月 5 日條（頁 173）、6 月 8 日條（頁 174）、8 月 8 日條（頁 182）。

此結果。[28]

第三節　許地山在香港大學的作為

　　許地山一九二二年自燕京大學神學院畢業後，留校任助理，一九二三年至一九二六年分別至美國哥倫比亞大學及英國牛津大學就讀，專研宗教史、宗教比較學、印度哲學、梵文及民俗學等，取得哥倫比亞大學文學碩士及牛津大學文學學士學位。一九二七年回母校燕京大學任教，但卻於一九三五年遭燕京大學教務長司徒雷登（John Leighton Stuart，1876-1962）排擠而去職。[29]雖然根據許地山夫人周俟松的敘述，當許地山被燕大解聘後，適逢香港大學登報招聘中國文學教授，他正好符合條件（留學英國，能英語、粵語、普通話），故許地山毅然前往，舉家南遷。[30]但從胡適日記及陳君葆日記均可知，港大之所以會接受許地山，最主要的關鍵應該還是在於胡適的介紹。[31]

　　許地山來港大最主要的任務就是來主持中文教學的改革，他於一九三五年九月初正式上任後，就立即展開改革行動。首先，他將

28　胡適：《胡適日記全集》，第 7 冊，頁 260。案：胡適何以屬意許地山而極力向港大校方推薦以自代，雖然在胡適的日記及文集中皆未看到更進一步的資料披露，但推測可能是許地山與胡適皆共同具有留學英美、參與新文化運動，以及幼時的臺灣生長經驗等相似的背景，而得以為胡適所賞識。

29　以上根據周俟松：〈許地山年表〉（收錄於劉紹銘編：《許地山作品選》，香港：三聯書店，2007 年），頁 213-217。

30　周俟松：〈許地山年表〉，頁 217。

31　在許地山去世不久所出版的《許地山先生追悼會特刊》（香港：全港文化界追悼許地山先生大會籌備會編，1941 年），其中〈許地山先生生平事略〉一文就明白地敘及：「民二十四，以胡適博士之荐，就任香港大學中文學院主任教授。」（頁 2）可見這在當時應是眾所皆知之事。

中文學院改為中國文史學系，理由是：

> 蓋文學與史學有連帶之關係，今將之拼成為一學系，固得其
> 宜，在名義上亦較為妥當。[32]

其次，該系分為四部，即普通文學部、文學部、歷史部與哲學部。[33]
第三，在師資方面，當時在中文部任中國史學教授（Reader in Chinese
History）的賴際熙已在一九三三年左右便自港大退休了[34]，而任歷史
講師的羅苩棠（憩棠）舉人與任國文講師的崔百樾秀才亦於一九三
五年底不被校方續聘[35]，至於擔任經學講師的區大典太史亦於一九三
七年一月自港大退休[36]，至此這些被胡適所嫌惡的「舊式科第文人」
就正式從港大的講堂上徹底絕跡了。反之，在一九三六年三月，港
大中國文史學系在許地山的主導下聘任了馬鑑（1883-1959）為全職
講師[37]，至此整套的改革計畫就可算是大功告成，從此也就確立了港

---

32 引文為許地山於一九三五年九月初向香港報界的講話，見《工商日報》一九三
　五年九月九日，三張一版。（轉引自盧瑋鑾：〈許地山與香港大學中文系的
　改革〉〔收錄於氏撰：《香港故事：個人回憶與文學思考》，香港：牛津大
　學出版社，1996 年〕，頁 115。此文係由香港大學中文學院許振興教授提供
　給筆者，謹在此致上深摯的謝忱。）

33 此係香港《華僑日報》一九三五年十月十四日報導內容，複印圖版收錄於單周
　堯編：《香港大學中文學院歷史圖錄》，頁 44。

34 許振興：〈民國時期香港的經學：兩種大學中文哲學課本的啟示〉（發表於中
　央研究院中國文哲研究所主辦之「變動時代的經學和經學家〔1912-1949〕第
　四次學術研討會」，2008 年 11 月 6-7 日），頁 4。

35 盧瑋鑾：〈許地山與香港大學中文系的改革〉，頁 116。

36 許振興：〈民國時期香港的經學：兩種大學中文哲學課本的啟示〉，頁 4。

37 盧瑋鑾：〈許地山與香港大學中文系的改革〉，頁 116。案：許地山主導港大
　聘任馬鑑一事可從陳君葆的日記中獲得證實，陳氏在一九三五年十月一日的
　日記中記道：「午下課後適許先生來，與談在羅、崔兩位退職後，將延聘何

大中文系以「中國文學」（Chinese Language and Literature）、「中國歷史」（Chinese History）、「中國哲學」（Chinese Philosophy）三組課程為核心，再配合翻譯（Translation and Comparison）課程的基本格局。[38]

　　許地山對香港大學中文教學的改革在當時的確獲得不少正面的肯定，如柳亞子（1887-1958）就曾如此評價他的貢獻：

> 據說香港的文化可說是許先生一年開拓出來的。原來，在許先生來就港大中國文化史系主任之前，香港的國文權威，還是落在一般太史公手上的。讀經尊孔，用文言文，簡直和前清時代看不出什麼分別來。自從許先生主持港大，招生的題目就用白話，那末學生的試卷也自然不能不用白話了。這樣，才把全香港中學校國文課的文言文的鎖完全打破，這是何等偉大的功績呢！[39]

而許地山的夫人周俟松所編撰的《許地山年表》亦做如此的評價：

> 港大中國文學課原以晚清八股為宗，教授四書五經、唐宋八家及桐城古文。地山就任後，參照內地大學的課程設置，分

人最適當。陸侃如夫婦倘能來，自大佳，陸如能在港大得到六百元的待遇，他的夫人也許在中大可以得到三四百元，如此同在南方做事，省港相隔不遠，則再好莫過了。但許先生曾指出陸經驗還有點不夠，似乎他的意屬馬鑑。」（見《陳君葆日記全集》，卷1，頁192。）

38　以上參見盧瑋鑾：〈許地山與香港大學中文系的改革〉，頁116；許振興：〈民國時期香港的經學：兩種大學中文哲學課本的啟示〉，頁12。

39　柳亞子：〈我和許地山先生的因緣〉，載於《追悼許地山先生紀念特刊》，頁10。

文學、史學、哲學三系，充實內容，文學院面目為之一新。[40]

在這些評價當中，應屬一九五〇年代以後長期任教於香港大學中文系的羅香林教授的說法最為具體中肯，其云：

> 惟許先生在香港之貢獻，則尤在其將港大中文系之課程為高瞻遠矚之擴充。蓋前此賴先生等所定之課程，注意使一般學子於古文辭外，能於經史得為深切了解，自方法言之，猶偏於記誦之學。許先生則分課程為三組，一為文學，二為歷史，三為哲學。前人研習文學，只重視詩文，今則更及於詞曲、小說、戲劇、與文學批評等；前人治史，只重朝代興革，今則更及於文化史、宗教史、交通史、與板本目錄等部分；前人治經，每長於總述，今則將經中之文史資料，還之文史專學，而就其哲理部分、更與諸子百家，歷代哲人，與道教佛教等哲理，合為系統研究。皆就前人所建立之基礎，而為擴充發揚。繼往開來，影響自鉅。此後香港中國文學研究之日益發展，皆以此為機樞也。[41]

既然講授經學的舊式科第文人已經自港大的講堂中被請了出去，香港大學中的課表自然也就不會有跟經學相關的課程了。從許

---

40 周俟松：〈許地山年表〉，頁217。
41 羅香林：《香港與中西文化之交流》，頁211-212。

地山所改革的文學院中文課程中（1936-37 年度及 1937-38 年度），[42]
均不見傳統經學的跡影，甚至連經書的課程也付之闕如，許振興教
授對此不禁感歎道：

> 這將傳統經學完全摒諸門外的課程設計，一直被沿用不替。
> 香港大學文學院自 1913 年始設傳統漢文（Classical Chinese）
> 課程，迄 1941 年 12 月大學因日本軍隊侵佔而停課，前後三
> 十年間，傳統經學在大學課程裡的生存空間終被完全剝奪。[43]

---

42 1936-37 年度的課程見許振興：〈民國時期香港的經學：兩種大學中文哲學課
本的啟示〉，頁 12-15 所引錄，1937-38 年度的課程則見載於單周堯編：《香
港大學中文學院歷史圖錄》，頁 46-49。

43 許振興：〈民國時期香港的經學：兩種大學中文哲學課本的啟示〉，頁 15-16。
案：港大中文系經學方面的課要至一九五〇年代才得恢復。根據《香港大學
中文學院歷史圖錄》所收錄的香港大學 1953-54 年度校曆複印圖版所載之文科
中文課程（頁 73-75），及羅香林在〈香港大學中文系之發展〉文中根據香港
大學 1957 年至 1960 年各年度之校曆整理出香港大學中文系這五年來各年級
之課程內容（參氏撰：《香港與中西文化之交流》，頁 232-238），二者均可
看到在一年級中國文學的課程中有「經學導論」（Introduction to the Chinese
Classics），而一年級之「專書選讀」中之經書課程則有《四書》（1953-54
年度）或《禮記》與《書經》（1957-60 年度），二年級有《禮記》、《書經》、
《春秋》（1953-54 年度）或《詩經》（1957-60 年度），三年級有《詩經》
（1953-54 年度）或（《易經》與《春秋》（1957-60 年度），四年級則為《易
經》（1953-54 年度）。當時中國文學的課程主要由劉百閔（1898-1968）與
饒宗頤二先生講授（參羅香林：《香港與中西文化之交流》，頁 231），而劉
百閔有《經學通論》一書，曾與劉百閔在港大共事過的錢穆（1895-1990）認
為此書「似為其在港大之講義」。（參錢穆：〈故友劉百閔兄悼辭〉，《八
十憶雙親師友雜憶合刊》〔收入《錢賓四先生全集》第 51 冊，臺北：聯經出
版事業公司，1998 年〕，頁 419-424；及〈劉百閔經學通論序〉，《素書樓餘
瀋》〔收入《錢賓四先生全集》第 53 冊〕，頁 41。）則講授「經學導論」一
課者應就是劉百閔。

之所以會有這樣的情況，可以從經學學科性質的問題及授課者的講授效果這兩個面向來加以探究。就前者而言，經學這門學科或學問領域一直在現代大學課程體制內處於妾身不明的狀況，這乃是無庸置疑之事。[44]但雖然如此，這頂多使得以經學為整體的課程（如經學通論、經學史）在現代大學的課表上消失，但並不會影響及於經書的課程。在許地山改革港大中文課程的時代，中國內地很多大學雖然沒有經學整體的課程，但還保有經學專書的課。如在一九三六年參與教育部課程整理且長期主持清華大學中文系系務的朱自清（1898-1948），他雖也認為「經學已然不成其為學」[45]，但在他參與修訂的一九三八年的大學科目表中，仍將中國文學系必修科目之「中國文學專書選讀（一）」的課，規劃為以講授「群經諸子」為主的課程內容。[46]再以許地山曾服務過的燕京大學為例，其一九四一學年度國文學系的課程中雖亦無經學整體的課，但仍保有經學專書的課（《尚書》、《三禮》、《春秋三傳》、《周易》、《論語》《孟子》、《詩經》等），燕京大學的做法是將這些經書的課放在「中國文學專書選讀（一）及（二）」內來實施。[47]相較之下，許地山所主導的港大課程規劃不但取消了經學整體的課程，而且連經書的課也都不見踪影，這確實是相當極端的。所以這不得不令人懷疑這麼做的原因是否與授課者的講授效果有關。

當時在港大中文學院負責講授經學的教師主要是區大典，身為區大典學生的陳君葆在其日記中記下了不少有關區氏在港大教授經

---

44 關於此問題的詳細討論，請參第一章。

45 朱自清撰：〈部頒大學中國文學系科目表商榷〉，《朱自清先生全集》（南京：江蘇教育出版社，1993 年），第 2 卷，頁 10。

46 教育部編：《大學科目表》（重慶：正中書局，1940 年），頁 35。

47 《燕京大學課程一覽》（北平：燕京大學，1941 年），頁 30-31。

學的狀況，如其於一九三五年三月十三日記道：

> 晚八時徽師（案：即區大典，其字慎輝，號徽五）在大學禮
> 堂講「經學大要」講到九點四個字剛講完，略不一等便從側
> 門退出，於是我要代表中文學會來致謝詞，而他本人已出
> 去，覺得可笑，再則聽眾中有許多恐怕已預備了一套話來駁
> 他的，看見他出去以為他是逃避，這也是不好的印象。徽師
> 若單是講經還不要緊，一涉到現代的問題便無往而不見其千
> 瘡百孔，而且許多也是極淺薄之見。第一，經學若只限於士
> 大夫階級，何與於平民？那更非廢不可；第二，經若不過禮，
> 其初步工夫便在修己持人，便在實踐，然日前的誦讀於灑掃
> 應對何補？第三，文字可以統一，言語不可以統一，也未見
> 得，交通利便實促成語言統一的工具；第四，《水滸》、《紅
> 樓夢》明明白白是文學，如何說不可以列入教材；第五，
> 自殺亦非一定關係婚姻者。[48]

次日又記道：

> 今晨對學生言，指出徽師的偏見，原來許多學生都已察出，
> 類如程志宏專從文學立論，羅鴻機謂一比較胡適的演講與區
> 先生的講演便看出他們的優劣來，這是無可諱言的，其他陳
> 錫根早就不滿意於經學，以為那簡直是騙人的東西，甚至施
> 爾也以為「區老師」講來講去總不外那一套話，好像是唸熟

---

48 陳君葆：《陳君葆日記全集》，卷 1，頁 159。

來的，那末為談經學的講，若果不變法，總不得了。[49]

又如其於一九三六年九月二十四日記道：

> 徽師的鐘點訂好了，但學生卻討厭了經學，只得改請他講授
> 漢魏古詩，這原是過渡辦法。關於區先生的去留問題直覺真
> 點難為情，我已盡我的能事挽留他多擔任一年，往後恐不能
> 另有什麼方法了。[50]

由這幾條記載就可知道區大典當時在港大講授的經學課程是多麼的
不受歡迎。在當時本就「不合時宜」的經學課程再由這類不合時宜
的「舊式科第文人」來教授，可想而知，對與胡適一樣充滿新文化
思維的許地山而言[51]，是多麼的極欲去之而後快了。因而不待區氏退
休，港大中文學院就不再有經學的課程了。

第四節　結論

胡適在一九三二年時曾作有〈領袖人才的來源〉一文[52]，文中沈

---

49 陳君葆：《陳君葆日記全集》，卷 1，頁 159。
50 陳君葆：《陳君葆日記全集》，卷 1，頁 275。
51 許地山思維之「新」僅從其對中國文字的態度即可看出一斑，他與當時的許多
　新式學人一樣，都皆主張將漢字改為拼音文字，至於面對用漢字所書寫的古
　書，他的主張更是極端，其云：「我們不能盡讀古人底書，也不必盡讀古人
　底書。若是古書中有值得保留底，自然在各個時代有人翻譯出來，至於毫無
　價值底古書，多留一本，祇多佔一些空間而已。」（見氏撰：〈中國文字底
　命運〉，《國粹與國學》〔臺北：水牛出版社，1979 年〕，頁 140。）
52 胡頌平編著：《胡適之先生年譜長編初稿》，第 3 冊，頁 1078。

痛地提到：

> 五千年的古國，沒有一個三十年的大學！八股試帖是不能造
> 領袖人才的，做書院課卷是不能造領袖人才的，當日最高的
> 教育，——理學與經學考據——也是不能造領袖人才的。現
> 在這些東西都快成了歷史陳跡了……。[53]

因此，照胡適這種思維來推闡，香港大學的中文教育若仍落在只會
做八股試帖與書院課卷，以及只懂得理學與經學考據的那幫「舊式
科第文人的手裡」，顯然不會有前途的。胡適與許地山對港大中文教
育的改革當然不是只針對經學課程，從他們的眼光來看，規仿清季
廣雅書院學制，以傳統的經史、文詞為主的早期香港大學中文學院
的課程規劃，無疑是跟不上時代的歷史陳跡。所以取消經學課程只
是許地山改革港大中文教育整體計畫中的一環而已，這裡面所顯示
出的訊息乃是：舊式的以科舉為導向，以書院教學為主體的學制與
課程，向新時代的以學問為導向，以西式大學教育為主體的全面轉
向。在轉向的過程中，傳統的學問與課程不可避免地會歷經激烈的
衝撞，這其間經學的際遇可說是最為坎坷，港大三十年代的中文課
程改革竟將經學的課程完全取消掉就是一個最明顯的例子。

今日吾人重新審視港大的例子，是否能給關心經學教育的人帶
來一些啟發：亦即經學課程在港大的遭遇究竟只是新舊文化對立與
衝突下的一個犧牲品，或是從事經學教育者（推動者、講授者）也
要負起一定程度的責任？在胡適、許地山當時，經學的提倡（往往
與尊孔運動結合在一起）不是落在一幫遺老、翰林的手上，就是由
少數的軍人武夫來主導（如曾任湖南省主席的何鍵〔1887-1956〕與

---

53 胡適：〈領袖人才的來源〉（收入《胡適作品集》第 18 冊），頁 89。

曾長期主掌廣東軍政大權的陳濟棠〔1890-1954〕）[54]，這當然對經學的傳播與推廣是頗為不利的。[55]這種帶有強烈文化保守主義色彩的經學倡導方式，在那個求新求變，追求改革、進步的年代，注定是難以受到歡迎的，區大典在香港大學的際遇就是一個最鮮明的例子。

原發表於中央研究院中國文哲研究所主辦之「變動時代的經學和經學家（1911-1949）第五次學術研討會」，2009 年 7 月 13 日。又刊於《湖南大學學報》（社會科學版）23 卷 5 期（2009 年 9 月），頁 26-30。

---

54 胡適在一九三七年四月十四日夜寫了〈讀經評議〉一文，文章一開頭就說道：「前幾年陳濟棠先生在廣東，何鍵先生在湖南，都提倡讀經。去年陳濟棠先生下野後，現在提倡讀經的領袖，南方仍是何鍵先生，北方有宋哲元先生。何鍵先生本年在三中全會提出一個明令讀經的議案，他的辦法大致是要兒童從小學到中學十二年之間，讀《孝經》、《孟子》、《論語》、《大學》、《中庸》。到了大學，應選讀他經。冀、察兩省也有提倡小學、中學讀經的辦法。」（見胡頌平編：《胡適之先生年譜長編初稿》，第 5 冊，頁 1572-1573。）

55 何兆武在自述其求學經驗的《上學記》一書中就曾對此現象有深刻的批判，其云：「國民黨時期有一股復古風，在它的最高權力機關，比如戴傳賢（戴季陶），就是一個主張『尊孔讀經』的，像北京的宋哲元、山東的韓復榘，在南方我的家鄉，湘系軍閥何鍵，在廣東，號稱『南天王』的粵系軍閥陳濟棠，都是極力主張『尊孔讀經』的。這一點引起我們那輩人的反感，為什麼這些人都主張『尊孔讀經』？可見『尊孔讀經』絕不是個什麼好東西。我們的想法可以說是很幼稚、很天真的，不過你想這些官僚軍閥能提出什麼好東西？絕對不可能有好東西，好東西他們也提不出來。他們越要『尊孔讀經』，我們就越不『尊孔讀經』。」（何兆武口述、文靜撰寫：《上學記》〔修訂版，北京：三聯書店，2009 年 2 版〕，頁 25。）

第三章

考古與經義的關涉
──傅斯年〈大東小東說〉和史語所城子崖的發掘及其與《詩經‧大東篇》的詮釋

第一節　問題的緣起

　　隨著考古文物資料的發現與現代考古學觀念的傳入中國，地下出土的考古資料日益受到現代文史學者的重視，影響所及，甚至連治學方法也產生根本性的變革，這其中最著者當然首推王國維（1877-1927）在一九二五年於清華學校國學研究院「古史新證」的課程中所提出的「二重證據法」之說，其云：

> 吾輩生於今日，幸於紙上之材料外，更得地下之新材料，由此種材料，我輩固得據以補正紙上之材料，亦得證明古書之某部分全為實錄，即百家不雅馴之言，亦不無表示一面之事實，此二重證據法惟在今日始得為之。雖古書之未得證明者，不能加以否定，而其已得證明者，不能不加以肯定，可斷言也。[1]

---

1 王國維：《古史新證──王國維最後的講義》（北京：清華大學出版社，1994年），頁 2-3。

雖然有學者指出，王國維此說的重點仍在「紙上之材料」或「古書」，「地下之新材料」的作用主要在「補正」或「證明」前者[2]，但即使如此，王國維此說畢竟還是賦予了地下材料極高的史料價值，同時也啟發了現代學者以考古資料來和古書相印證的新的學風與治學方法。

　　不過，一手創建中央研究院歷史語言研究所（以下簡稱史語所），且從而開創所謂「無中生有的事業」的傅斯年（1896-1950）[3]，他所提倡與代表的學風與治學方法，在史料的把握與證據的運用上卻與王國維的二重證據法之說有頗為不小的差異。如他於一九二九年十一月十九日在河南所作的一場題為〈考古學的新方法〉的演講中指出：

　　　　古代歷史，多靠古物去研究，因為除古物外，沒有其他的東西作為可靠的史料。我國自宋以來，就有考古學的事情發

2　如張舜徽（1911-1992）在〈考古學者王國維在研究工作中所具備的條件方法和態度〉一文中謂其：「注意到古代遺留的實物，祇佔我們祖先活動成績的一小部分，而古代實物的被遺留，和那些遺留下來的實物已被發現的，又佔實物中的極小量，我們自然不能守此極小量之實物，為考古的唯一依據。所以王氏在《古史新證》裡又強調說：『古書之已得證明者，雖不能不加以肯定；而其未得證明者，固不能加以否定。』這倒是全面看問題的，合乎科學的態度，也就是他重視紙上材料的另一原因。」（見氏撰《訒庵學術講論集》〔長沙：岳麓書社，1992 年〕，頁 382。）又如王汎森亦在〈什麼可以成為歷史證據——近代中國新舊史料觀點的衝突〉文中直謂：「二重證據法基本上是以地下史料印證文獻記載。」（見氏撰：《中國近代思想與學術的系譜》〔臺北：聯經出版事業公司，2003 年〕，頁 365。）

3　「無中生有的事業」係杜正勝語，參氏撰：〈傅斯年的史學革命（下）〉，《新史學之路》（臺北：三民書局，2004 年），頁 119-156。

生，但是沒有應用到歷史上去；蓋去古愈遠，愈與自然界接
近，故不得不靠古物去證明。……古代歷史多不可靠，就是
中國古史時期，多相信《尚書》、《左傳》等書，但後來對於
《尚書》、《左傳》，亦發生懷疑，不可信處很多很多，於是
不能不靠古物去推證。[4]

在這段引文中可以很明顯地看出傅斯年對去古愈遠的歷史的研究，
有極度重視考古資料甚於傳統文獻的傾向，甚至對傳統經書典籍中
歷來被視做史料價值極高的《尚書》與《左傳》，其信任度皆遠不及
地下出土之古物，這顯然與王國維二重證的精神是大相逕庭的。

此外，傅斯年在這場演講中又提到另一個重點：

中國人考古的舊方法，都是用文字做基本，就一物一物的研
究。文字以外，所得的非常之少。外國人以世界文化眼光去
觀察，以人類文化做標準，故能得整個的文化意義。[5]

正是在吸收與學習西方考古學的基礎上，傅斯年轉而強調非文字考
古資料的重要性，如用發掘出的陶器參訂歷史；用人骨測量來比較
不同地方發現的人骨，從而定出他們的時代先後；而獸骨的種類亦
可證明發現地當時是屬遊牧民族的地方或農業發達的地方……。[6]這
種態度亦與王國維只專注於有文字的地下出土資料有極大的不同，

---

4 傅斯年：《傅斯年全集》（歐陽哲生主編，長沙：湖南教育出版社，2003 年），
　第 3 卷，頁 88、89。
5 傅斯年：《傅斯年全集》，第 3 卷，頁 90。
6 傅斯年：《傅斯年全集》，第 3 卷，頁 91-93。

在他撰寫的〈國立中央研究院歷史語言研究所十七年度報告〉中，
在述及安陽殷墟調查的工作時，他對王國維的這種治學態度做出了
如下的評論：

> 又安陽縣之殷故墟，於三十年前出現所謂龜甲文字者；此種
> 材料，至海寧王國維先生手中，成極重大之發明。但古學知
> 識，不僅在於文字；無文字之器物，亦是研究要件；地下情
> 形之知識，乃為近代考古學所最要求者。若僅為取得文字而
> 從事發掘，所得者一，所損者千矣。[7]

---

7 傅斯年：《傅斯年全集》，第 6 卷，頁 10。誠如德國漢學家施耐德（Axel Schneider）
所指出的：「王國維雖然採用了新發現的考古文物，但主要是出土的文字資料，
而且他主要還是從語言學的角度來進行研究。他對器物的種類、埋放的土層以
及文物年代的確定等等幾乎不感興趣。」（參氏撰：《真理與歷史：傅斯年、
陳寅恪的史學思想與民族認同》〔關山、李貌華譯，北京：社會科學文獻出版
社，2008 年〕，頁 83。）陳力亦有類似的觀點，他認為在王國維的研究中，地
下材料「主要還是指地下出土的有文字的實物，如甲骨金文以及簡牘帛書和敦
煌遺書等，並不包括近代考古學的全部內容，特別是通過器物類型、遺址與墓
葬等等所反映出的文化特徵、生活方式。」（見氏撰：〈徐中舒先生與夏文化
研究〉，收入杜正勝、王汎森主編：《新學術之路：中央研究院歷史語言研究
所七十周年紀念文集》〔臺北：中央研究院歷史語言研究所，1998 年〕，上冊，
頁 326。）而王汎森亦認為由傅斯年與李濟（1896-1978）所領導的史語所考古
工作的方法與意趣已經超出了王國維二重證據法的範圍，相關討論請參氏撰：
《中國近代思想與學術的系譜》，頁 361-365。不過持平的來說，王國維並非
對現代考古學的作為毫無所感，據李濟之子李光謨所撰的〈李濟先生學行紀略〉，
一九二七年一月十日，在清華國學院為李濟主持的山西西陰村考古發掘歸來所
舉辦的歡迎會上，王國維不但對李濟的考古工作表示出了頗大的興趣，還建議
李濟找一個「有歷史根據的地方進行發掘，一層層掘下去，看它的文化堆積可
好？」李光謨認為這一主張可能對後來的選掘殷墟有所影響。（見李濟：《李
濟文集》〔張光直主編，上海：上海人民出版社，2006 年〕，卷 5，頁 446。）

　　同為史語所一員的勞幹（1907-2003）在傅斯年逝世後曾對傅先生的治學方法做了如此的描述：

　　　　他對於中國歷史上古部分，了解甚深。但他深知上古部分難
　　　　以實證的太多，所以他並不鼓勵別人治上古史，他盡量的採
　　　　用考古方法，希望以考古的成績作為治史的基礎。[8]

而專研傅斯年且亦曾任史語所所長的王汎森教授亦有如下的觀察：

　　　　傅斯年的口號是「我們不是讀書的人」，意味著想擺脫對書
　　　　本的崇拜。他強調讓沒有語言、或是不會言語的東西告訴我
　　　　們歷史。而他所欣賞的古代學者，也多是能從實物或實際觀
　　　　察中得到知識的人，譬如強調說顧炎武用自己的肉眼觀察地
　　　　形地勢以察古地名。[9]

　　綜合二位學者之說，可知以考古的資料，尤其是以非文字的材料來研究古史確實是傅斯年所強調的治學方法之一大特點。但縱然如此，也不意味著傅斯年在實際研究的過程中能完全離開紙上材料，尤其是傳統的經史文獻來治史。畢竟對以重建古史為職志的傅斯年來說，考古資料及傳統的經史文獻皆是進行此工作的重要憑藉。然而在當時，雖然傅斯年已能利用包含安陽殷墟考古在內的諸多考古資料，但這些考古資料對研究有文字的中國古史而言，其在

---

8 勞幹：〈傅孟真先生與近二十年來中國歷史學的發展〉，《大陸雜誌》2 卷 1
　期（1951 年 1 月），頁 7。
9 王汎森：〈價值與事實的分離──民國的新史學及其批評者〉，《中國近代思
　想與學術的系譜》，頁 415。

訊息傳遞的數量上及完整性上，仍遠不及傳世的經史文獻。因此，即使傅斯年本人在其古史研究的系列作品中，即所謂的《民族與古代中國史》中的主要篇章，如〈周頌說〉、〈大東小東說〉、〈姜原〉、〈周東封與殷遺民〉、〈夷夏東西說〉及〈論所謂五等爵〉等文[10]，其所運用的資料仍然是以傳統的經史文獻為主，地下出土的考古資料的運用並沒有想像中的多，甚至〈周頌說〉一文完全不見考古資料的蹤跡。不過，這個看似矛盾的現象也不難理解。因為學風與治學方法的轉變與交替本就是漸進的，對於傅斯年所標舉的新的史料觀，其在學術史上的意義應是看其對史料應用的質量與取得的成效，而非僅僅計較其所使用的考古資料數量的多寡而已。從這個角度來看待此問題，則或許可以持平地說，傅斯年這系列古史的相關論文大體上皆體現著將考古資料與經史文獻相互應用與交相佐證的精神。他一方面利用包含經書在內的傳世文獻，另一方面又充分且適時地掌握了最新的考古材料（包含文字的及非文字的），使此二重之證據史料交互運用，分進合擊，最後又殊塗同歸，達到良好的互

---

10 據勞榦云：「孟真先生曾擬作《古代中國與民族》一書，遺稿已成大半，尚未整理。這是一個偉大的著作，差不多牽涉到全部中國的古代歷史，所以孟真先生對於古代中國歷史的材料搜集也特別多。並且他也隨時有寶貴的意見。這一類的材料在集刊中發表過的，例如〈周頌說〉（附論魯南兩地與詩書之來源）、〈大東小東說〉、〈姜原〉、〈周東封與殷遺民〉、〈夷夏東西說〉，都是屬於這一個範圍以內的著作。」（〈傅孟真先生與近二十年來中國歷史學的發展〉，頁7。）案：《古代中國與民族》即《民族與古代中國史》，何茲全（1911-2011）認為二者為同一書之異名。又何氏亦認為在勞榦所提及的五篇外，尚包括〈論所謂五等爵〉一文。以上皆參氏撰：〈民族與古代中國史前言〉，《民族與古代中國史》（石家莊：河北教育出版社，2002年），頁3。歐陽哲生亦指出，如從內容上來看，傅斯年在這段期間寫的〈新獲卜辭寫本後記跋〉亦與此主題相關，此七篇作品構成一個系列，堪稱是上古史研究的上乘之作。（參歐陽哲生：〈傅斯年全集序言〉，《傅斯年全集》，第1卷，頁40-41。）

證效果，雖與王國維以地下之材料來「補正」或「證明」紙上之材料意趣不同，但仍不可謂不是對王說的一大突破，從而開創研究古史的一嶄新局面。傅斯年早年的弟子何茲全教授是這樣評價傅斯年這系列古史研究的成績：

> 張先生（案：張光直）是考古家，聯繫到考古，他最重視傅先生的〈夷夏東西說〉。但對於有文字後的中國古代史說，我更看重〈周東封與殷遺民〉和〈大東小東說——兼論魯燕齊初封在成周東南後乃東遷〉、〈姜原〉、〈論所謂五等爵〉篇。這些文章的好，不在篇篇擲地有聲，而在於它們和〈夷夏東西說〉一樣，都是有創始性、突破性的最好文章。[11]

在這系列論著中，本文將關注的重點聚焦在〈大東小東說〉一文上，因為在這篇大作中，傅斯年具體指出了大東、小東的地望，而關聯到這個地望的問題，他又較廣泛地對西周初年的形勢及重要史事，如殷周關係、周公東侵路徑、周公事功與周人統治東國的實況等論題做出了極為敏銳的觀察。由此可知，大東、小東地望之確定係傅斯年此文之關鍵。而就資料的使用與論證的推導來看，傅斯年對大東與小東地望的確定似乎主要仍是憑藉著《詩經》的文本及漢代經師的訓解，傅斯年在〈大東小東說〉文中一開始即接受《毛詩序》將《詩經·小雅·大東》的作者歸於譚國大夫的說法，從而將大東、小東的地望與譚國關聯起來，且具體指陳出譚國的地望在今濟南。然後再根據《魯頌·閟宮》「奄有龜蒙，遂荒大東」句，斷

---

11 何茲全：〈眾家弟子心中的老師傅斯年先生〉，收入布占祥、馬亮寬主編：《傅斯年與中國文化》（天津：天津古籍出版社，2006 年），引文見頁 1。

定大東在泰山山脈迤南各地,即今山東境內濟南、泰安迤南,或兼及泰山東部之地。而既據《詩經‧大東》經文及《毛詩序》,譚大夫往來大東、小東之間,譚國又在今濟南附近,所以傅斯年又關聯著周人東侵的路徑,推斷小東當在「今山東濮縣河北濮陽大名一帶」。[12]

不過在這整個論斷過程中居於關鍵地位的譚國地望的問題,傅斯年在文中僅僅用了「譚之地望在今濟南」八字帶過,並沒有詳述其論證依據。但是令人疑惑的是,譚國地望之確定卻是史語所初期考古工作——山東歷城縣龍山鎮城子崖的發掘——之一大成績。(詳參下節)傅斯年在文中卻對此隻字不提,使人無法理解傅斯年大東、小東地望論點的形成究與此考古成績有何實質關聯?本文擬針對傅斯年文中遺留的此一問題做深入的研究,除了還原傅斯年的學思歷程,來考察考古資料與經書文獻資料在重建古史的過程中,所可能起到的作用外,還將進一步從經學本位的立場,來省思諸如:考古資料在經書考證及經義理解的活動中的作用為何?經書的考證、經義的理解與考古發現的關係為何?以及對經書文獻資料的掌握及經義的理解與古史研究關係又為何?……等問題。

第二節　城子崖的發掘與譚故城遺址的確立

關於城子崖的發掘經過,據當時擔任史語所三組(即考古組)主任的李濟,在一九三四年為收入史語所出版的《中國考古報告集》第一種——《城子崖:山東歷城縣龍山鎮之黑陶文化遺址》——所寫的序言中有清楚的交代:

---

12 以上皆參傅斯年:〈大東小東說——兼論魯燕齊初封在成周東南後乃東遷〉,
　　《傅斯年全集》,第 3 卷,頁 54。

十九年一年，河南忽然變成內戰的中心地點，殷墟發掘因此
中斷。適值吳金鼎君在山東的考古調查迭有發現，歷史語言
研究所組織的田野工作隊的活動，在這一年，也就由河南移
到山東去了。最初我們本想在臨淄建築一個山東田野工作的
中心，吳金鼎君同我到那裡就去看了一次。由臨淄回到省城
後，吳君又領我到他所發現的濟南附近龍山鎮城子崖遺址去
了一次。我從臨淄調查回來，對於原來計畫的施行，很感覺
躊躇；我很知道，像臨淄這種地方，必蘊藏著無限的寶貴的
史料，考古發現的可能很大。不過問題太複雜了，絕非短時
間可以料理得清楚的一件工作。我們既已在安陽建設了田野
考古的重心，在能作一段落以前，研究所的財力人力絕不允
許我們再拈起一個與殷墟類似的，短時間不能解決的問題。
這一年是否應該動手作臨淄，我們就不能不作一番徹底的計
算。這個考慮尚沒得到一個段落，忽然看見城子崖這個遺
址，這困難就得了一個比較合適的解決。[13]

由李濟的敘述可知，城子崖遺址的發掘是一連串偶然造成的，先是
因中原大戰導致安陽殷墟考古停擺，山東臨淄本是選定的可能替代
目標，但又因內涵豐富，無法短時間完成，所以城子崖遺址就在這
青黃不接的當頭，適時出現在李濟的目光中，最終獲得青睞，進行

---

13 見李濟〈城子崖序〉，收入傅斯年、李濟等撰：《城子崖：山東歷城縣龍山鎮
　　之黑陶文化遺址》（南京：國立中央研究院歷史語言研究所，1934 年，以下
　　簡稱《城子崖》），頁 xi；又見《李濟文集》，卷 2，頁 206。案：《城子崖》
　　中之李濟序文較《李濟文集》所載完整，引文以《城子崖》一書所載為準。

發掘。這其中扮演關鍵角色的人物是李濟文中提到的最先發現此遺址的吳金鼎（1901-1948）。吳金鼎，字禹銘，山東安邱縣人，肄業於濟南齊魯大學，一九二六年考入清華學校國學研究院，師從李濟研習人類學與考古學，離開清華國學院後，先短暫地回到家鄉任職於母校齊魯大學，後來又進入史語所考古組，任專任助理員。[14]

　　吳金鼎在齊魯大學工作的期間，頗思對濟南故城（即平陵城）之遺跡遺物加以考察研究。據其〈平陵訪古記〉云：一九二八年春間，吳氏的朋友崔德潤，以視察小學事，多次前往龍山鎮。某日崔氏語吳金鼎，謂平陵古城即在龍山鎮東，聞鄉人言其遺址極大，磚瓦碎塊亦極多。吳金鼎聽後很感興趣，便偕崔德潤一起前往考察。[15]此後，吳金鼎又多次前往龍山鎮勘查，最終證實此處為一史前時代之重要文化遺址，據其自述其於一九二八年四月第二次前往龍山調查後的心得：

> 自此之後余始確切認定此遺址（即指臺地，後仿此）包含層中所蘊蓄之重大意義。而余之興味自此不知不覺亦為之轉移。平陵研究之熱忱漸趨冷淡。嗣後所讀參考書多關於新石器時代之文化。餘暇所思念者，亦多為石器時人之生活狀況。蓋余已認明此龍山遺址，確為新石器時代之一村落，一部古代史跡深藏黃土壑中。嗣後余將犧牲所有餘暇，盡吾全

---

14 關於吳金鼎的生平及考古事業，請參石璋如：〈田野考古第一——吳金鼎先生〉，收入杜正勝、王汎森主編：《新學術之路：中央研究院歷史語言研究所七十周年紀念文集》，下冊，頁 631-637；岳南：《從蔡元培到胡適——中研院那些人和事》（北京：中華書局，2010 年），〈考古星河中的兩只大鼎〉一章，頁 141-198。

15 吳金鼎：〈平陵訪古記〉，《國立中央研究院歷史語言研究所集刊》第一本第四分（1930 年），頁 479。

力以求此遺址之了解。[16]

　　吳金鼎的勘查不只吸引了李濟的關注，也獲得了傅斯年的高度重視，在史語所一九三〇年度四月份的工作報告中，他對吳金鼎在一九二八與一九二九兩年中前後六次調查平陵故城及龍山遺址的努力，做出了「於將來考古工作上，有極重要之貢獻」的高度肯定。[17]

　　在李濟正式同意史語所考古組發掘城子崖遺址後，有鑑於河南安陽殷墟的發掘工作，史語所與河南方面發生爭奪發掘主導權與出土遺物所有權的衝突爭執，最後導致中央政府強制介入方化解風波的前車之鑑[18]，史語所方面主動積極地與山東方面協調合作，雙方合組了「山東古蹟研究會」[19]，從此才順利地展開對城子崖遺址的發掘。史語所總共對城子崖進行了兩次的發掘，第一次發掘於一九三〇年十一月七日開工，由李濟主持，參與發掘的人有董作賓（1895-1963）、郭寶鈞（1893-1971）、吳金鼎、李光宇與王湘等人，然因天寒地凍，故不得不在十二月七日結束，歷時一個月。第二次發掘則由梁思永（1904-1954）負責，率領吳金鼎、劉嶼霞、王湘、劉錫增與張善等人共同發掘，自一九三一年十月九日至三十一日，除星期日外，實際工作天數為二十天。[20]關於此兩次的發掘成績，李

16 吳金鼎：〈平陵訪古記〉，頁 481。

17 見傅斯年：〈歷史語言研究所十九年度四月份工作報告〉，《傅斯年全集》，第 6 卷，頁 140-141。

18 關於此事件的原委，王汎森在〈什麼可以成為歷史證據──近代中國新舊史料觀點的衝突〉文中有詳細的說明，參氏撰：《中國近代思想與學術的系譜》，頁 355-376。

19 關於「山東古蹟研究會」之成立及其與史語所的合作辦法見《城子崖》，頁 2-3。根據此合作辦法，實際的發掘工作仍由史語所主導，而山東省政府則任保護之責。

20 詳見《城子崖》，頁 6-9。

濟在城子崖的考告報告的序言做了如下的歸納：

> (一)遺址內無疑的包含兩層文化；在地層上及實物內容上均
> 有顯然的區別。
>
> (二)上層文化已到用文字時期；證之古史的傳說，似為春秋
> 戰國時之譚城遺址，其時代當即可由此推定。
>
> (三)上層文化最著的進步為用青銅，有正式的文字；陶器以
> 輪製為主體。其餘的物質均似直接承襲下層，略有演變。
>
> (四)下層文化為完全石器文化。陶器以手製為主體，但已有
> 輪製者。所出之黑陶與粉黃陶，技術特精，形制尤富於創造；
> 此類工藝，到上層時似已失傳。
>
> (五)城子崖最可注意之實物為卜骨。由此，城子崖文化與殷
> 墟文化得一最親切之聯絡。下層兼用牛鹿肩胛骨，上層只用
> 牛肩胛骨；故上下兩文化層雖屬兩個時期，實在一個系統。[21]

由於城子崖的發掘成果豐碩，尤其是其中的黑陶器物的出土，確立了龍山文化是有別於出土彩陶的仰韶文化之另一文化系統。[22]關於這個文化所代表的重要意義，李濟在發表於一九六三年的〈黑陶文化在中國上古史中所占的地位〉一文中做出了如此評述：

---

21 見李濟：〈城子崖序〉，《城子崖》，頁 xiv-xv；又見李濟：《李濟文集》，卷 2，頁 209。

22 關於此文化命名之由，據石璋如（1902-2004）云：「……城子崖屬於龍山鎮，而遺址的領域卻超出了城子崖範圍之外，因此稱它為龍山文化。這個文化中最特殊而最能引人注意的因素，即黑光而薄的黑陶，因此又叫它為黑陶文化。為著對待彩陶文化而言，稱黑陶文化也比較顯著，實際上龍山文化才能代表這個文化的全貌。」（見氏撰：《中國的遠古文化》〔臺北：中央文物供應社，1954 年〕，頁 26。）

這個前所未聞的史前文化，與較西方的河南、甘肅和河北所出現的史前遺物相比，構成了一幅鮮明的對照。出史前彩陶文化的遺址，大部分都在西北，根據當時的考古知識，這些彩陶文化的遺存沒有在山東半島出現過。在中國傳統的歷史中，山東半島確是中國文化開始的一個重鎮。在濟南附近出現了與彩陶顯然完全不同的這種史前文化，並且包含有啟發殷商貞卜文字的卜骨。這個新發現的文化與仰韶文化相比，顯然更接近於歷史時期。[23]

這一發現自然吸引了社會大眾與學者社群的關注，發掘單位也適時地將出土文物做陳列展示[24]，這自然更招徠當時報紙的報導及學者之觀覽。[25]

---

23 見李濟：《李濟文集》，卷 2，頁 49。

24 據傅斯年所撰〈國立中央研究院歷史語言研究所十九年度報告〉云：城子崖發掘收工之後，在該年十二月下半月，應濟南各界之請求，乃為公開展覽之籌備。由郭寶鈞與吳金鼎二人負責，展出時期為一九三一年一月一日至三日，地點在濟南青島大學工學院大禮堂，陳列各物分石器、骨器、蚌器、黑光陶器、白色陶器、灰色陶器、圖表及工具八項，並附列臨淄及平陵城出土之陶器、陶片等物，以資比較。三日之間，參觀者萬餘人。隨即在二月間，又應院方邀請，連同殷墟出土器物及該所第一組（即歷史組）整理之明清檔案要件，赴南京公開展覽。展覽會址在成賢街自然歷史博物館樓上，展期為二月二十一日至二十三日，復於二十四日延展一天，每日參觀者約數千人。（參《傅斯年全集》，第 6 卷，頁 197。）

25 前者如衛聚賢（1899-1989）在一九三七年出版的《中國考古學史》（上海：商務印書館）中之附錄一〈各地發現古物誌〉，即載有《北平晨報》在一九三一年十一月十一日對城子崖發掘的報導，其云：「中央研究院與山東省政府合組之山東古蹟研究會，去冬發掘濟南城東城子崖古譚國都城，獲得骨蚌陶石器皿甚多。今年秋又繼續發掘，自十月八日至三十一日，共工作二十日，

　　吳金鼎的初衷本為調查平陵城遺址，後來卻在城子崖發現了更古老的龍山文化遺址。但此遺址又包覆了上下兩層文化的堆積，上層為比平陵城更早的周代之譚故城。由此可知，這個考古發掘實有雙重的收穫，只是此收穫對吳金鼎來說，因興趣的轉移，原本的熱忱轉為淡薄，而新發現的收穫反佔據了他主要的心思。不過與本文有關的卻仍是上層文化中之譚故城遺址之發現與確認的相關問題。然而值得注意的是，雖然李濟在《城子崖》考古報告的序言中兩度提到城子崖上層文化與周代譚故城的關係，但他用的皆是疑似之語，李濟這種態度自然不是他個人所獨有，而是整個參與《城子崖》考古報告的工作人員所共有。傅斯年在《城子崖》的序言中也支持李濟等人這種態度，他甚至將支撐李濟等人這種態度所由來的治學精神給點了出來：

　　　　「過猶不及」的教訓，在就實物作推論時，尤當記著。把設
　　　　定當作證明，把涉想當作設定，把遠若無干的事辯成近若有
　　　　關，把事實未允許決定的事付之聚訟，都不足以增進新知

掘坑四十五，獲得陶骨蚌石等器六十箱，已運送該會整理研究，並經考察，知譚都城牆為不規則之形狀，又就所掘匋器，可斷為上下兩文化層，下層屬石器時代在前，上層屬銅器時代在後。關於匋器之鑑別，銅器時代者式樣少而笨拙，含砂少而表面粗色灰；石器時代者式樣多靈巧，含砂多而表面光滑色黑；年代晚者反笨拙而粗糙，亦最可驚異之事矣。」（142-143）後者則如顧頡剛（1893-1980）在一九三一年四、五月間與燕京大學同仁合組之「燕大考古旅行團」，在該年的五月中旬來到濟南，十五日本想去青島大學工學院參觀譚故城出土遺物，惟當時無人居此典守，遺物皆扃閉於箱篋之中，遂無緣得見。隔日上午又逕赴龍山鎮城子崖遺址，顧頡剛謂其一行人「徘徊崖上，拾得碎陶片若干，豆鬲足若干，又得一殘石斧。」（以上見氏撰：《辛未訪古日記》，《顧頡剛全集》〔北京：中華書局，2010 年〕，第 5 冊，《顧頡剛古史論文集》卷 5，頁 466-467。）

識，即不足以促成所關學科之進展。即如本書所論遺址之為譚國故墟，就文籍遺傳看來，十成中有九成可信了，若從此時一般作史學的風氣，就要直名之為「譚墟」了。然而本書作者，知道這只是經籍遺傳之說，所發掘者，並無一物確證其為譚邑，與殷墟之為殷墟有多量實物證明者不同，並且見到此地之地層有上下，不便混為一名，所以作者「多聞闕疑，慎言其餘，」集合此項文籍中材料為附錄，本文中轉不涉及。[26]

傅斯年文中指的收入《城子崖》附錄中的材料便是董作賓的〈城子崖與龍山鎮〉，在這篇文章中，他最先雖亦持較謹慎的態度，認為城子崖晚期文化（即上層文化）「似為譚文化」，後來他更進一步將疑似之辭改成假定，且積極地尋找證據來證明此假定。他提出了三個證據：

第一，是記載之證，《春秋》莊公十年「齊師滅譚」，杜注：「譚在濟南平陵縣西南」。今平陵故城正在城子崖東北約四里處。《齊乘》載：「東平陵在濟南（今歷城縣）東七十五里，春秋譚國，齊桓滅之。古城在西南，龍山鎮相對。」今

---

26 傅斯年：〈城子崖序〉，《城子崖》，頁 ix；又見歐陽哲生主編：《傅斯年全集》，第 3 卷，頁 237。案：二者文字間有微小出入，引文概以《城子崖》一書所載為準，下同此。又曾參與安陽殷墟考古的石璋如在多年後對此文化遺址的敘述，態度之矜審一如傅斯年、李濟，其云：「龍山鎮城子崖的堆積，分為上下兩層，上文化層中含有青銅器及有文字的陶片，經研究的結果，上層的包涵可能為譚國的遺存，因為沒有找到確切的物證，故尚不能像稱安陽的小屯為殷墟而稱它為譚墟。」（見氏撰：《中國的遠古文化》，頁 27。）

城子崖正在平陵故城西南，西面隔武原河與龍山鎮相對。

　　第二，是河流之證。城子崖在武原河畔，《水經注》云：「關盧水導源馬耳山，北經博亭城西，西北流至平陵城與武原水合。水出譚城南平澤中，世謂之武原泉，北逕譚城東，俗謂之古城也。又北逕東平陵故城西。……水又北逕巨合城東。……其水，合關盧水而出注巨合水。」武原水經過譚城，他的源流又不過如此，武原水自發源至入巨合，經流不過十餘里，而濱河古遺址，平陵，巨合皆在北，南則僅有城子崖，是譚城非城子崖莫屬了。

　　第三，是遺物之證。譚文化大約是始於殷末，終於周末，灰色陶器多同於殷墟及臨淄，豆上刻字之習，亦與殷虛相類，齊刀貨，銅劍鏃，皆可證為春秋戰國時物，而漢以後之遺物則少見。是城子崖上層文化之時代，起於殷末，迄於周末，也像譚國存在的時代。[27]

董作賓在尋此三證後，便做出如下的結論：

> 由這三個證據，我們可以假定城子崖為古譚城，因其地較高，又濱武原河，故謂之崖，因古有城牆故謂之城子。[28]

　　譚故城遺址既確認，董作賓又進一步蒐羅經史文籍來將譚國的

---

27 董作賓：〈城子崖與龍山鎮〉，《城子崖》，頁 96-97；又見《董作賓先生全集》（臺北：藝文印書館，1977 年），甲編第三冊，頁 1070-1071。

28 董作賓：〈城子崖與龍山鎮〉，《城子崖》，頁 97；又見《董作賓先生全集》，甲編第三冊，頁 1071。

史事做了一番勾勒，依次為譚之建國當於殷末（假定約公元前 1200年），《詩經・小雅・大東》中譚大夫出現的年代當在西周末（約公元前 771 年以前），《詩經・衛風・碩人》和《史記・衛世家》中出現的譚公當在衛莊公五年（約公元前 753 年），《春秋》中記載的「齊師滅譚」在齊桓公二年（約公元前 684 年），《風俗通義》所載「孟嘗君逐於齊，見反，譚子迎於鄗」，孟嘗君返國事在戰國末（約公元前 298 年），最後譚城廢棄於漢初（假定約公元 200 年前）。[29]

　　董作賓在另一篇同一時期所作的論文〈譚「覃」〉[30]，更試圖從譚城北城基所發現的三個墓葬遺物，還原古代戰爭的酷烈。他從其中兩個墓中陳列遺骸的方式及有的遺骸脊骨猶存有銅箭鏃的現象，推斷這應是典籍中所記載的「齊師滅譚」所造成的慘劇。這場為期三年之久的齊譚之戰，最終導致了譚國的覆滅，而他也從這兩層墓葬中看到了「譚國亡國慘劇中的一幕殘影」。[31]

---

29 董作賓：〈城子崖與龍山鎮〉，《城子崖》，頁 97-98；又見《董作賓先生全集》，甲編第三冊，頁 1071-1072。案：陳槃（1905-1999）對《風俗通義》所載之譚子表達了存疑的態度，他考證此事又俱載於《戰國策・齊策》及《史記・孟嘗君列傳》，據《戰國策》，則譚子即譚拾子，作譚子者，簡稱耳；而據《史記》，則此為馮驩之辭。所以他認為：「玩其情事辭氣，亦可決其不似人君，乃游士食客馮驩、魏子之等倫耳，不可以為譚國君。」（見氏撰：《春秋大事表列國爵姓及存滅表譔異》〔增訂本，臺北：中央研究院歷史語言研究所，1969 年〕，冊三，頁 254a。）

30 〈譚「覃」〉原刊於一九三三年出刊的《國立中央研究院歷史語言研究所集刊》第四本第二分，〈城子崖與龍山鎮〉則係收入一九三四年出版的《城子崖》，然據傅斯年所撰寫的〈國立中央研究院歷史語言研究所二十一年度報告〉，其中提到該所第三組的研究所得時，就已敘及董作賓在該年度完成了此二文。（參《傅斯年全集》，第 6 卷，頁 386。）

31 董作賓：〈譚「覃」〉，《董作賓先生全集》，甲編第三冊，頁 1037-1039。

第三節　城子崖遺址的發掘與傅斯年〈大東小東說〉論點的提出

　　董作賓的論證雖然看起來言之確鑿，但從傅斯言在《城子崖》的序文中所表示出的極度嚴謹態度來看，還不能說是百分之百確定的，充其量也只有百分之九十的可能性。這其中最關鍵的應屬董作賓所提出的第三項證據，即出土的遺物並沒有發現能直接證明與譚國有關的蛛絲馬跡。但有趣的是，從科學的考古報告的角度，傅斯年不敢十分確切的說城子崖所發現的上層文化遺址即為譚故城，但他在古史研究的範圍中，卻似乎毫不豫猶地直接採用此說，誠如第一節所說的，在〈大東小東說〉中，傅斯年在未引述任何佐證資料的情況下，就直接地做出「譚之地望在今濟南」的斷語。究竟傅斯年在撰作該文時，城子崖的考古發掘對他發揮了多少的影響作用？這頗值得吾人探究。就時間順序來看，傅斯年此文是發表在一九三〇年五月出刊的《歷史語言研究所集刊》第二本第一分，但實際完成的時間更早在該年的二月間[32]，而城子崖的正式開挖則在相隔半年後的十一月七日，董作賓的兩篇確認譚故城的文章在一九三二年左右方寫出，《城子崖》的考古報告更遲至一九三四年才出版，所以在傅斯年構思及寫作此文時，城子崖的正式考古發掘及其成果應該是不會對他產生影響的。

　　但問題是，首先注意到城子崖遺址的吳金鼎卻早在一九二八、一九二九年間就已多次前往勘查，而其勘查所得──〈平陵訪古記〉

---

32 傅斯年：〈歷史語言研究所十九年度二月份工作報告〉，《傅斯年全集》，第
　　6卷，頁128。

一文之初稿——更早在一九二九年即已完成[33]，此文在一九三〇年春又改作[34]，刊於一九三〇年四月左右出版的《歷史語言研究所集刊》第一本第四分。[35]由此可知，在傅斯年寫作〈大東小東說〉時，他不會不知道吳金鼎的考察成果。其實在〈平陵訪古記〉的文中，吳金鼎已在考察經史地志的基礎上，提及平陵城與古譚國的關係[36]，當然吳金鼎所作的考察在證據的使用與論證的嚴謹度上，是遠不及董作賓在充分利用考古成果後所做出的考證。不過，由於吳金鼎對平陵沿革的考察所使用的大都是傳統的經史文獻，這些紙上典籍對博學強識的傅斯年來說，並沒有陌生到需要看到吳金鼎的文章後才知曉，所以在現階段沒有更直接的證據支持以前，關於譚故城遺址的確立與傅斯年大東小東論點建立之關係的問題，目前只能說傅斯年似乎並沒有直接利用到城子崖實際發掘的成果。但在他構思及寫作〈大東小東說〉之前，他是知道吳金鼎對城子崖遺址的初步勘查成績的，然而在形成大東小東說關鍵論點的「譚之地望在今濟南」之判斷，卻並沒有充分的證據證明他是受到吳金鼎勘查的影響，也許他早就從經史志書中即已熟稔濟南與古譚國的地理沿革的關係。因此與其說是傅斯年的論點受到城子崖考古的影響，不如說實際上是城子崖的考古發掘印證了傅斯年的說法，而董作賓對譚故城的論證則是對傅文的一個補充論證。

　　不過傅斯年此文與城子崖考古關係的意義絕不僅止於譚故城的發現與大東小東地望的確立一端，因為對他來說，這篇文章的學術

33　傅斯年：〈國立中央研究院歷史語言研究所十八年度報告〉，《傅斯年全集》，第 6 卷，頁 76。

34　吳金鼎：〈平陵訪古記〉，頁 486。

35　傅斯年：〈國立中央研究院歷史語言研究所十八年度報告〉，《傅斯年全集》，第 6 卷，頁 79。

36　吳金鼎：〈平陵訪古記〉，頁 472-478。

價值與深刻意義也不是僅僅在於論證大東與小東的地望而已，而是
應該從更廣泛的古代民族與文化的視域來看待。所以傅斯年才在文
中花了更多的篇幅（比實際談大東小東地望者多了好幾倍），去處理
周人與東方的關係，如周人對東方的封建與經略、周人東向發展之
步驟、周公之事功等。由此視角來看此文與城子崖的發掘，就可以
得出一全新的意義，正如他於一九三四年十月在《城子崖》的〈序〉
中為史語所發掘城子崖的緣起、構想與意義所做的說明：

> 西洋人作中國考古學，猶之乎他們作中國史學之一般，總是
> 多注重在外緣的關聯每忽略于內層的綱領，這也是環境與憑
> 藉使然。我們以為中國考古學如大成就，決不能僅憑一個線
> 路的工作，也決不能但以外來物品為建設此土考古年代學之
> 基礎，因為中國的史前史原文化本不是一面的，而是多面互
> 相混合反映以成立在這個文化的富土之上的。憑藉現有的文
> 籍及器物知識，我們不能自禁的假定海邊及其鄰近地域有一
> 種固有文化，這文化正是組成周秦時代中國文化之一大分
> 子，於是想，沿渤海黃海省分當在考古學上有重要的地位，
> 於是有平陵臨淄的調查（近年又有沿山東海岸的調查），於
> 是有城子崖的發掘。這個發掘之動機，第一是想在彩陶區域
> 以外作一試驗，第二是想看看中國古代文化之海濱性，第三
> 是想探探比殷墟——有絕對年代知識的遺跡——更早的東方
> 遺址。[37]

---

37 傅斯年：〈城子崖序〉，《城子崖》，頁viii；又見《傅斯年全集》，第3卷，
　　頁236。

又說：

> 到山東去作考古發掘，本是假定山東一帶當有不同於陝甘及
> 河南西部之文化系，已而發見很別緻的黑陶，眾多情形使工
> 作者不能不設定黑陶為一種文化系之代表，其作用一如彩陶
> 之在黃河上游。到殷墟以東作考古發掘，本是想看看殷墟文
> 化系之向東分配情形，已而在城子崖發見甚多物件，足與殷
> 墟出土品比較連貫。先在城子崖作考古發掘，本是想藉此地
> 為發掘臨淄琅邪及其他海濱地帶之初步嘗試，已而此一發掘
> 所得者，使我們遵循海濱工作之興致更熾盛。[38]

由此可知，史語所城子崖的發掘是與傅斯年強調濱海考古的重要性
息息相關的。對傅斯年來說，向東方海濱考古的主要目的是為了印
證山東一帶存在著有別於西方陝甘及河南西部的文化系統，由此證
明中國的史前文化本不是一面的，而是多面互相混合而成的，他這
個論點更具體表現在一九三三年一月所發表的〈夷夏東西說〉，在這
篇大作中，他開宗明義即點出三代及近於三代之前期，「大體上有東
西不同的兩個系統」。[39]他在這篇文章中所表現出的卓識，為當代考
古學大師張光直（1931-2001）所高度讚賞：

> 這篇文章以前，中國古史毫無系統可言。傅先生說自東漢以
> 來的中國史，常分南北，但在三代與三代以前，中國的政治

---

38 傅斯年：〈城子崖序〉，《城子崖》，頁 ix；又見《傅斯年全集》，第 3 卷，
　頁 238。
39 傅斯年：〈夷夏東西說〉，《傅斯年全集》，第 3 卷，頁 181。

舞台，在河、濟、淮流域，地理形勢只有東西之分，而文化
亦分為東西兩個系統。自傅先生夷夏東西說出現以後，新的
考古資料全都是東西相對的：仰韶—大汶口，河南龍山—山
東龍山，二里頭（夏）—商，周—商、夷。傅先生的天才不
是表現在華北古史被他的系統預料到了，而是表現在他的東
西系統成為一個解釋整個中國大陸古史的一把總鑰匙。[40]

而單就城子崖一地的發掘而言，也誠如杜正勝所評論的，傅斯年建
構的古代民族系統，「果然從山東龍山鎮城子崖的發掘獲得印證！」
[41]

---

40 張光直：〈傅斯年董作賓先生百歲紀念專刊序〉，《傅斯年董作賓先生百歲紀
念專刊》（臺北：中國上古秦漢學會，1995 年），頁 2。又陳星燦亦曾對此
二元對立系統與現代考古實務的關係做出了如此的評論：「由二十年代考古
學者發現仰韶文化與小屯文化之間在地理分布和文化性質上的差別，到古史
學者從文獻上追溯出所謂『夷夏東西』，甚至提出中國文化的搖床應該到環
渤海的大平原上尋找，中國史前文化二元對立的假說既已成立；城子崖龍山
文化層的發現，曾使考古學家和古史學家欣喜若狂，假說也因此得到初步的
驗證。如果說二十年代是尋找仰韶彩陶文化的時代的話，那麼三十年代就是
尋找黑陶文化的時代，實際上無論是城子崖黑陶文化或者到 1937 年以前發現
的包括山東、河南甚至浙江的七十餘處所謂黑陶文化遺存，都是在上述二元
對立的假說下發現的，同時這些發現也不斷地驗證著這個假說。」但他也指
出，這個學說一直到五十年代廟底溝發現之後才逐漸被人們所拋棄。（見氏
撰：《中國史前考古學史研究：1895-1949》〔北京：三聯書店，1997 年〕，
頁 225-226。）

41 杜正勝：《新史學之路》，頁 112。相關討論又參 Wang Fan-sen：*Fu Ssu-nien：
A Life in Chinese History and Politics*（Cambridge, U.K.；New York：
Cambridge University Press, 2000），pp.110-111；施耐德：《眞理與歷史：傅斯
年、陳寅恪的史學思想與民族認同》，頁 195。案：傅斯年在一九三四年十月
補題在〈夷夏東西說〉文前的一段識語中提到，這篇文章實際上是作於「九
一八」以前（1931 年），而篇中的中心思想更是他十餘年前的見解。（傅斯
年：《夷夏東西說》，《傅斯年全集》，第 3 卷，頁 181。）由此可知，傅斯

　　此外，這樣的考古假定亦有強烈的現實針對性，亦即反對西方人如瑞典學者安特生（Johan Gunnar Andersson，1874-1960）等人所持的「中國文化西來說」。李濟在發表於 1931 年的〈發掘龍山城子崖的理由及成績〉文中就已經對當時因彩陶的發現而使得沈默了三十年的中國文化西來說又復活起來的狀況，提出了有力的質疑，他認為這些已經發現的石器時代的遺址從地域的分配上來看，「尚不能給『西來說』一個完全實證」，因為這類帶彩陶器只出現在中國西部與北部，而東北部的大平原，如河北的東南、河南的東部及山東一帶皆尚未發現這類陶器，然而居東北大平原的中心點的城子崖遺址卻出現了與彩陶全然不同的黑陶，他由此推斷：

> 在城子崖所發現的石器時代文化，十有六七是構成中國早期的正統文化一個重要成分，與中國西部的石器時代的文化比卻有好多不同的地方。[42]

在一九三四年所寫的〈城子崖序〉中，他更直截了當地指出這是兩個獨立的系統。[43]而在同年刊載於上海《東方雜誌》的〈中國考古學之過去與將來〉一文中，他又持續將這兩個文化做比較，得出「一方代表沿海岸育成的東方文化，一方代表與那更古的西方文化接觸過的西北文化」，他的結論則指向：「兩文化似乎都直接一個更老的

年的觀點確實是先行於考古發掘的，史語所的考古發掘成果則反過來是去印證他的觀點。但究竟傅斯年的觀點對李濟、吳金鼎等人選擇城子崖遺址進行考古發掘是否有起到指導或具體影響的作用，現存的文獻證據還不能支持這點，目前也只能存疑。

42　見《李濟文集》，卷 2，頁 204。

43　李濟：〈城子崖序〉，《城子崖》，頁 xvi；又見《李濟文集》，卷 2，頁 210。

同樣的中國背景。」[44]如此一來，中國文化西來說自然是站不住腳的。[45]

　　由以上的分析可知，傅斯年所倡導的濱海考古的理念是具有雙重意義的，一方面是針對古史，尤其是古代民族與文化的客觀學術問題所做的探討；另一方面則是帶有高度現實關懷與強烈民族主義色彩的作為[46]，藉由考古來確定中國文化的本土起源，以力抗中國文化西來說所造成對民族自信心的斲傷。所以專就城子崖一地的考古發掘而言，也就不難得知，傅斯年所放眼的目標乃在更古老的黑陶文化，並非僅止於周代譚故國的遺址而已。他是在一廣大的構想與視域來思考問題，「向東方去」，由彩陶區而殷墟，再至山東的黑陶區，此考古的路徑與史前文化的發展恰與傅斯年在〈大東小東說〉說中所觀察到的周人東漸，由西土而中國，由中國而小東，再由小東而及於大東的歷程是相一致的。因此或許可以說，從細部微觀的角度來看，譚故城遺址的發現與確立當然有助於傅斯年對大東與小東地望論點的證成，但從大處宏觀的視野來看，東方濱海考古的工作實際上又與傅斯年的整體古史觀密切相關，同樣也是藉由考古發現而印證了他的東西文化兩系說。

---

44 見《李濟文集》，卷1，頁327。

45 關於此問題的相關討論請參陳力：〈徐中舒先生與夏文化研究〉，收入杜正勝、王汎森主編：《新學術之路：中央研究院歷史語言研究所七十周年紀念文集》，上冊，頁320-325；陳星燦《中國史前考古學史研究：1895-1949》，頁130-133、226。

46 施耐德指出，傅斯年雖承認從「人類文化」的角度出發來進行研究的優點，但他反對只用外國學者的立場來研究中國歷史和考古問題。因為在他看來，外國學者過於受其外國觀念的影響，而且中文語言能力也不足，並且漠視特殊的中國式提問和中國的特殊現象。（參氏撰：《真理與歷史：傅斯年、陳寅恪的史學思想與民族認同》，頁163-164。）

第四節　傅斯年大東小東說及城子崖考古與《詩經·大東篇》的研究

如第一節所云，傅斯年在推證大東與小東的地望時，除了依據《魯頌·閟宮》「奄有龜蒙，遂荒大東」內證而獲知大東的地望外，最關鍵的即為「譚之地望在今濟南」的論斷，他由此再進一步地比校周初事蹟，從而得出小東之地望。譚之地望的判斷，傅斯年可能是根據傳統的經史文獻，而董作賓根據城子崖考古證據所做出的論斷卻可做為傅斯年論說的一個補充論證，即使這個論證從傅斯年所持的嚴格考古學標準來看，最多也只有九成的可能性。但無論如何，傅斯年關於大東與小東地望的說法還是結合了經史文獻與考古實物的證據，再加上董作賓對譚城遺址帶有強烈臨場感與興亡滄桑的考證，二人的研究看來還是極有說服力的。但由於傅、董二氏關於大東小東的地望與譚故城的考證問題皆直接關聯於《詩經·小雅·大東篇》，二人的研究成果對該詩的詮解勢必會帶來不小的影響，因此若從經書的考證與經義的理解的角度來看，也確有必要對傅斯年的論點詳加省察。

關於大東與小東的地望問題，一般來說，主要有採無具體所指的泛名說與有具體所指的專名說兩種看法。傅斯年對這個問題明確地採取專名的看法，他先認為周初東向發展共歷經了七個步驟：

> 其一為平定密、阮、共，此為鞏固豳岐之域。二步為滅崇而「作邑於豐」，於是定渭南矣。三步為斷虞芮之訟，於是疆域至河東矣。四步為牧野之戰，殷商克矣。五步為滅唐，自河東北上矣。六步為伐奄，定淮夷。七步為營成周。以上一

二三為文王時事，四五為武王時事，六七為周公時事。[47]

但他又以為武王雖能平殷，而不能奠定其國。這個責任自然落在周公身上。周公東向勘定管蔡武庚之亂，兵力所及，據傅斯年云：

> 奄在今山東境，當春秋時介於齊魯，此當為今泰山南境。周兵力自衛遍奄，當居今河北省濮陽大名等縣，山東省茌博聊濮等縣境，此即秦漢以來所謂東郡者也。東郡之名原于何時，不可考。《史記》以為秦設，然秦開東土，此非最先，獨以此名東，或其地本有東之專名，秦承之耳。此一區域必為周公屯兵向奄之所，按之衛邢胙封建之跡，及山川形勢而信然。且此地後來又有東郡之號，則此為周初專名之東，實可成立之一說也。[48]

後來隨著周人勢力更向東漸，遂又有小大之分。傅斯年在援引羅馬人名希臘本土曰哥里西，而名其西向之殖民地一大區域曰大哥里西（Magna Grecia），及名法蘭西西境曰不列顛，而名其渡海之大島曰大不列顛（Magna Britannia）為參證的啟發下，極敏銳地指出：「大小之別，每分後先」、「後來居上，人情之常，小東在先，大東在後，亦固其宜。」他由此得出如下的結論：

---

47 傅斯年：〈大東小東說——兼論魯燕齊初封在成周東南後乃東遷〉，《傅斯年全集》，第 3 卷，頁 61。

48 傅斯年：〈大東小東說——兼論魯燕齊初封在成周東南後乃東遷〉，《傅斯年全集》，第 3 卷，頁 62。

　　　　據《魯頌》之詞，荒大東者周公之孫，地乃龜蒙，則周公勘
　　　　定之東，當是小東，地則秦漢以來所謂東郡者也。[49]

　　傅斯年的說法獲得不少學者的支持，如李亞農（1906-1962）在
不提及傅斯年名字的情況下，完全同意了傅說，其云：

　　　　關於《詩經・小雅・大東篇》中的大東小東的地望，在中國
　　　　歷史學家中早有定論：所謂「大東」乃指泰山迤南及迤東各
　　　　地，而「小東」則指現在山東河北之交，濮縣、濮陽及大名
　　　　一帶。[50]

陳夢家（1911-1966）的說法亦大致同於傅斯年，

　　　　所謂「小東」當指秦郡之東郡，在今濮陽、大名、濮縣一帶。
　　　　所謂「大東」，《魯頌・閟宮》曰「遂荒大東，至於海邦」，
　　　　當係山東半島之東端。[51]

陳夢家小東之說全同於傅說，而大東之說雖較傅說含混，但基本上
仍未違背傅說意旨。此外，顧頡剛和劉起釪師徒二人在考察三監人
物及邶、鄘、衛的疆地問題時，連帶也處理了大東與小東地望的問
題，雖然論證的取徑有異，但結論亦略同於傅說，顧頡剛是這樣說
的：

---

49 以上俱見傅斯年：〈大東小東說——兼論魯燕齊初封在成周東南後乃東遷〉，
　　《傅斯年全集》，第 3 卷，頁 62。
50 李亞農：《西周與東周》，《李亞農史論集》（上海：上海人民出版社，1962
　　年），下冊，頁 658。
51 陳夢家：《西周銅器斷代》（北京：中華書局，2004 年），上冊，頁 360。

《詩‧魯頌‧閟宮》「乃命魯公，俾侯於東」，是說魯國封疆是東的一部分。同篇又說「奄有龜、蒙，遂荒大東，至於海邦」，是說魯國向東方拓地，直到海邊，為大東之地。《鄭箋》：「『大東』，極東；『海邦』，近海之國也。」……。故知「小東」為近東地，「大東」為遠東地。通常所說的「東」，都指小東而言。這小東在今何地？吳慶恩說：「按『東』者，魯、衛之間地名，在大河之東，秦、漢之東郡也。」（陳逢衡《逸周書補注》十二引），這就一語破的。按秦、漢的東郡，北抵聊城，南至鄆城，東至長清，西至范縣，均在今山東省境內，正居於安陽的衛和曲阜的魯的中間，這就是所謂「小東」；或者周初的小東擴大到魯，所以成王說「俾侯於東」。從小東再往東去，直到黃海，就是所謂「大東」。[52]

劉起釪亦云：

「東土」等詞似係泛指東方較廣區域，不似「小東」、「大東」是較能確指一定地區的地名。看來小東、大東之「東」，只是指衛以東當時稱為「廊」的地區。亦即總稱其地為廊或東，然後再分稱為小東、大東二地。……「廊」在習慣上又分小東、大東二地。「小東」指豫東北漳河以南、滑縣以東、以濮陽為中心、東迄魯西的地區；「大東」則指今山東省大部

---

52 顧頡剛：《尚書大誥譯證‧本編下‧歷史之部──周公東征史事考證》，《顧頡剛全集》，第 11 冊，《顧頡剛古史論文集》卷 10 下，頁 617。

分地區，可能主要指泰山以南直至海濱的魯省廣大地區。[53]

日本學者白川靜（1910-2006）對地望的問題亦大致略同於上述諸說，他在此基礎上，將此論點用於其對《詩經·大東篇》的詮釋中。他首先確認了此詩是山東附近的譚國之詩，而譚乃殷亡後少數殘存的子姓諸侯之一，係殷遺民所建立的國家，因此在他看來，〈大東〉一詩顯示出了征服國周王朝對其他民族之統治支配，「是一篇徹底的搾取記錄。」繼之他又對該詩二章：「小東大東，杼柚其空。糾糾葛屨，可以履霜。佻佻公子，行彼周行。既往既來，使我心疚。」[54]做出了如下的詮釋：

> 山東謂之大東，殷王畿的邶、鄘、衛謂之小東，二者皆相對於在西方的周地而言。譚位於大東小東之間。一旦周人來至此地，織機上的布匹毫無來由地被取走。儘管當地人只能穿破敗扭曲的草鞋踏霜幹苦活，西方來的美少年卻在坦坦周道上馳車走馬，狂傲自樂，繼續永無饜足的搾取。只看他們往來行走，就令人胸膺慘痛。[55]

---

53 劉起釪：〈周初的三監與邶鄘衛三國及衛康叔封地問題〉，《古史續辨》（北京：中國社會科學出版社，1991 年），頁 526-527。

54 《毛詩注疏》（毛公傳、鄭玄箋、孔穎達疏，南昌府學本，臺北：藝文印書館，1993 年），卷 13 之 1，頁 8b。

55 以上俱見白川靜撰、杜正勝譯：《詩經的世界》（臺北：東大圖書公司，2002 年），頁 180、183-184。案：與白川靜同樣採用傅斯年小東大東專名說，且亦肯定《毛詩序》譚大夫作此詩之說者尚有余培林及呂珍玉，前者見氏撰：《詩經正詁》（臺北：三民書局，1995 年），下冊，頁 199、204；後者則見氏撰：《詩經詳析》（臺北：五南圖書出版公司，2010 年），頁 414、416。

整體來看，傅斯年將大東小東地望及得名之由放在周人東進之史事來考察，頗有說服力，而白川靜將此說（雖然仍略有不同）放回《詩經‧大東篇》所做的詮釋，也極為妥貼入理。但若僅檢視傅文所關聯的經典及考古證據，仍有值得檢討之處。誠如上述，支持傅說的兩個主要證據，一為《魯頌‧閟宮》「奄有龜蒙，遂荒大東」之內證，另一則為《小雅‧大東》中譚大夫往來大東小東之證，及獲得考古印證的譚國所在地的證據。前一證只有文獻的記載，並無考古實物證據的印證，後一證則因有考古證據的互證，似乎有較強的說服力。然而問題是《小雅‧大東》經文本身只有「小東大東，杼柚其空」、「東人之子，職勞不來。西人之子，粲粲衣服」等詩句[56]，並沒有任何關於譚國及譚大夫的指涉。真正將此詩與譚大夫聯繫起來的是《詩序》及《毛傳》，《詩序》云：

> 大東，刺亂也。東國困於役而傷於財，譚大夫作是詩以告病焉。[57]

《毛傳》則在二章「佻佻公子，行彼周行」句下，注云：「公子，譚公子也。」又在第四章「東人之子，職勞不來。西人之子，粲粲衣服」句下注說：「東人，譚人也。」[58]由此可知，雖說譚故城的發現可以起到相當程度印證傅斯年推斷大東小東地望的說法，然而將大東小東地望與譚國聯繫在一起的經史文獻關鍵就只在《詩序》及《毛傳》。因而若說透過譚故城遺址的發現而印證了經書上大東小東的地望，但實際上也只能說是證實了《詩序》與《毛傳》說法之有據。

---

56 《毛詩注疏》，卷 13 之 1，頁 8b、10a-b。
57 《毛詩注疏》，卷 13 之 1，頁 6a。
58 《毛詩注疏》，卷 13 之 1，頁 8b、10b。

有趣的是，據勞幹云，在所有經史文獻中最早提及譚故城就在濟南的也是為《左傳》作注的杜預（222-284），而非《春秋》經傳。[59]

　　傅說立基於秦漢之後晚出的《詩序》、《毛傳》及《杜注》上，也使得其論說的穩固性打了不少折扣。有些學者基於不相信《詩序》將此詩的場景關聯於譚國的立場，因此他們連帶的也不會採信傅斯年根據《詩序》、《毛傳》得出的大東小東地望專門所指的論點，而多主泛稱東方國的泛名說。如王靜芝先生（1916-2002）在其《詩經通釋》中就直斥《詩序》之說：

> 所謂譚大夫者，毫無所據。譚國在東，魯莊公十年，齊師滅譚。作《序》者或以此臆斷為譚大夫，蓋以譚之困多耳。自周視之，諸侯之國皆在東方，東國皆諸侯之國。[60]

朱守亮的《詩經評釋》、夏傳才的《詩經講座》、劉毓慶的《詩經圖注（雅頌）》與滕志賢的《新譯詩經讀本》所持的態度皆略同於王說。[61]值得注意的是，他們對大東小東地望的看法都是持沒有明確具體所

59　勞幹：〈論齊國的始封和遷徙及其相關問題〉，收入氏撰：《古代中國的歷史與文化》（臺北：聯經出版事業公司，2006年），頁175。

60　王靜芝：《詩經通釋》（臺北：輔仁大學文學院，1991年12版），頁439。

61　朱守亮謂：「《詩序》之說，清人姚際恆已疑其非。〈大東〉之詩，但見傷怨之情，全無譏刺之意。譚大夫刺亂之說，恐不可信。」又謂小東大東「猶言近東遠東。或指東方小大之國，皆諸侯之國也。」（見氏撰：《詩經評釋》〔臺北：臺灣學生書局，1984年〕，下冊，頁601、605。）夏傳才則云：「《詩序》所說的譚大夫作此篇，譚國在今山東歷城縣南，是否譚國大夫所作，于史無證。」又云：「小東大東：東方各國距鎬京較近的稱小東，較遠的稱大東。」（見氏撰：《詩經講座》〔桂林：廣西師範大學出版社，2007年〕，頁377、380。）劉毓慶除大東小東採泛說外，他還認為此詩為譚大夫作之說無可稽考，甚至認為此等考據之事可以不必，「因為這是說不清的事。」（見

指的泛名說的觀點。因此他們基於這樣的立場對此詩所做出的詮
釋，自然也會與白川靜在大體接受傳說的基礎上所釋讀出的結果頗
不相同。

　　此外，有的《詩經》學者雖然接受《詩序》的說法，但在大東
小東地望的問題上，卻並沒有跟隨傅斯年的專名說，而是採取泛名
的說法。如程俊英（1901-1993）、蔣見元的《詩經注析》，他們一方
面承認《詩序》此詩為譚大夫所作的說法，「或有所據」，並且進一
步指出：「周時譚國，在今山東歷城縣東南。」但另一方面又注說：

　　　　小東大東，指東方各諸侯國。離周京遠的稱大東，稍近的稱
　　　　小東。[62]

而陳子展（1898-1990）則不但承認《詩序》：「說的是」，而且也對
城子崖的考古報告有所掌握，知曉譚國遺址在山東濟南附近發現的
狀況，但他對大東小東的看法卻並沒有繼續追隨傅斯年的論點，而
是回到傳統的經學家對此問題的解說，他歸納傳統對此問題共有三
種不同的說法，一是鄭玄（127-200）《毛詩箋》所說的，以賦斂之
多少來說大東小東。第二說是明代的楊慎（1488-1559）在《升菴經
說》中所主張的，以周平王東遷於洛稱大東，以周敬王遷居狄泉曰
東王稱小東。第三說則是清代的惠周惕（1641-1697）在《詩說》中

　　氏撰：《詩經圖注（雅頌）》〔高雄：麗文文化事業公司，2000 年〕，頁
　　199-200、205-206。滕說較簡略，茲不徵引。（參滕志賢撰、葉國良校閱：《新
　　譯詩經讀本》〔臺北：三民書局，2010 年〕，下冊，頁 631-632。）
62 以上俱見程俊英、蔣見元：《詩經注析》（上海：上海古籍出版社，1991 年），
　　下冊，頁 629、631。黃忠慎的態度略同此書，黃氏說見氏撰：《詩經全注》
　　（臺北：五南圖書出版公司，2008 年），頁 419、421。

所持的，以東國之遠近來說大東小東。陳子展認為此三說似皆可通，但他也看到，昔儒多用鄭說，近儒或用惠說。而他則認為鄭說於詩義為勝。[63]

　　上述二種立場或完全不信《詩序》之說並及於亦未採用傅斯年大東小東地望之說，或雖信從《詩序》譚大夫所作之說，兼亦採城子崖考古報告，堅信此詩發生場景確在譚國，然亦未依循傅斯年所主專名說。此二種立場能否站得住腳，姑暫不論，但從其內部論證結構來看，倒也是能自圓其說，沒有太大的罅隙。但弔詭的是，長期服務於史語所，且曾任史語所第四任所長的屈萬里先生（1907-1979）在對此詩的詮釋上，其於大東小東的地望上是明白採用傅斯年的說法，但卻對此詩為《毛詩序》譚大夫作的說法表示懷疑的態度，其云：

　　　　此是東國人士傷亂之詩無疑；謂為譚大夫所作，則未詳所
　　　　據。[64]

---

63 以上俱見於陳子展：《詩三百解題》（上海：復旦大學出版社，2001 年），頁 786-787。案：關於惠周惕對〈大東〉一詩解說的詳細闡析，請參黃忠慎：《惠周惕詩說析評》（臺北：文史哲出版社，1994 年），頁 253-260。又案：以標舉「文學考古」著稱的山東大學廖群教授，在其《詩騷考古研究》一書中亦有專論及《小雅‧大東篇》之處。廖氏在接受《詩序》譚大夫作的基礎上，進一步將此詩置放在東人與西人間的嚴重民族矛盾的背景下來理解，她認為這種矛盾的產生是來自於周人的征服東方之後，對東方諸侯國所進行的不斷奴役壓榨與武力鎮壓。為了印證此說，廖教授還以若干器銘中的資料為佐證。（廖群：《詩騷考古研究》〔香港：香港大學出版社，2005 年〕，頁 93-99。）透過這樣結合《詩經》與出土資料相互印證的研究，廖氏的論點自然是有極高的信服力。但廖氏在文中並沒有明確提及大東與小東究為何處，也完全沒有徵引傅斯年及城子崖考古發掘的相關研究成果。
64 以上俱見屈萬里：《詩經詮釋》（臺北：聯經出版事業公司，1990 年），頁 389、390。

孫作雲（1912-1978）的處理態度亦略同於屈先生，在小東、大東問題上，看得出來他確是有承襲專名說的痕跡，其謂：

> 西周朝廷在今陝西西安附近，因此，對於周京來說，河南算是「近東」，山東一帶便算是「遠東」了。這「近東」，在本詩裡稱之為「小東」；這「遠東」，在本詩裡稱之為「大東」。[65]

但在此詩是否為譚大夫作的問題，他雖然亦有掌握城子崖的發掘情形，知悉譚國城址在今濟南附近。但他卻認為《詩序》及《毛傳》的說法皆誤，在他看來，此詩內容是東人罵西方周人中的統治者，因此該詩二章「佻佻公子，行彼周行」的公子必指周人，非如《毛傳》所謂的為指譚公子。[66]類似接受大東小東專名說，卻對譚大夫作之作存疑的尚有糜文開（1908-1983）、裴普賢合撰之《詩經欣賞與研究》、《詩經評註讀本》及揚之水的《詩經名物新證》。[67]

持此說者將大東小東地望問題與《詩序》譚大夫作之說脫鉤處理，乍看之下，似與前述程俊英、蔣見元與陳子展的做法相仿，但事實上二者仍有極大的不同。因為在傅斯年的大東小東說的建構過

---

65 孫作雲：〈小雅·大東篇釋義〉，收入《孫作雲全集》（開封：河南大學出版社，2003 年），第 2 卷，《詩經研究》，頁 405。

66 孫作雲：〈小雅·大東篇釋義〉，頁 415。

67 糜文開、裴普賢：《詩經欣賞與研究》（臺北：三民書局，1985 年 7 版），第 1 冊，頁 364；裴普賢：《詩經評註讀本》（臺北：三民書局，1983 年初版），下冊，頁 248-249；揚之水：《詩經名物新證》（北京：北京古籍出版社，2000 年），頁 365。糜文開、裴普賢坦言該詩作者為誰，可以闕疑，而揚之水則認為譚大夫其人似無可考。

程中，是先以《魯頌・閟宮》經文及《小雅・大東》的《詩序》說為基礎，然後再進一步結合周初史事，從而推導出大東小東的地望。程俊英、蔣見元與陳子展只取《詩序》譚大夫作說，而不採傅斯年大東小東地望之說，於其內部論證結構來看，是沒問題的。但論者如若既於大東小東地望採傅說，然卻甩落傅說證成大東小東地望的重要基點——此詩為譚大夫作，發生場景在譚國，而根據已獲考古發掘證實的譚國地理方位正在大東與小東之間，從整體論證的構成來看，這種只取後面結論，卻忽略前面證據及推論過程的做法，多少還是令人感到有些奇怪的，除非他們是在傅斯年的論證之外另外證成此說的，如顧頡剛、劉起釪然。

　　但即使存在著不同的仁智之見，總體來說，就現有的證據及相關的論述來看，傅斯年的研究成果還是極完美地結合經書（《詩經・小雅・大東》及《魯頌・閟宮》）、考古（董作賓以城子崖考古予以印證）及古史（周人東進路徑）三端，而能對大東小東地望的問題做出一個一致貫串且合情入理的論說。

第五節　結論

　　傅斯年在寫作〈大東小東說〉時，雖未直接利用到城子崖的考古資料，但城子崖的考古成果還是與他的研究發生了密切的關係，一是見及吳金鼎對城子崖遺址的考察文章，二是董作賓將城子崖上層文化遺址考證為周代的譚國故城，從而為傅斯年文章的論點提供

了一個地下實物的輔證。[68]此是其研治古史的過程中，與考古活動及
地下出土資料所發生之關涉。而其撰作此文的問題出發點（大東小
東地望）及援用之論證（〈大東〉為譚大夫所作，而譚國在今濟南附
近）又皆從《詩經》、《春秋》、《左傳》等經傳注疏而來，即是董作
賓之考證譚故城，亦是立基於經傳注疏，此為其考史與經學之關涉。
由此可知，傅斯年對此論題之研究，實為將考古與經義相結合以重
建古史的一個範例。

傅斯年此文誠然非專為考證經學問題而作，其所關懷與研究的
旨趣亦皆以古史議題為主，但此文還是對經學研究帶來不少的啟
示。如從經學本位的角度來看，考古的發現及利用考古發現而重建
的古史確有助於對經書的確切認識與經義的深入理解。有了城子崖
譚故城遺址的發現，吾人當能對〈大東篇〉所發生的場景有較確切

---

68 董作賓對譚故城的考證仍然遇到不少的質疑與挑戰，曾為史語所一員的勞幹就
　堅決地認為譚絕不在龍山鎮，龍山鎮的所謂譚城並非春秋的譚國的遺址。他
　所持的理由是，根據《春秋》及《左傳》所載：莊公十年，「齊師滅譚，譚
　子奔莒」，但龍山鎮在地形上距莒甚遠，也無路可以奔莒，所以他認為齊桓
　公所滅的譚當在他處。（參氏撰：〈論齊國的始封和遷徙及其相關問題〉，
　《古代中國的歷史與文化》，頁175。）又羅勛章亦認為譚國當在齊、莒兩國
　間，而非城子崖現址處。（參氏撰：〈章丘龍山鎮附近的水道古城及相關問
　題〉，收入《紀念城子崖遺址發掘六十周年國際學術討論會文集》〔濟南：
　齊魯書社，1993年〕，頁312-313。）此外，相關否定或修正董作賓之說的尚
　有鍾鳳年所主張的譚城在今龍山鎮南，與黃盛璋所持之譚都城在今龍山鎮中
　的說法。張書學及寧蔭堂根據較新的考古調查，認為在城子崖北約一公里的
　孫家村所發現的古文化遺址，其地理位置正與史書記載譚的位置吻合，因此
　他們判斷此處為譚國的古都似乎沒有多大的問題。（以上參陳先運主編：《章
　丘歷史與文化》〔濟南：齊魯書社，2006年〕，頁32-33。）但即使董作賓的
　考證為現代學者的研究或考古新發現所推翻或修正，但只要譚故城的大致位
　置還在濟南附近一帶（龍山鎮今屬章丘市，而章丘市在行政區劃上隸屬於濟
　南市，在濟南以東四十五公里），則此結論或事實一樣能視做傅斯年大東小
　東論點的有力輔證。

的掌握（如果《詩序》之說可靠的話），而傅斯年既考明大東小東地
望，則讀者對該詩中「小東大東，杼柚其空」，所謂譚大夫往來奔波
於小東與大東之間，以應付周人無止盡的貢賦之勞苦窮愁狀也能有
更加感性的理解。即若不以經學為本位，如從考古的角度來看，經
義的了解亦有助於考古工作的開展。傅斯年在一九二六年旅歐期間
寫給顧頡剛的信中即云：

> 現存的文書如不清白，後來的工作如何把它取用。偶然的發
> 現不可期，系統的發掘須待文籍整理後方可使人知其地望。
> 69

傅斯年的這番話後來果然應證在董作賓對譚故城遺址確立的考證
上。可知在考古實務上，包括經書在內的經史文獻亦能扮演重要的
作用。

　　至於傅斯年此文的影響，從上節中的論述不難看出似乎存在著
某種有趣的傾向，即傅文對古史學界影響較大，產生的回應也較熱
烈，但對《詩經》學界的影響則相對較小，援引傅斯年大東小東專
名說的學者並沒有想像中的多，而對一般的《詩經》學家來說，他
們在這個問題上似受傳統經說的影響較大，對大東小東多主泛名
說。這其中所顯示出的意義頗耐人尋味。與其說是當代《詩經》研
究者與古史研究的脫節，勿寧說是《詩經》學界對經文經義的解釋
自有其內部的邏輯。即一方面仍強烈地受傳統經說之籠罩，另一方
面又純從經文內部來解讀，因此造成無論從研究的出發點、視角及

---

69 傅斯年：〈與顧頡剛論古史書〉，《傅斯年全集》，第 1 卷，頁 447。

方法等皆難免會與古史學家超出個別經書文本範圍，從更廣濶的視域來處理問題的方式不同。這之間孰是孰非，尚難論斷，但從〈大東〉一詩的詮解現象來看，這個情況確實是值得深思的。

原發表於國立臺灣大學文學院主辦之「第四屆中國經學國際學術研討會」，2011 年 3 月 19 日。

第四章

田野中的經史學家

——顧頡剛學術考察事業中的古跡古物調查活動

第一節　北平學術圈中的顧老板[1]

余英時先生在通讀了《顧頡剛日記》後，不禁為顧頡剛（1893-

1　顧頡剛為史學家，此乃無庸置疑者。然其是否為經學家，則似乎並不是那麼確定。即使稱其為經學家，也往往關聯著對顧頡剛或正面或負面的學術評價。前者如楊向奎（1910-2000）肯定其在經學方面的成就，提醒後學「顧先生也是一位經師。」（吳銳：〈疑古時代是怎樣大膽走出的〉，《古史考》〔海口：海南出版社，2003 年〕，第 5 卷，頁 467。）後者則如李學勤用帶有貶義的態度直斥顧頡剛「只是一個經學家！」（吳銳：《中國思想的起源》〔濟南：山東教育出版社，2002 年〕，第 1 卷，頁 10-11。）邵東方態度較持平，他因發覺顧頡剛「晚年研究《尚書》、《周禮》等書又回到經學的路數上」，所以認為他「反倒變得像個古文經學家了。」（邵東方：《崔述學術考論》〔桂林：廣西師範大學出版社，2009 年〕，頁 164。）然而不論襃揚或是貶斥，畢竟都是旁人的評論，不如直接回到顧頡剛本人的學術觀點及實際表現，來看看他究竟是如何自我定位的。大體來說，顧頡剛的學術歸向仍是史學，而其重點則在中國古史。他對經學及經書的看法也主要從史學及史料的角度來看，如其曾謂「將經書變成歷史」、「把經書也看成一堆史料」（顧潮：《顧頡剛年譜》〔增訂本，北京：中華書局，2011 年〕，頁 294）、「把經學變化為古史學」（顧潮：《歷劫終教志不灰——我的父親顧頡剛》〔以下簡稱《歷劫終教志不灰》〕〔上海：華東師範大學出版社，1997 年〕，頁 264。）。但他並不因此就不重視經學及經書，他認為欲跳過經學的一重關而直接從經書中整理出古史來，這樣的做法實際上是存著「捨難趨易之心」，他直言是不可能的。（顧頡剛：〈滬樓日劄〉，《顧頡剛全集》〔北京：中華書局，2010 年〕，第 19 冊，《顧頡剛

1980）旺盛的事業心感到驚訝[2]，余英時在為《顧頡剛日記》所寫的
長序中[3]，首先注意到了顧頡剛在一九四二年五月三十一日的日記中
所記下的一段自述其心境的話：

> 許多人都稱我為純粹學者，而不知我事業心之強烈更在求知
> 欲之上。我一切所作所為，他人所毀所譽，必用事業心說明
> 之，乃可以見其真相。[4]

讀書筆記》卷 4，頁 346。〕反之，他對經學的研究一直都是很重視的，如其於
1939 年年底時，寫信給楊向奎，提醒他在經學性質「尚不十分明瞭時，則必
須有人專攻，加以分析，如廖平、皮錫瑞然。」而其在一九三九年一至八月任
職雲南大學時，亦嘗任雲大文史系「經學史」課程。（以上俱見顧潮：《顧頡
剛年譜》，頁 331-332。）他甚至還在一九四九年國民政府風雨飄搖，人心惶
惶之際，仍對經學的前途甚為關心，他甚至感歎道：「現在研究經學人士寥寥
可數，只沈鳳笙、張西堂數君，予苟不為，則康、崔之緒即斷。故此後研究工
作，必傾向經學，庶清代業績有一碩果也。」（顧頡剛：《顧頡剛日記》〔臺
北：聯經出版事業公司，2007 年〕，第 6 卷，頁 401，1949 年 1 月 5 日記）。
由他這些實際的學術表現來看，就連傅斯年（1896-1950）也會認為他是經師而
非史家。但顧頡剛仍認為其治學之目的在化經學為史料學，並不以哲學眼光治
經典，所以他自承：「稱我為經學研究者則可，稱我為經師則猶未洽也。」（以
上均見顧頡剛：〈致楊向奎〉，《顧頡剛全集》，第 41 冊，《顧頡剛書信集》
卷 3，頁 112，1945 年 12 月 25 日書）。由此可知，即使顧頡剛不能被視做是
一位嚴格意義下的經學家或經師，但將其看做是從事經學及經書相關研究的經
學研究者應也是恰如其分的。本文主要側重在顧頡剛對傳統的經史學術的研究，
而且亦考慮到他對經學及經書的研究又往往關聯著史學，因此用「經史學家」
這樣的稱號來稱呼他。

2 余英時：《未盡的才情——從顧頡剛日記看顧頡剛的內心世界》（臺北：聯經
出版事業公司，2007 年），頁 1-2。
3 即《未盡的才情》一書，因此序文篇幅較長，余先生徵得聯經出版事業公司同
意，另印單行本。
4 顧頡剛：《顧頡剛日記》，第 4 卷，頁 689-690。案：這段話係顧頡剛於一九
四二年六月七日補記於五月三十一日的日記中。

回顧顧頡剛一生的事跡，除了個人豐富的學術研究及著作外，他還做了大量的與學術有關的行政事務及週邊活動，包括辦學、辦刊物、成立專業性的學術組織、組織研究團隊進行集體研究活動等。學業事業之外，他尚從事文教事業、商業活動，甚至政治活動，難怪余英時會說他的生命型態從一九三〇年代開始，愈來愈接近一位事業取向的社會活動家，流轉於學、政、商三界。[5]

　　不過顧頡剛的事業心基本上還是表現在學術上，縱使他從事政治活動或商業活動，他的目的還是在支援其學術活動[6]，這點也是余英時所承認的，所以他才會說顧頡剛的事業「都是從學術領域中延伸出來的文化事業。」[7]

　　顧頡剛的旺盛學術事業心在一九三〇年代展露得最為明顯，而其實際的學術事業成就也在這段期間表現得最為輝煌。一九二九年他結束廣州中山大學的教職，北上就燕京大學聘，正式揮別了「如

<hr>

5 余英時：《未盡的才情》，頁 2。童書業（1908-1968）之女童教英也有類似的看法，她說：「從某種意義上看顧頡剛，不僅是位學者，還是位社會活動家。」（見氏撰：《從煉獄中升華——我的父親童書業》〔上海：華東師範大學出版社，2001 年〕，頁 44。）

6 在政治活動方面，如顧頡剛曾於一九三六年加入國民黨，但他加入的原因是為禹貢學會募款及為通俗讀物編刊社化解被查封的危機。（以上俱參顧潮：《顧頡剛年譜》，頁 277；余英時：《未盡的才情》，頁 52-53。）直至一九四七年國民黨辦理黨員重登記，顧頡剛因未登記，方始脫離國民黨。（顧潮：《歷劫終教志不灰》，頁 227。）余英時因顧頡剛於一九四六年十一月被國府選為國民大會社會賢達代表，因此判斷他在一九四六年必已退出了國民黨。（余英時：《未盡的才情》，頁 64。）案：余先生判斷不確。蓋余先生僅依據《顧頡剛日記》，而未參考顧潮《歷劫終教志不灰》一書中所徵引之其他原始史料，以致有此失誤。至於在商業活動方面，則如其於一九四三年與商人合辦大中國圖書公司，目的也是為了推動種種以史學為中心的學術計畫。（余英時：《未盡的才情》，頁 6-7。）

7 余英時：《未盡的才情》，頁 6。

沸如羹」般的南方教職經驗[8]，終於回到他「狐死首丘」的中國學術
中心北平[9]，直到一九三七年七七事變發生，方又逼使得他倉皇離開

8　「如沸如羹」語見顧頡剛：《辛未訪古日記•序》，《顧頡剛全集》，第 5 冊，
　　《顧頡剛古史論文集》卷 5，頁 397。案：顧頡剛因生計所迫，於一九二六年七
　　月一日忍痛接受廈門大學的聘書，南下任廈大國學研究院導師及國文系教授。
　　然因受魯迅（1881-1936）排擠，旋於隔年三月辭職，並於四月應傅斯年邀約，
　　就廣州中山大學聘。不過在廣州中大期間，顧頡剛與傅斯年又因二人性格與做
　　事理念之差異而屢生嫌隙，終至決裂。直至一九二九年二月，顧頡剛方才脫離
　　廣州，並於同年九月正式到燕京大學就職。總計顧頡剛的這一段不愉快的南方
　　經驗一共持續了兩年多。（以上參顧潮：《歷劫終教志不灰》，第四章；顧潮：
　　《顧頡剛年譜》，頁 129、138-140、170-171、176。）關於顧頡剛與魯迅，除
　　可參顧潮：《歷劫終教志不灰》第四章相關敘述外，另可參汪修榮：〈顧頡剛
　　與魯迅的恩恩怨怨〉，《溫故》（桂林：廣西師範大學出版社，2005 年），第
　　5 期。此外，顧頡剛在晚年時由於意識到魯迅已成為「文化界之聖人」，他們
　　兩人的糾紛亦必將成為研究者追索的問題，於是便在其日記中有系統地補記了
　　他當年與魯迅交惡的始末。除了有留下忠實的歷史紀錄的目的外，大概也希望
　　能取得類似新聞媒體「平衡報導」的用心在。這段敘述見《顧頡剛日記》，第
　　1 冊，頁 832-836。至於他與傅斯年交惡事，則請參顧潮：《歷劫終教志不灰》
　　第四章相關敘述；顧潮：〈顧頡剛先生與史語所〉，《新學術之路》（臺北：
　　中央研究院歷史語言研究所，1998 年），上冊，頁 91-92；杜正勝：〈無中生
　　有的志業——傅斯年與史語所的創立〉，《新學術之路》，上冊，頁 16-22；施
　　愛東：〈顧頡剛傅斯年與民俗學〉，《紀念顧頡剛先生誕辰 110 周年論文集》
　　（北京：中華書局，2004 年）；余英時：《未盡的才情》，第一節，〈事業心
　　與傅斯年〉。
9　傅斯年一九二八年四月二日致胡適（1891-1962）信中的戲語，原文為「頡剛望
　　北京以求狐死首丘。」（見傅斯年：〈致胡適〉，《傅斯年全集》〔歐陽哲生
　　主編，長沙：湖南教育出版社，2003 年〕，第 7 卷，頁 56。）顧頡剛對北平的
　　深厚情感與依戀之情，確實達到了令人動容的地步，在一九二九年五月初，他
　　回到睽違將近三年的北平後，再也不欲去廣州了，在一封致中山大學同學的信
　　中，他說到：「一到北平舊宅，開了我的書箱，理了我的舊稿，我實在不忍再
　　走了。諸君，這不是我的自私自利，甘於和你們分離，只因北平的許多東西是
　　我的精神所寄託的，我失去了三年的靈魂到這時又找著了，我如何捨得把他丟
　　掉了呢？」（見顧頡剛：〈致中山大學同學〉，《顧頡剛全集》，第 40 冊，《顧
　　頡剛書信集》卷 2，頁 350，1930 年 10 月 13 日書。）而在一九三五年十二月

北平城。[10]這段期間可以說是他個人學術事業與聲望達於頂峰的階
段，在那短暫的八、九年中，他在當時的北平學術圈中獲得「顧老
板」的戲稱。據他自述：

> 抗戰前，北平流行著一句話：「北平城裡有三個老板，一個
> 是胡老板胡適，一個是傅老板傅斯年，一個是顧老板顧頡
> 剛。」[11]

顧頡剛這個說法為他當時燕京大學的學生王鍾翰（1913-2007）給證
實了，他說：

> 30 年代中，當時學術界流行的教授知名度高的，地位也高
> 的，像胡適稱胡老板，顧師稱顧老板。先生既稱老板，學生

一日出版的《禹貢半月刊》第四卷第七期的「通訊一束」的編者案語中，顧頡
剛亦用深富感情的口吻說到：「一離開北平，歷史材料即有無從接觸之苦，雖
是大學林立，而依然文獻無徵；回過頭來看北平，這地方實在太可愛了！可是，
北平呀，你肯永遠讓我們愛嗎？你能永遠受我們的愛嗎？幾年來，幾月來，自
從四十萬年前的『北京人』頭骨起，以及仰韶陶器，商周甲骨鐘鼎石鼓，漢代
竹木簡，晉唐經卷書畫，宋元圖籍，明清檔案，直到近數年的社會調查，眼看
它裝箱上車，盈千累萬地南遷了，這個文化中心是被拆散了！」（《顧頡剛全
集》，第 34 冊，《寶樹園文存》卷 2，頁 40。）

10 顧頡剛在《西北考察日記・序》曾自云：「……蘆溝橋戰事突起，敵人以通俗
讀物之宿憾，欲致予於死地，遂別老父屏妻而長行。」（《顧頡剛全集》，
第 36 冊，《寶樹園文存》卷 4，頁 408。）據顧潮所述，顧頡剛是在七月二
十一日晚與家人匆匆道別後上路，但他卻不曾料到，這一去竟是八年多不得
返北平。（參顧潮：《歷劫終教志不灰》，頁 184。）

11 見顧潮：《歷劫終教志不灰》，頁 179 引。

　　　像我自然是小伙計了！[12]

　　在當時的北平學術圈中，一位學人之所以能被稱為「老板」，最主要的因素就在於他身邊能夠聚集一班人馬。此所以顧頡剛自己在評論「三個老板」這個說法時也說：「從形式上看，各擁有一班人馬，好像是勢均力敵的三派。」[13]當時顧頡剛不但擁有自己的人馬，而且他還同時擁有三套人馬：燕大歷史系（一九三六年他出任主任）、北平研究院歷史組（一九三五年他出任主任，任用了不少門生），以及禹貢學會。[14]由此可知，他這個學術圈中的「老板」稱號不但實至名歸[15]，而且與當時的學術霸主胡適和傅斯年相較量，亦毫不遜色。[16]從今天的角度來看的話，顧頡剛這種表現與作為或許可以稱之為「學

---

12 《王鍾翰清史論集》（北京：中華書局，2004 年），第 3 冊，頁 1926；第 4 冊，頁 2584。

13 見顧潮：《歷劫終教志不灰》，頁 179 引。

14 參王學典主撰：《顧頡剛和他的弟子們》（增訂本，北京：中華書局，2011 年），頁 55。

15 顧頡剛廣納人才的作為又為他博得「廣大教主」與「通天教主」的謔稱，參劉惠孫（劉厚滋，1909-1996）：〈顧頡剛先生與冀察古跡考查團〉，《顧頡剛先生學行錄》（北京：中華書局，2006 年），頁 166。案：據《顧頡剛日記》所記，「通天教主」之號當是傅斯年所加諸給他的，不過就顧頡剛本人的認知，這樣的稱號是帶有敵意的，為此他感歎的說：「北大老同學如此嫌忌我，真無法對付。」（第 4 卷，頁 217，1939 年 4 月 4 日記）

16 當然從顧頡剛的角度來看，他可不會那麼認為，因為在實質的學術資源和經費上，他自認為是遠不如胡、傅二人的。何以然？他說：「胡適是北大文學院長，他握有中華教育文化基金董事會（美庚款），當然有力量網羅許多人；傅斯年是中央研究院歷史語言研究所所長，他一手抓住美庚款，一手抓住英庚款，可以為所欲為。我呢，只是燕大教授，北平研究院歷史組主任，除了自己薪金外沒有錢，我這個老板是沒有一點經濟基礎的。」也正因為如此，這個光棍老板還得常常倒貼自己的薪金、版稅，甚至妻子的私房錢來維持他這些個「學術班子」的運作。（以上俱見顧潮：《歷劫終教志不灰》，頁 179。）

術企業家」。[17]

　　由此或許可以稍為澄清顧頡剛所謂不擅辦事的誤解。長久以
來，人們一直對顧頡剛的辦事能力並沒有太多的肯定，尤其在和傅
斯年相較量之下，這種印象似乎更顯得突出。甚至在顧頡剛自己學
生的心目中也是如此看的，如楊向奎就曾比較顧、傅二人，認為「就
辦事的能力說，多謀善斷，長於在亂中求治，頡剛先生遠不如孟真
先生。」[18]當然，在他早期的文字敘述中確曾流露出「怕管事」、「對

17　一般來說，這類學術企業家本身須具備相當的學術聲望以及一定程度的奇理斯
　　瑪（Charismatic）人格特質，如此才能吸引追隨者，從而達成聚集人馬的效果。
　　此外還要有爭取學術資源的本事、規劃及執行研究計畫的長才，以及組織人
　　馬從事大規模或集體研究的作為等條件。環視現代人文學界，以筆者淺見，
　　除顧頡剛外，傅斯年與郭廷以（1904-1975）以及西方的布勞岱爾（Fernand
　　Braudel，1902-1985）與費正清（John King Fairbank，1907-1991）等人，大概
　　都是堪稱學術企業家的學人，或至少也可稱做是學術企業家型的學人。（關
　　於布勞岱爾的部分，可參彼得·柏克〔Peter Burke〕撰、江政寬譯：《法國史
　　學革命：年鑑學派 1929-89》〔臺北：麥田出版公司，1997 年〕，第三章；費
　　正清的部分請參余英時：〈費正清與中國〉，《現代學人與學術》〔桂林：
　　廣西師範大學出版社，2006 年〕；傅斯年的部分可參杜正勝：〈無中生有的
　　志業——傅斯年與史語所的創立〉；郭廷以的部分則請參張朋園：《郭廷以、
　　費正清、韋慕庭——臺灣與美國學術交流個案初探》〔臺北：中央研究院近代
　　史研究所專刊，1997 年〕。）何炳棣就曾用「學術企業家」稱呼過費正清。
　　（參氏撰：《讀史閱世六十年》〔臺北：允晨文化實業公司，2004 年〕，頁
　　297。）不過有時「學術企業家」跟「學閥」的界限頗難做嚴格的區分，顧頡
　　剛也曾被人罵做「學閥」。但據余英時的分析，顧頡剛對「學閥」的稱號並
　　不反感，因為「他所追求的不是權力（power）顯赫的『學閥』，而是具有廣
　　泛影響力（influence）的『學術界之重鎮』。」（余英時：《未盡的才情》，
　　頁 10-11。）案：余英時的分析，其根據見顧頡剛：《顧頡剛日記》，第 5 卷，
　　頁 58。
18　見楊向奎：〈史語所第一任所長傅斯年老師〉，《新學術之路》，上冊，頁
　　74。

於辦事雖有勇氣，卻無興趣」的話語[19]，但這不表示他缺乏辦事的幹才。其實顧頡剛若真如楊向奎所說的，辦事能力「遠不如」傅斯年，那又怎麼解釋顧頡剛可以在一九三〇年代的北平史學界中，在沒有任何固定經費奧援的情況下，隻力獨撐起三套史學班子，更別說他還辦了許多救亡圖存與啟迪民智的民眾教育事業。[20]而且這個印象也與顧頡剛的自我認知不同，在一九四三年八月三十一日的日記中，他追記了同年八月十三日與好友賀昌群（1903-1973）的談話感想：

> 渠謂予古史工作已告一段落……至於此後歲用，渠以為宜致力於事業，蓋予有氣魄，能作領導也。[21]

這個看法原是賀昌群對顧頡剛所作的評價，顧頡剛本人不但認可了賀的看法，而且還進一步深入地分析反省自己的缺點在於「開端時規模太大，以致根柢不能充實。」[22]持平來論，若從事後成敗論英雄

---

19 前者係顧頡剛於一九二七年二月二十日致馮友蘭（1895-1990）信中之語，後者則是他在一九二八年八月四日致胡適信中語，二者分見《顧頡剛全集》，第 40 冊，《顧頡剛書信集》卷 2，頁 229；《顧頡剛全集》，第 39 冊，《顧頡剛書信集》卷 1，頁 452。）這些都是說給別人聽的話，在私下裡他卻說他自己「興奮多而抑制少，故不畏任事。」（1934 年 7 月 31 日記，見《日記》，第 3 卷，頁 218。）

20 童教英對顧頡剛的辦事能力就給予高度的評價，其云：「顧頡剛精力旺盛，活動能力、組織能力極強，其活動範圍廣，……。」（見氏撰：《從煉獄中升華——我的父親童書業》，頁 44。）

21 顧頡剛：《顧頡剛日記》，第 5 卷，頁 139。

22 顧頡剛：《顧頡剛日記》，第 5 卷，頁 139。其實顧頡剛的問題不在有無辦事之能力，而是在於性格及人和，其日記中屢有其自我分析反省之語，如云：「予之不能任事，即以予太急切，在予眼中，他人總不能十分努力也。」（1927年 12 月 31 日記，見《日記》，第 2 卷，頁 117。）又如：「予作事太銳，招人之忌，自在意內。」（1928 年 5 月 22 日記，見《日記》，第 2 卷，頁 166。）

的話，則或許顧頡剛所創辦及推動的學術事業（非個人學術成就）對當代中國人文學界的影響不如傅斯年所謂「無中生有的志業」（杜正勝語）來得顯赫，但其最主要的關鍵不完全在兩人的辦事能力的高下差別，而是在於顧頡剛始終無法掌握一長期穩定的學術資源（包含公部門的行政支援及公私部門的經費奧援）。他所創立的禹貢學會是純民間的學術組織，而傅斯年所創的歷史語言研究所則是公家的學術機關，在動亂不休及民生凋弊的年代中，一私一公的性質就決定了二者或亡或存的命運。[23]

第二節　顧頡剛的學術考察事業

在顧頡剛的眾多學術事業中，其學術考察事業的表現是極為活躍及突出的，粗略地來看，他所參與的學術考察活動大致包含了一、民俗考察；二、古跡古物調查；三、邊疆史地與社會現狀的考察等三個面向。

民俗考察的面向主要集中在一九三〇年代以前，也就是他於一九二四至一九二六年間任職北大研究所國學門及一九二七年至一九

又如：「予之為人，在討論學問上極能容忍，而在辦事上竟不能容忍如此。」（1930 年 10 月 1 日記，見《日記》，第 2 卷，頁 444。）又如：「予之性質，亦甚剛愎，故任事以來，對於上司皆感不滿，僅朱騮先先生為例外耳。」（1930 年 11 月 20 日記，見《日記》，第 2 卷，頁 461。）由此可知，他不是沒有辦事之能力，也不是不願任事或畏懼任事，而是太有任事之作為，以致招人嫌忌，再加上個性剛強耿介，「嫉惡若仇」（1935 年 1 月 20 日記語，見《日記》，第 3 卷，頁 299），所以才會遭致不少人事上的阻逆與無端的口舌是非。

23 余英時亦就顧頡剛和傅斯年的學術事業的成就作了相當持平客觀的比較，其云：「傅的史語所是國家機構，基礎鞏固；顧的種種『事業』則是私人結合，非有外面的援助便不能長久維持。」（余英時：《未盡的才情》，頁 65。）

二九年擔任廣州中山大學教職的期間。在北大工作期間，雖然當時
研究所國學門底下有編輯室、歌謠研究會、方言調查會、風俗調查
會、考古學會，但顧頡剛作得最多，成績也最突出的還是歌謠研究
會和風俗調查會的工作。[24]而他所參與的民俗考察活動就是在一九二
五年春，承風俗調查會之囑托，與容庚（1894-1983）、容肇祖
（1897-1997）、孫伏園（1894-1966）、莊嚴（1899-1980）等人赴妙
峰山所進行的歷時三天的社會民俗調查。不過，當時因受著財力的
束縛，正式的調查工作似乎只有這一次。[25]而在中大時期，他除開設
民俗學傳習班，訓練學員從事民俗調查及研究之外，也組織團體去
雲南考察少數民族生活。[26]

　　古跡古物調查和邊疆史地考察都主要集中在一九三〇年代。雖
然古跡古物調查在一九三〇年前就已有進行，但主要仍是在一九三
〇年代中大放異彩。（詳參第三節）而邊疆史地考察事業則與他在一
九三〇年代以後的「歷史地理學的轉向」有著密不可分的關係。鄭
良樹認為顧頡剛和地理學結上因緣，是他開展第二學術生命的契
機。而這一切始於一九三一年初，當時他甫與朱士嘉（1905-1989）

---

24 顧頡剛：〈古史辨第一冊自序〉，《顧頡剛全集》，第 1 冊，《顧頡剛古史論
　　文集》卷 1，頁 76；顧潮：《歷劫終教志不灰》，頁 83-84。
25 顧頡剛：《妙峰山・自序》，《顧頡剛全集》，第 15 冊，《顧頡剛民俗論文
　　集》卷 2，頁 322；顧頡剛：〈古史辨第一冊自序〉，《顧頡剛全集》，第 1
　　冊，《顧頡剛古史論文集》卷 1，頁 64；顧潮：《顧頡剛年譜》，頁 117；顧
　　潮：《歷劫終教志不灰》，頁 86；容肇祖：〈回憶顧頡剛先生〉，《顧頡剛
　　先生學行錄》，頁 21；鄭良樹：〈序──論顧頡剛之學術歷程及其貢獻〉，
　　《顧頡剛學術年譜簡編》（北京：中國友誼出版公司，1987 年），頁 24。
26 顧潮：《顧頡剛年譜》，頁 175；王煦華：〈顧頡剛先生在中山大學〉，《顧
　　頡剛先生學行錄》，頁 42-43；張榮芳：〈顧頡剛先生與中山大學〉，《紀念
　　顧頡剛先生誕辰 110 周年論文集》，頁 30。此文又收入氏撰：《秦漢史與嶺
　　南文化論稿》（北京：中華書局，2005 年）一書。

合撰成〈研究地方志的計畫〉一文。到了次年秋天，他在燕京大學
及北京大學開設「中國古代地理沿革史」課程，主講〈禹貢〉，從此
就正式涉入這個領域。而他之所以涉足古代地理，在開始的階段，
主要還是為了解決古史的問題。但他逐漸由「玩票」、「客串」的性
質，終至正式「下海」。到了一九三四年二月，他聯合了譚其驤
（1911-1992）及燕大、北大與輔大的學生共同組織禹貢學會，並出
版《禹貢半月刊》。這不但表露出他跨足古代地理研究的雄心壯志，
而且也標示了他攀向另一個學術事業的高峰。

　　由此他再沿著古代地理的風勢，並且結合著現實政治的關懷，
終將其興趣及觸角延伸至邊疆史地的領域內。[27]

　　這三個面向的學術考察活動充分表明了顧頡剛對實地考察學風
的重視。在一九二六年六月出版的《古史辨》第一冊中，顧頡剛發
表了那篇具有自傳性質的著名〈自序〉，其中就已顯露出部分的端
倪，他自述在北大研究所中：

　　　　我始見到商代的甲骨文字和他們的考釋，我始見到這二十年
　　　　中新發見的北邙明器、敦煌佚籍、新疆木簡的圖像，我始知
　　　　道他們對於古史已在實物上作過種種的研究。我的眼界從此

---

27 以上敘述脈絡主要參考鄭良樹：〈序——論顧頡剛之學術歷程及其貢獻〉，《顧
　　頡剛學術年譜簡編》，頁 11-14；相關細節則並參照顧潮：《顧頡剛年譜》，
　　頁 215、227、241-242 等之記載。案：鄭良樹將顧頡剛的「歷史地理學的轉向」
　　定於一九三一年，然早在一九二八年秋，顧頡剛即已在廣州中山大學開設「古
　　代地理研究」的課程，並作〈古代地理研究課旨趣〉一文。（參顧潮：《顧
　　頡剛年譜》，頁 180；顧潮：《顧頡剛評傳》〔南昌：百花洲文藝出版社，1995
　　年〕，頁 122。）由此可知，至遲在一九二八年，顧頡剛即已將其學術觸角延
　　伸至歷史地理學的領域。關於顧頡剛與禹貢學會及《禹貢半月刊》的關係請
　　另參彭明輝：《歷史地理學與現代中國史學》（臺北：東大圖書公司，1995
　　年），頁 143-214。

又得一廣，更明白自己知識的淺陋。我知道要建設真實的古史，只有從實物上著手的一條路是大路。[28]

半年後，當顧頡剛為《廈門大學國學研究院周刊》作〈緣起〉時，他對這種學風又有更進一步的自覺：

> 我們知道學問應以實物為對象，書本不過是實物的記錄。我們知道如果不能瞭解現代的社會，那麼所講的古代社會便完全是夢囈。所以我們要掘地看古人的生活，要旅行看現代一般人的生活。任何骯髒和醜惡的東西，我們都要搜集，因為我們的目的不是求美善，乃是求真。[29]

時隔一年，顧頡剛復為新創立的《國立中山大學語言歷史學研究所周刊》撰寫〈發刊辭〉，在其中他對這種學風又有更加完整清楚的體認：

> 我們要實地搜羅材料，到民眾中尋方言，到古文化的遺址去發掘，到各種的人間社會去採風問俗，建設許多的新學問！[30]

長久以來，臺灣的學術界一直認為這篇〈發刊辭〉是出自傅斯

---

28 顧頡剛：〈古史辨第一冊自序〉，《顧頡剛全集》，第 1 冊，《顧頡剛古史論文集》卷 1，頁 44。

29 此文撰於一九二六年十二月二十八日，引文見顧潮：《顧頡剛年譜》，頁 150。相關討論另參顧潮：〈顧頡剛先生與史語所〉，《新學術之路》，上冊，頁 88。

30 引文見顧潮：《顧頡剛年譜》，頁 162。

年的手筆[31]，但在顧頡剛的日記中卻清楚地記錄著顧頡剛在一九二七年十月二十一日「作《研究所周刊》發刊詞」[32]，因此該文作者究竟何屬的公案應該是水落石出，無庸再爭辯了。[33]雖然這篇〈發刊辭〉是由顧頡剛所執筆的，但仍有學者認為此文「鮮明地表現了傅斯年的學術理想和目標。」[34]有的甚至武斷地認定其中某些觀念「絕對是『傅斯年式』的，不是顧頡剛的蹤影。」[35]這些學者的看法恐都失於一廂情願與片面。學術觀念往往都是相互激盪的，特別是在一個大的時代思潮氛圍感染下，觀念的傳播與流衍尤其迅速，而其在學人圈中所生發的作用與影響亦特別顯著。因此持平來說，與其說〈發刊辭〉中的種種觀念是僅代表顧頡剛或傅斯年某個人的想法，不如

31　這個印象是董作賓（1895-1963）所造成的，董氏早在一九五一年所撰就的〈歷史語言研究所在學術上的貢獻——為紀念創辦人終身所長傅斯年先生而作〉一文即持此說。董氏此文刊於《大陸雜誌》2卷1期。

32　顧頡剛：《顧頡剛日記》，第2卷，頁97。

33　關於該公案的相關討論請參顧潮：《歷劫終教志不灰》，頁120；顧潮：〈顧頡剛先生與史語所〉，《新學術之路》，上冊，頁87；杜正勝：〈無中生有的志業——傅斯年與史語所的創立〉，《新學術之路》，上冊，頁12-13。

34　逯耀東（1933-2006）：〈傅斯年與歷史語言研究所〉，《胡適與當代史學家》（臺北：東大圖書公司，1998年），頁235。

35　杜正勝：〈無中生有的志業——傅斯年與史語所的創立〉，《新學術之路》，上冊，頁12-13。例如在這篇〈發刊辭〉中所宣示的治學態度是「沒有功利的成見，知道一切學問都不是致用的。」就不能說沒有顧頡剛的蹤影。其實顧頡剛早在一九二二年就曾針對整理國故的問題提出應「研究」，而非「實行」的態度。此外，他在一九二八年十二月下旬為籌辦中山大學語言歷史研究所展覽會所作的〈說明書〉中的〈卷頭語〉裡，他也明確的指出：「學問必須脫離了應用的束縛纔可望自由的發展，這是我們信仰的第一義。」（以上分別見顧潮：《顧頡剛年譜》，頁78、186。）由此，如何能說這「絕對是『傅斯年式』的」觀念？又如何能說是「鮮明地表現了傅斯年的學術理想和目標」？相關討論請另參王汎森：《中國近代思想與學術的系譜》（臺北：聯經出版事業公司，2003年），頁389-390、頁408。

說是呈現出了二人的共同立場。[36]

顧頡剛這種重視實地考察的治學態度一直延續到一九三○年代在北平的學術事業。在一九三七年四月一日出版的《禹貢半月刊》「三周年紀念號」中，他在經其修改的〈本會此後三年中工作計畫〉一文中，仍一再強調實地考察的重要：

> 語云「百聞不如一見」，誠以尋討事理，書本之誦求不如實際之調查，是以本會對於旅行調查最為重視。[37]

顧頡剛所倡導的這種實地考察的學風在當代學術上的意義，也為當時其他領域的學人所深刻地認知。其時留學英國，師從功能派文化人類學大師馬林諾斯基（Bronislaw Malinowski，1884-1942）的費孝通（1910-2005）就曾在其函寄顧頡剛的書簡中大力讚揚這種學風：

> 一切知識最可靠者惟有目擊身受，自然科學之實驗可貴在此，社會科學之實地研究不可缺少之理亦在此。此風不可不提倡，而尤貴能自身作則。吾師（案：指顧頡剛）處學術前驅，後生所仰，能以辨古察今打成一片，中國社會科學之前

---

36 顧潮：《歷劫終教志不灰》，頁 120；顧潮：〈顧頡剛先生與史語所〉，《新學術之路》，上冊，頁 87。歐陽哲生在其主編的《傅斯年全集》中的意見較持平，其謂：「此文發表時未署名，有關作者現有兩說：一為傅斯年，一為顧頡剛。編者以為兩人商議，而由顧剛執筆的可能性較大。」（《傅斯年全集》，第 3 卷，頁 12，註 1「編者云」。）真實情況應該就是經兩人商議後，再由顧頡剛執筆。

37 《禹貢半月刊》第 7 卷第 1、2、3 合期（1937 年 4 月 1 日），頁 14。

途實利賴之。[38]

　　當然顧頡剛重視實地調查活動，並致力將其發展為學術考察事業，除了有來自上述他對實地考察學風的認識外，其個人好遊歷的個性興趣與嗜好也是不可忽略的重要因素。顧頡剛對遊歷之喜好屢見諸他的筆墨中，如其於〈古史辨第一冊自序〉云：

　　我在學校裡最喜歡做的事情是「修學旅行」，因為史地教員對於經過的名勝和古蹟有詳細的說明，理科教員又能伴我們採集動植物作標本；回來之後，國文教員要我們作遊記，圖畫教員要我們作記憶畫。[39]

又如其於《辛未訪古日記》中亦云：

　　予自幼好遊覽，不知此性之何自來，偶得閒暇，輒涉歷山水以開廣其心。……其後居北方，力所能至，無不往者，近郊遠邑，都作盤桓，匪特賞其風物之美，羅煙霞泉石為吾狎友，亦欲藉以接觸民間生活，識國家之現實情狀，不使欺蒙於現代化之城市外衣。[40]

---

38 《禹貢半月刊》第 7 卷第 1、2、3 合期（1937 年 4 月 1 日），〈通訊一束〉，頁 401。

39 顧頡剛：〈古史辨第一冊自序〉，《顧頡剛全集》，第 1 冊，《顧頡剛古史論文集》卷 1，頁 11。

40 顧頡剛：《辛未訪古日記‧序》，《顧頡剛全集》，第 5 冊，《顧頡剛古史論文集》卷 5，頁 396-397。

結合客觀求真的考索精神與個人嗜好遊覽的興趣，以及夾雜其中的憂國憂民的胸懷，顧頡剛的學術之路很自然地朝向實地考察的方向發展，而從此這個方向也就成了他的學術事業的重心之一。

第三節　田野中的古跡古物調查

顧頡剛早年的學生，同時也是當年禹貢學會核心成員之一的史念海（1912-2001）曾針對顧頡剛的實地考察活動有如下的評述：

> 頡剛先生以學術名家，卻並非終日伏處案頭，不出戶庭。頡剛先生亦喜遊歷，其遊展所至，可以說是無遠殊屆。而最為重要的應為三次：一次是到河北大名，探問崔東壁的故里；一次是到內蒙古後套，訪問王同春所開鑿的渠道；再一次是到甘肅南部和青海東部，考察教育。[41]

顧頡剛一生的遊歷與考察活動確實非常頻繁，吾人主要根據顧潮所編的《顧頡剛年譜》，另又參酌沈津所編的《顧廷龍年譜》[42]，約略將其從一九一八年初遊甪直保聖寺，參觀楊惠之所塑之羅漢像開始，直至一九四五年抗戰結束止，他在這段期間所從事的學術考察活動以及帶有考察性質的遊歷活動做一整理，並編製了〈顧頡剛考察年表：1918－1945〉（見附錄）。從其中可以發現在這二十八年間，他一共至少參與了六十五次的考察活動或帶有考察性質的旅遊活

---

41 史念海：〈顧頡剛創立禹貢學會及其以後的二三事〉，《顧頡剛學記》（顧潮編，北京：三聯書店，2002 年），頁 388。

42 沈津：《顧廷龍年譜》，上海：上海古籍出版社，2004 年。

動，平均一年 2.32 次。這還不包括他藉由外出工作、演講、出差、
開會、省親、處理私人事務以及一般性的旅遊等機會所可能同時伴
隨的考察活動。

　　在這六十五次跟他有關的考察活動中，他親身參與的共有五十
七次，另外八次則是由他組織了考察團，但他本人並未實際參與考
察。[43]從〈考察年表〉中也可以清楚的看到，顧頡剛考察事業的高峰
是在一九二九年返回北平任教於燕京大學後才開始的。從一九二九
年秋至一九三七年七七抗戰前夕的八年間，他所參與及組織的考察
活動一共有二十七次，平均一年 3.37 次，這個比例遠高於一九一八
年至一九四五年間的考察活動平均值。如果扣除其中七次未親身參
與的考察活動，他在這八年中也參與了二十次的考察活動，平均一
年也有大約 2.5 次到田野考察遊歷的機會。由此也可以知道，在這
些年的忙碌歲月中，顧頡剛確實是經常奔波於鄉野田里間。這也意
味著他從事學術研究工作的場域已經從書房或研究室搬移至田野中
了。

　　在顧頡剛活躍於抗戰前的北平學術圈的期間，他的學術考察事

43　這八次是一九二八年七月的組織中大研究所赴滇調查少數民族事，派史祿國
　　（S. M. Shirokogoroff，1887-1939）、楊成志（1902-1991）等前往。又派容肇
　　祖赴北路考察古物；一九三五年七月一日任職北平研究院史學研究會歷史組
　　主任後，派吳世昌（1908-1986）、張江裁（1909-1968）帶隊普查北平古跡；
　　一九三六年七月，應王喆之邀，在禹貢學會組織河套水利調查團前往調查；
　　一九三六年十一月，禹貢學會組織張維華（1902-1987）、馮家昇（1904-1970）、
　　侯仁之、陳增敏赴察哈爾省調查蔚縣古石刻；一九三七年四月四至十六日，
　　應綏遠當局邀，在燕大組織綏遠蒙旗考察團，赴綏遠各旗盟調查；一九三七
　　年四月，在燕大歷史學系組織汴洛考古旅行團，去洛陽、開封等地調查古物
　　古跡；一九三七年六月，在北平研究院史學研究會組織燕趙古跡調查團，赴
　　河北邯鄲、定縣、易縣，實地測繪調查趙王城、漢中山王陵寢、燕下都；一
　　九三七年春間，西北移墾促進會、河北移民協會、燕京大學聯合組織暑期西
　　北考察團。

業的重心也已由一九二九年之前的民俗考察轉移至古跡古物調查及
邊疆史地的考察。由於後者涉及到當時實際的政治、社會及民族的
問題，事涉複雜，且亦超出本文的範圍，因此本文的討論將只侷限
在古跡古物的調查活動方面。在古跡古物調查及邊疆史地考察二者
之間，顧頡剛很早就表現出對古跡古物的關注。從〈考察年表〉中
可知，早在一九一八年顧頡剛就已經在一次旅遊蘇州古鎮甪直的活
動中，對當地古剎中的唐朝塑像產生興趣，此後在北大研究所期間
又有數次親身調查古跡文物的經歷。正是因為有這些實際參與的經
歷，也難怪他在一九二九年重返北平校園後，馬上就迫不及待地開
展古跡文物的學術考察活動。據《年譜》記載，顧頡剛在來到燕京
大學的第一個學期即與容庚合擬〈古跡古物調查計畫書〉，計畫進行
河北、河南、山東、山西四省之訪古。[44]而在隔年的夏末，他又與容
庚籌備古跡古物調查事。[45]他這個計畫直到一九三一年的四、五月間
方正式付諸實現，這就是有名的「辛未訪古」。這次訪古之行的緣起
據顧頡剛在十餘年後的追憶，係因其來到燕大任教之後，讀書研究
「致力過猛」而得到「怔忡之疾」，以致「每一握管，胸懣心浮」。
為了排遣這種「不能事筆札」的後遺症，因此遂有這次的旅行訪古
之舉。[46]不過，這麼大規模的訪古考察活動，還是應有其來自學術上
的動機。顧頡剛在旅行的途中，來到青島調查嶗山的藏經，曾應青
島大學之邀，於一九三一年五月二十一日在青島大學舉行了一場公
開講演，在演講中他就自述此行調查的動機有三項：一是要切實認
識中國歷史、二是受到漢學研究古器物的刺激、三是勘查古物損壞

---

44 《年譜》1929 年 12 月 1 日條下記，頁 199。

45 《年譜》1930 年夏末條下記，頁 211。

46 見顧頡剛：《辛未訪古日記・序》，《顧頡剛全集》，第 5 冊，《顧頡剛古史
論文集》卷 5，頁 397。案此篇序寫於 1946 年 5 月 15 日。

的情形。[47]由此可知，這次看似偶發的旅行活動，應該還是有經過長期的思考與縝密的計畫。而且此行所行經的路線，除了以陝西取代山西外，其他皆大致與一九二九年年底和容庚合擬之〈古跡古物調查計畫書〉相合。

顧頡剛這次的訪古之旅既是有計畫的活動，所以當時為了實踐此計畫，還特別組了一支旅行團，名稱就叫做「燕大考古旅行團」。正式的團員除顧頡剛外，尚包括容庚、鄭德坤（1907-2001）與林悅明（1908-1996）。燕大教授洪業（1893-1980）與吳文藻（1901-1985）則藉春假之機亦同行。團員們的分工是：容庚司會計、顧頡剛司紀錄、鄭德坤司庶務、林悅明司攝影。所到之處有河北之定縣、石家莊、正定、邯鄲、魏縣、大名，河南之彰德、安陽、鄭州、洛陽、陝州、開封、鞏縣，陝西之潼關、西安，山東之濟寧、嘉祥、曲阜、泰安、濟南、龍山、臨淄、益都、青島等。四月三日出發，五月二十九日返抵北平，共「歷時兩月」。其中去魏縣、大名，則為專訪崔述（1740-1816）故里。[48]史念海所說的三次重要考察之一的河北大名崔東壁故里之行僅僅是這「歷時兩月」的訪古活動中的一個行程而已。

此後直至一九三六年，顧頡剛又進一步將古跡古物調查活動延伸至大學中的正規課程。據《年譜》記載，顧頡剛在一九三六年的七月與燕大校方商議增設古物古跡調查實習課。這個構想獲得燕大校方的同意，因此在同年九月的新學期開始，他就與容庚、李榮芳正式在燕大歷史系合開「古跡古物調查實習」課。開設這門課的目

---

47 顧頡剛：〈顧頡剛先生在國立青島大學公開講演盛況〉，《顧頡剛全集》，第
　 33 冊，《寶樹園文存》卷 1，頁 337。

48 以上參顧頡剛：《辛未訪古日記》，《顧頡剛全集》，第 5 冊，《顧頡剛古史
　 論文集》卷 5，頁 396-490；顧潮：《顧頡剛年譜》，頁 216。

的在養成學生自動搜集材料之興趣，俾所學不受書本限制。具體的
做法係利用周六下午參觀北平各處古跡，並乘周日之便，到涿州、
張家口、宣化參觀。大概這個課程頗受歡迎，因此不久之後清華大
學歷史系的師生亦一起加入。[49]此後，這個課程又在一九三七年的一
至六月間的學期中開設過，同樣率領學生調查北平城內及四郊之古
物古跡，稍遠則至昌平、房山、妙峰山等處，更遠則至洛陽、開封
等地。直至抗戰期間，他依然在成都齊魯大學國學研究所開設「古
物古跡調查實習」課，並亦曾帶領學生調查新都、新繁等處古跡。[50]

　　綜觀顧頡剛所從事的古跡古物調查活動，其主要成就與貢獻大
致可從以下五個面向來說明。

　　一、文物與文獻資料的蒐集與調查。顧頡剛組織辛未考古旅行
團的主要目標有二：為燕大校中之圖書館與博物館搜購文物，一也；
調查當時飽受天災人禍之歷史文化的遺存之損失及現狀，二也。[51]搜
集文物與調查古跡可說是一般古跡文物考察活動最基本的目標。因
此，燕大考古旅行團所設定的考察目標本也無甚出奇之處。不過，
對顧頡剛來說，辛未訪古之旅卻另有特別的任務，即趁道前往大名
調查崔述故里，並希望能對崔述舊稿有所新發現。[52]據顧頡剛云，這
趟大名之行是洪業發起的。[53]雖然此行對此沒有什麼收穫[54]，但卻也

---

49 以上參顧潮：《顧頡剛年譜》，頁 288、290。
50 以上參顧潮：《顧頡剛年譜》，頁 300、345。
51 顧頡剛：《辛未訪古日記‧序》，《顧頡剛全集》，第 5 冊，《顧頡剛古史論
　文集》卷 5，頁 397。
52 參洪業、顧頡剛：〈崔東壁先生故里訪問記〉，《崔東壁遺書》（臺北：世界
　書局，1963 年），第 1 冊，前編，頁 1；洪業：〈崔東壁蒐田賸筆之殘稿〉，
　《洪業論學集》（北京：中華書局，1981 年），頁 112。
53 顧頡剛：〈崔東壁遺書序〉，《崔東壁遺書》，第 1 冊，前編，頁 3。
54 洪業：〈崔東壁蒐田賸筆之殘稿〉，《洪業論學集》，頁 112。

憑弔了崔氏墓地和家宅遺址，參觀崔氏門人陳履和（1761-1825）於嘉慶二十四年（1819）所書的墓碑以及崔氏遺物（崔氏家譜及存疑的崔東壁像），並且還瞻仰了崔述的讀書之堂。邵東方曾如此評論他們此行的收穫：

> 這次的實地考察給他們的崔述研究增加了感性的知識（如目睹了崔氏的墓誌銘等），糾正了以前的某些誤解，並發現了一些新的材料，如借抄到崔述的筆記《莐田膡筆》殘稿、崔述夫人成靜蘭（1740-1814）的《二餘集》以及崔述之弟崔邁（1743-1781）的遺著四種等。[55]

　　除此之外，他們一行人還曾徘徊於被漳水湮沒的魏縣故城[56]，「想見他自幼至壯的生活狀態」。[57]這些不完全是書面文獻資料的考察收獲，其學術價值不一定會比純粹文獻資料來得低，至少可以幫助吾人更親切地認識崔述其人其學。

　　除了調查崔述故里之外，顧頡剛此行在調查文物文獻方面也有不錯的收穫。例如，他在五月十日那天，由張維華陪同，來到山東省會濟南的山東省立圖書館參訪。這座圖書館位於大明湖畔，當時主持館務的是知名文獻學家王獻唐（1896-1960）。王獻唐帶他參觀了館內珍藏的二十石漢畫像、馬國翰（1794-1857）玉函山房所藏古

55　邵東方：《崔述學術考論》，頁 130。

56　以上俱參洪業、顧頡剛：〈崔東壁先生故里訪問記〉一文及顧頡剛：《辛未訪古日記》，《顧頡剛全集》，第 5 冊，《顧頡剛古史論文集》卷 5，頁 410-412。相關敘述另參鄧雲鄉（1924-1999）：〈顧頡剛與崔東壁〉，《雲鄉話書》（石家莊：河北教育出版社，2004 年），頁 253-255；鄧雲鄉：〈顧頡剛大名訪古〉，《雲鄉漫錄》（石家莊：河北教育出版社，2004 年），頁 211-213。

57　顧頡剛：〈崔東壁遺書序〉，《崔東壁遺書》，第 1 冊，前編，頁 3。

錢、漢代畫像題字、殘墓甎、封刻石,以及珍貴的善本書(如李文藻〔1730-1778〕的手稿、桂馥〔1736-1805〕《晚學集》底稿及海源閣舊藏黃丕烈〔1763-1825〕所校書)等。王獻唐主持館務雖僅二年,然搜羅昔人著作底稿已近百種,顧頡剛對王獻唐「勇猛精進」的作為大表嘉賞,稱頌此館不出數年必將巍然為北方文化重鎮。[58]

二、**考察成果的展示與公佈**。顧頡剛的古跡古物調查活動不但極有計畫,而且也對考察所得之展示與公佈頗為講求。在辛未訪古活動中,顧頡剛一行人攝影了二百幀照片,歸來後即與旅行團同人編此行所攝照片目錄,並於六月間在燕大校內舉辦照片展覽會。[59]顧頡剛也沒忘記紀錄的職責,在那年的暑假中將考察紀錄「排日作記」、「兼旬始訖」,此即《辛未訪古日記》一書之作也。此外,此行同去的鄭德坤回校後,亦將收集得的文物整理陳列,並與人合著《中國明器》一書,為其師顧頡剛編入《燕京學報專刊》第一冊。鄭德坤又就各地見聞筆記,寫成英文報告,亦為其師洪業選刊為《燕京學報附錄》。[60]

顧頡剛對考察成果之刊佈極為有效率,除其自作之《辛未訪古日記》與《西北考察日記》二書外,他於一九三五年任職北平研究院史學研究會歷史組時,曾組織吳世昌、張江裁帶隊普查北平古跡,以大小廟宇為重點,後來分別編成《北平歲時志》、《北平史跡叢書》、《北平廟宇通檢》等書,均由北平研究院出版。又於一九三五年九月間與北平研究院考古組主任徐炳昶(1888-1976)到河北磁縣南北

---

58 顧頡剛:《辛未訪古日記》,《顧頡剛全集》,第 5 冊,《顧頡剛古史論文集》卷 5,頁 459-461。

59 顧頡剛:《辛未訪古日記‧序》,《顧頡剛全集》,第 5 冊,《顧頡剛古史論文集》卷 5,頁 397;顧潮:《顧頡剛年譜》,頁 193。

60 鄭德坤:〈紀念顧頡剛師〉,《顧頡剛先生學行錄》,頁 102。

響堂寺及邯鄲、邢臺、曲陽等處，為該院搜集拓片。後來不但在年底時舉辦響堂拓片展覽，而且參與考察同人也編成《南北響堂寺及其附近石刻目錄》一書。[61]

　　三、有意識地將古跡古物調查提升為一門專業的課程。顧頡剛這麼做的目的除了前述之養成學生自動搜集材料的興趣，俾所學不受書本限制之外，應該還有將調查活動予以理論化、學術化與專業化的企圖，如此才可以達到更好的經驗傳承效果。關於這門在當時堪稱別開生面的課程，那時曾經擔任顧頡剛助教的侯仁之是如此評述的：

> 從 1936 年 9 月到 1937 年 6 月，顧頡剛教授別出心裁地開設了一門課，叫做「古跡古物調查實習」，每兩個星期的星期六下午，要帶學生到他事先選定的古建築或重要古遺址所在地，或在北京城內，或在城外近郊，進行實地考察。[62]

又說：

> 按規定，每兩個星期就要利用周末的時間進行一次現場實習，主要是在北平城內和郊外，有時還利用假期較長的時間（如國慶節和春假）有目標地奔赴外地。我的主要任務是每次確定調查目標之後，如某處的古建築、某處的古園林以及

---

61 以上分別參顧潮：《顧頡剛年譜》，頁 262、267；吳豐培（1909-1996）：〈記 1935-1937 年的北平研究院史學研究會〉，《顧頡剛先生學行錄》，頁 164-165。

62 侯仁之：〈我從燕京大學來（代序）〉，《燕京大學人物誌》（燕京研究院編，北京：北京大學出版社，2001 年），第 1 輯，頁 4。

> 某處的考古發現或古跡古物等，頡剛師就向我提供一些必要
> 的參考資料，再加上我自己搜集所得，先寫成一篇簡要的介
> 紹書，事前要鉛印出來，在出發前發給學生，人手一份，作
> 為到現場調查時的參考。……可是僅憑文字記載，常常出現
> 錯誤，來到現場對比實跡實物的時候，往往會發現我所根據
> 的資料不盡可靠，也有時是調查對象本身已經發生了變
> 化。……這使得我深深體會到現場考察是多麼重要。[63]

這樣的教學效果肯定是良好的，因為不但吸引了清大的師生加入，
而且這門課還於次年持續開設下去，甚至直到抗戰內遷至成都時，
他依然在物質條件遠遜戰前北平的情況下，在齊魯大學國學研究所
開設這門課。

　　四、喚醒社會對古蹟文物的重視。顧頡剛在《開明書店二十周
年紀念文集》中曾用不署名的方式寫下一段簡介《辛未訪古日記》
內容的文字，其云：

> 黃河流域為東方文化之搖籃地，地面之堆積與地下之蘊藏多
> 至不可勝計，……作者此文，足為游者嚮導。至於破壞之後
> 如何保存，各種材料如何整理，則更為國人應負之使命，此
> 文亦可為此種工作之前奏曲也。[64]

---

63 侯仁之：〈師承小記〉，《顧頡剛先生學行錄》，頁 131。相關敘述又參侯仁
　　之：〈山高水長何處尋──追憶頡剛師二三事〉，《顧頡剛先生學行錄》，頁
　　134；李固陽：〈顧頡剛先生在燕京大學〉，《顧頡剛先生學行錄》，頁 92。
64 顧頡剛：《辛未訪古日記》，《顧頡剛全集》，第 5 冊，《顧頡剛古史論文集》
　　卷 5，頁 396。

顧頡剛對於古蹟之遭受破壞，珍貴的文物遭到盜賣的情況是極感痛心疾首的，他嘗感歎先民之遺產，「或建築之偉，或雕刻之細，或日用器皿之製造，或文字圖書之紀錄」，莫不使其睹之而驚心動魄，由此更歎服「祖宗貽我之厚如此」！但他對這些古蹟文物在民初以來的二三十年間所受到的急劇破壞，卻深懷著「及我之身將淪胥以鋪」的恐懼心情。他批判當時「主軍政者方假破除迷信之名以行其聚斂搰克之術」，從而使「一二千年之古剎古物不為黃巢李闖及遼金胡元所椎毀者乃悉銷散於民國。」以致使顧頡剛不禁心生「我寧畢世不見新出土之古物，以待太平之世我曾孫玄孫之發掘，不願其今日顯現而明日澌滅也」的憤懣念頭。[65]面對這種情況，身為一位知名的學者，顧頡剛也只能透過他的筆來喚醒社會各界重視古蹟文物保存的問題。如其於《辛未訪古日記》中提及河北正定隆興寺（俗稱大佛寺），其大佛殿中之佛像與塑壁，莊嚴燦爛，懾人心目。大佛金身七丈二尺，殿高逾八丈，然顧頡剛等人造訪時，殿頂已塌。此大佛殿既無頂，於是便出現了當顧頡剛等人坐殿外石階進午餐時，「此大佛乃似探首屋外窺觀我輩飲食然者」的滑稽場面。顧頡剛由是沈痛的呼籲：「倘更不修葺，數年後四壁盡倒，則此佛將為獨立荒郊之翁仲矣！」[66]

　　雖然不易評估顧頡剛的努力究竟收到多少實質的成效，但顧頡剛早年投注在蘇州保聖寺唐朝楊惠之塑像的保存工作，卻獲得頗為不錯的成果。他曾於一九二三年作文投《努力周報》，為楊惠之塑像之保存向社會各界大聲呼救，後來得到蔡元培（1868-1940）、胡適、

65 顧頡剛：《辛未訪古日記》，《顧頡剛全集》，第 5 冊，《顧頡剛古史論文集》卷 5，頁 398-399。

66 以上俱見顧頡剛：《辛未訪古日記》，《顧頡剛全集》，第 5 冊，《顧頡剛古史論文集》卷 5，頁 404。

高夢旦（1870-1936）、任鴻雋（1886-1961）、葉恭綽（1881-1968）
及地方人士之響應。一九二八年獲蔡元培支持，允由大學院助款來
保存修繕塑像。[67]不久之後，大學院改為教育部，部裡組織「保存用
直楊塑委員會」，聘蔡元培、葉恭綽、陳萬里及顧頡剛等十八人為委
員，辦理保存事宜。一直到一九三二年底，保護楊惠之塑像的工作
終於得到落實，該年十月底，顧頡剛接獲葉恭綽的來信，得知用直
保聖寺古物館將於十一月十二日開幕。歷經十年的努力，顧頡剛不
禁欣喜地在十月三十一日的日記中寫下如此的字句：「保存舊塑竟成
功了！」[68]

　　五、與經史古籍記載相印證。顧頡剛在《開明書店二十周年紀
念文集》對《辛未訪古日記》之簡介又有一段話頗能道出其考察古
蹟文物的重要意義：

> 欲瞭解中國歷史與其文化之演進者必須親蒞其處，乃得有親
> 切之認識。[69]

顧頡剛的學術專業在古史，於經史古籍的相關記載尤為敏感。他在
考察古蹟古物的同時，也會不斷地將考察聞見所及與經史古籍相互
印證，今茲舉數例以略見一斑。

　　如其在辛未訪古行程中，離開潼關，來到河南靈寶，見其西門

---

67 以上參見顧潮：《顧頡剛年譜》，頁 89、187-188。

68 以上敘述參顧潮：〈顧頡剛先生與用直保聖寺塑像〉，《我的父親與北京大學》
　　（錢理群、嚴瑞芳主編，北京：北京大學出版社，2006 年），頁 333-334。又
　　相關研究請參王汎森〈什麼可以成為歷史證據〉，《近代中國的史家與史學》
　　（香港：三聯書店，2008 年），頁 206-209。

69 顧頡剛：《辛未訪古日記》，《顧頡剛全集》，第 5 冊，《顧頡剛古史論文集》
　　卷 5，頁 396。

外大道旁有石碑二座，一書「老子著經處」，一書「猶龍真窟」，均為明人所題。顧頡剛對此頗不以為然地反詰道：「明人好事，必指實其地以為快；然何以不在關門而在城門外乎？」他認為與其在靈寶城門外題此二碑，不如在潼關關門更來得合理。[70]

又例如他從山東濟寧往返嘉祥的途中，因天雨以致地面泥濘不堪，「泥土黏力甚強，足拔起時，鞋常不能與之同起，一步一頓，有如蒼蠅之在蒼蠅紙上然。」及至某村，道上又多油垢，「滑甚，常欲傾跌，念一跌便爬不起矣。」由此忽讓他聯想到《史記》記載陳勝、吳廣赴役驪山，天雨失期，秦法當斬，遂起叛秦之事。顧頡剛由己之切身經驗省悟到「彼輩既有叛秦之勇氣何以更無冒雨之勇氣，今乃知冒雨之難有過於叛秦」的道理。[71]

又如其至山東臨淄，發現當地農產不茂，人煙稀少，城垣周僅三四里，其四分之三盡為田畝而非住宅，城中居民亦只數百戶，渾不似《戰國策》蘇秦向秦王遊說時所說的：「臨淄市中，車擊轂，人摩肩，連袂成帷，揮汗成雨」的繁華景像。撫今追昔，不禁讓顧頡剛為之惘然。[72]

又例如他到山東東部的嶗山遊覽，他觀察嶗山「周二百七十里，為海濱大山。」於是就乘便結合經史，為此山的名稱及意義做了一番考證。他首先舉出《史記‧秦始皇本紀》「始皇登勞盛山以望蓬萊」語來證明「嶗山」本作「勞山」，「今俗加山旁作嶗耳」。復又引用《詩經‧小雅‧漸漸之石》「山川悠遠，維其勞矣」鄭玄（127-200）《箋》

70 顧頡剛：《辛未訪古日記》，《顧頡剛全集》，第 5 冊，《顧頡剛古史論文集》卷 5，頁 437。

71 顧頡剛：《辛未訪古日記》，《顧頡剛全集》，第 5 冊，《顧頡剛古史論文集》卷 5，頁 451。

72 顧頡剛：《辛未訪古日記》，《顧頡剛全集》，第 5 冊，《顧頡剛古史論文集》卷 5，頁 469-470。

語來考釋勞字之意。鄭玄釋此詩云:「勞勞,廣闊」。顧頡剛認為鄭
玄是高密人,距此地甚近,由此可知以廣闊為勞是當時當地之言。
然何以勞山稱勞?顧頡剛又引晏謨《齊地記》「泰山自言高,不如東
海勞」之語來做證明,他的結論是:在民眾情感上,「此山且有奪泰
山尊嚴之勢矣。」[73]也就是說,從當地民眾情感的角度來看,他們可
是認為嶗山是極廣闊雄偉的,一點也不輸給自以為高大的泰山。頗
有登嶗山而小泰山的氣慨!一座山的得名之由不但牽涉到繁複的考
證,而且也關聯到當地民眾複雜微妙的情感因素。顧頡剛這個結合
實地考察與經史古籍的有趣考證,看似信筆拈來,非刻意為之。但
其中所涵蓄的學術義蘊卻極深遠綿長,值得細細咀嚼,反覆玩味。[74]

---

73 顧頡剛:《辛未訪古日記》,《顧頡剛全集》,第 5 冊,《顧頡剛古史論文集》
　　卷 5,頁 482。

74 類似精彩考證的例子在他從事西北邊疆史地與民族社會考察所寫的相關筆記
　　中亦屢見不鮮,如其在一九三七年因避日寇而西走甘肅、青海一帶時所撰寫
　　的《象蘭讀書記》,及其一九三八年秋至雲南後所寫的《浪口村隨筆》中就
　　有好幾條筆記討論到〈禹貢〉的作者未親至隴西的問題。顧頡剛的根據是〈禹
　　貢〉只記載「導河積石,至於龍門」,而不言「導河積石,東會於洮,又東
　　會於湟」。因為洮水與湟水皆遠在伊、洛、瀍、澗之上,如果〈禹貢〉作者
　　真的有到過積石的話,便不會不知道洮水與湟水了。(參《象蘭讀書記》,
　　《顧頡剛全集》,第 19 冊,《顧頡剛讀書筆記》卷 4,〈大、小積石山〉條,
　　頁 9-10;《浪口村隨筆》(一),《顧頡剛全集》,第 19 冊,《顧頡剛讀書
　　筆記》卷 4,〈禹貢作者未至洮、湟〉條,頁 74;及〈河源〉條,頁 77。)
　　又如其在一九四九年由上海合眾圖書館油印出版的《浪口村隨筆》(與《讀
　　書筆記》卷 4 中的不同,內容較為豐富,字數近二十萬字),其中的〈梁州
　　名義〉一文亦是他在實地考察的親身經驗基礎上,從而對經史古籍的記載有
　　全新的體悟,如此所做出來的考證,自然有令人倍覺親切的信服感。其云:
　　「予比年北遊秦、隴,南歷蜀、滇,徘徊於梁境者久矣,深以為此州名義一
　　經揭破,實極簡單。蓋梁有兀然高出之義:水際以堤與橋為最高,故稱堤與
　　橋曰梁;屋宇以脊為最高,故名承脊之木曰梁;山以顛為最高,故山顛亦曰
　　梁,梁轉聲而為嶺,今言嶺古言梁也。」(《浪口村隨筆》,《顧頡剛全集》,
　　第 31 冊,《顧頡剛讀書筆記》卷 16,頁 28。)

第四節　結論

顧頡剛在抗戰時期曾在一封致雲南大學校長熊慶來（迪之，1893-1969）的信中向他吐露了自己的治學願望：

> 甚望以監禁方式施之研究室，以充軍方式施之於旅行考察，使我胸中久蓄之問題得告解決，而系統之著作亦可完成，此生便無憾矣。[75]

顧頡剛一生中無時無刻不為他的學術事業焦慮著，其學術事業表面看來繁複龐雜，多彩多姿，說到底，其核心就是他的著述。他的著述看似豐富，但他卻始終以未能寫出系統性的著作而感到若有所憾。[76]這種焦灼感在他步入中年之後益發顯得強烈。正因為他的事業太過龐雜，而社會活動又多，常使得他無法靜下來好好讀書作學問。因此他才會異想天開的想出用監禁及充軍的方式來迫使自己專心致志的作研究，好早日完成系統性的著作。這雖是帶有玩笑性質的自我惕勵的話語，但從中卻不難看出旅行考察在顧頡剛的學術研究中所佔據的重要地位。

顧頡剛雖然如此強調實地考察在學術研究上的重要性，但他的

---

[75] 顧頡剛：《西北考察日記》，《顧頡剛全集》，第 36 冊，《寶樹園文存》卷 4，頁 434；又見於顧潮：《歷劫終教志不灰》，頁 193。回信時間在 1937 年 12 月。

[76] 顧頡剛在《浪口村隨筆》的〈序〉中曾自述其這方面的心境，云：「嗚呼，予自畢業大學，立志從事古史，迄今垂三十年，發表文字已不止百萬言，而始終未出一整個系統，匪不欲為，懼學力未至，徒欺人也。然而起人期望，受人責備，為日久矣。」（《顧頡剛全集》，第 31 冊，《顧頡剛讀書筆記》卷 16，頁 12。）

學術背景和訓練仍不免令人對他從事田野工作的專業性感到好奇。
當代中國考古學的奠基者李濟（1896-1979）曾對其從事的田野考古
工作是如此嚴肅看待的：

> 田野考古工作，本只是史學之一科，在中國，可以說已經超
> 過了嘗試的階段了。這是一種真正的學術，有它必需的哲學
> 的基礎，歷史的根據，科學的訓練，實際的設備。田野考古
> 者的責任是用自然科學的手段，搜集人類歷史材料，整理出
> 來，供史學家采用。[77]

他又說：

> 田野工作是一門獨立的科學訓練，……科學的田野考古工
> 作，所需要的這一項訓練，應該是如何的嚴肅、堅實、透徹
> 了。這決不是一種業餘的工作，可以由玩票式的方法能辦理
> 的。……現代科學所要求的，只是把田野工作的標準，提高
> 到與實驗室工作的標準同等的一種應有的步驟。[78]

按照李濟如此嚴格的標準，顧頡剛的學術考察作為，無論是民俗考
察、古跡文物調查，或邊疆史地考察，恐都不免淪於「業餘」、「玩
票」的性質。其實傅斯年在剛成立史語所時，便曾要求所中派遣出
的「川康民俗調查團」的成員不能只停留在隨聞隨錄，或風俗軼話

---

77 李濟：〈田野考古報告編輯大旨〉，《李濟文集》（上海：上海人民出版社，
　　2006 年），卷 1，頁 332。
78 李濟：〈中國古器物學的新基礎〉，《李濟文集》，卷 1，頁 336。

的層次，而應該注意發掘問題、要多照相。其目的也就是想將其提升到現代學術的層次，而不只是傳統文人「記遊」類作品的延續。[79]有趣的是，傅斯年所反對的記遊式的考察作品，卻正是顧頡剛所優而為之的表現方式。當年二人在廣州中山大學決裂，以致破口相罵的導因之一便恰好是傅斯年鄙薄顧頡剛所主導出版的《民俗學會叢書》，傅譏評其所出的書不是「這本無聊」，就是「那本淺薄」。[80]不知若傅斯年看到顧頡剛《辛未訪古日記》或《西北考察日記》等不免多少仍帶有「隨聞隨錄」、「風俗軼話」性質的記遊類作品時，他會作何反應？

　　當然，用深受當代西方學術影響的傅斯年、李濟等人所揭櫫的田野考察方法來看待顧頡剛的考察工作未必公允，因為他所從事的既非考古學，亦非人類學，而這兩門純粹來自西方的學問，其最主要的研究方法就是田野工作。[81]顧頡剛所專精的是傳統的以經史為核心的人文學術，故其研究方法仍是以文獻資料之探索為主。對考古學者與人類學者來說，田野工作是他們從事學術研究必須要使用的方法，非如此不能進行研究工作。但對於像顧頡剛這樣以經史古籍為專業領域的學者，田野考察就非必要不可的研究方式。顧頡剛願意跨出書齋及研究室，遠離繁華舒適的城市生活，來到鄉間野外去從事艱苦的考察工作，就這點而言，他的學術見識與研究熱忱確實超越當時人文學界中的許多學人遠甚。因此，持平來說，顧頡剛的

---

79 王汎森：〈容肇祖與歷史語言研究所〉，《新學術之路》，上冊，頁 350。這次的考察成果在一九二九年由黎光明（1901-1946）和王元輝執筆寫出，原題作《川康民俗調查報告》，然一直未曾正式出版。直至二〇〇四年方由中央研究院歷史語言研究所刊佈，改題作《川西民俗調查記錄 1929》。

80 參顧潮：《歷劫終教志不灰》，頁 124-128。

81 參李亦園：《田野圖像：我的人類學生涯》（臺北：立緒文化事業公司，1999年），頁 48-49。

學術考察工作或許較不具備考古學與人類學的田野工作所要求的專業與科學性，但對一般經史學術甚或某些人文學術的研究來說，其考察成果並不因不經專業田野工作方法所獲得而減損其學術價值。

附錄：〈顧頡剛考察年表：1918－1945〉

本年表據顧潮《顧頡剛年譜》編製，又據沈津《顧廷龍年譜》增補。凡引用《顧頡剛年譜》者一概只標頁碼，不標書名，以省篇幅。本年表儘可能地收錄所有與顧頡剛考察活動有關之資料，其中包含五十七次顧氏親自參與的考察活動、八次由顧氏所規劃、組織但他本人未親自參與的考察活動，以及其他屬於開會、著述、出版與展示性質等非實際考察的活動，這類的活動一共六次，三者合計共七十一項。凡顧氏未親自參與以及非實際考察之活動一律在備註欄內註明。

	時　間	考　察　內　容	備　註
1	1918 年 9 月 23 日	遊甪直保聖寺，見唐朝楊惠之所塑之羅漢像。（頁 45）	
2	1919 年 10 月 9 至 12 日	與陳萬里遊西山，至檀柘寺、戒壇寺、觀音洞、滴水岩、妙峰山、仰山、八大處，行程二百里。（頁 52）	
3	1919 年 10 月 19 日	與蔣仲川遊八達嶺（頁 52）	
4	1920 年 3 至 6 月	其間與蔣仲川、郭紹虞遊白雲觀、琉璃廠，與吳維清去安定門外黃寺看「打鬼」儀節，遊小湯山，又與郭紹虞遊西山各處、乘船遊護城河，又與陳萬里遊豐臺及西直門外五塔寺、極樂寺、大佛寺等處。（頁 53）	

	時　間	考　察　內　容	備　註
5	1922 年 6 月 12 日	與陳萬里至甪直，次日遊保聖寺，陳萬里帶得攝影機將僅存的塑像攝了下來。（頁 76）	
6	1922 年 6 月 14 日	到昆山慧聚寺訪楊惠之所塑之天王像，然「片椽不存，悼嘆而歸。」（頁 76）	
7	1923 年年底 至 1924 年 1 月	與陳萬里赴河南作考古參觀。三十一日，在開封見到出土古物的全份。一九二四年一月，與陳萬里遊河南開封龍亭、鐵塔、相國寺、洛陽龍門、魏故城、白馬寺、鞏縣石窟寺、鄭州、石家莊、正定隆興寺、太原晉祠、天龍山等處，十八日進京。（頁 96-97）	
8	1924 年 2 月 5 日（春節）	與潘家洵到朝陽門外東嶽廟遊覽。（頁 98）	
9	1924 年 3 月 14 日	與容庚等人前往調查北京西山碧雲寺古建築，17 日歸城。十八日，與容庚合作《研究所國學門調查西山陸謨克學院發見建築物報告》。（頁 100）	
10	1924 年 5 月 11 日	與吳維清遊石景山、三家店，看見了幾千名去妙峰山進香的香客，進了幾個茶棚。自此以後，方始注意到在常走的幾條街巷中的牆上貼著無數香會會啟。（頁 101）	
11	1924 年 5 月 31 日	與北大研究所同事胡文玉、劉澄清去東嶽廟參觀。（頁 101）	
12	1924 年 12 月 13 日	與陳萬里及北大研究所拓碑人到圓明園，調查文源閣碑。十七日，與陳萬里合作《調查文源閣報告》。（頁 108）	

	時　間	考　察　內　容	備　註
13	1925 年 4 月 30 日至 5 月 2 日	承北大研究所國學門風俗調查會之囑託，與容庚、容肇祖、莊嚴、孫伏園到妙峰山調查進香風俗。（頁 117）	
14	1926 年 2 月 13 日（春節）	與孫伏園、孫福熙、陳學昭及妻殷履安同遊東嶽廟；午夜兩點，看財神廟燒香，一夜不眠，次日天明遊覽一周方歸。（頁 138）	
15	1926 年 2 月 27 日	與妻殷履安及駝群社諸先生（陳垣、沈兼士、徐炳昶等）同遊天寧寺、白雲觀。次日，又與潘家洵夫婦同遊白雲觀、白塔寺。（頁 138）	
16	1926 年 8 月 17 日	與孫伏園同遊杭州清華山老東嶽廟，並鈔錄材料。（頁 144）	
17	1926 年 11 月	與林幽、孫伏園、容肇祖發起成立風俗調查會。（頁 149）	非實際考察
18	1926 年 12 月 15 至 24 日	與陳萬里遊泉州，此行進了不少鋪神祠，使其對泉州的土地神有一個淺近的觀察。（頁 149）	
19	1927 年 1 月 17 日	與容肇祖、潘家洵等離廈門，18 日抵福州，遊左公祠、玉皇殿、呂祖祠等處。（頁 152）	
20	1928 年上半年	與中山大學同人及家人多次遊廣州各寺廟。到光孝寺、六榕寺、張良廟、安子期廟、懷聖寺、濠畔寺、華陀廟、華林寺等處。（頁 174）	
21	1928 年 7 月	組織中山大學研究所赴滇調查少數民族事，派史祿國、楊成志等前往。又派容肇祖赴北路考察古物。（頁 175）	未親自考察

（續）

	時　間	考　察　內　容	備註
22	1928 年 9 月 22 至 25 日	與容肇祖遊彼家鄉東莞，到城隍廟、天后廟、象塔、何真廟、袁督師祠、孔廟等處，畫〈東莞城隍廟圖〉。（頁 179）	
23	1928 年 12 月 8 至 9 日	與妻殷履安、容肇祖一家、余永梁遊佛山，到袁家莊、李家莊、城隍廟、祖廟等處，始識廣東家族之組織。（頁 185）	
24	1929 年 3 月 30 日至 4 月 3 日	陪同徐炳昶及瑞典人斯文赫定遊蘇州、甪直保聖寺。（頁 194）	
25	1929 年 5 月 17 至 19 日	與魏建功、徐炳昶、朱自清、周振鶴、羅香林、葛毅卿、容媛等組織「十八妙峰山進香調查團」，遊妙峰山、天太山，由白滌洲導遊。（頁 195）	
26	1929 年 8 月 10 至 11 日	陪吳維清等遊甪直保聖寺及昆山。（頁 197）	
27	1929 年 8 月 21 至 27 日	遊甪直。（頁 197）	
28	1929 年 12 月 1 日	與容庚合擬〈古跡古物調查計劃書〉，欲進行河北、河南、山東、山西四省之訪古。（頁 199）	非實際考察
29	1930 年 6 月 10 至 14 日	與常惠、魏建功等遊易縣。參觀燕故城、清西陵、臥佛寺、開元寺、清真寺、龍興觀。（頁 209）	

	時　間	考　察　內　容	備　註
30	1930 年夏末	與容庚籌備古跡古物調查事。（頁 211）	非實際考察
31	1930 年 10 月 25 至 28 日	與徐炳昶、徐森玉、李書華、馬廉、魏建功、常惠、莊嚴遊房山。眾人以經歷事作回目，共得七十餘回，名《房山游記》，顧頡剛作十分之七。（頁 212）	
32	1931 年 4 月 3 日至 5 月 29 日	與容庚、鄭德坤、林悅明組成之燕大考古旅行團出發，洪業、吳文藻藉春假之機亦同行。所到之處有河北之定縣、石家莊、正定、邯鄲、魏縣、大名，河南之安陽、洛陽、陝州、開封、鞏縣，陝西之潼關、西安，山東之濟寧、曲阜、泰安、濟南、龍山、臨淄、益都、青島等。四月三日出發，五月二十九日抵平，歷時兩月。其中去魏縣、大名，則為專訪崔述故里。（頁 216）	
33	1931 年 6 月	與旅行團同人編此行所攝照片目錄，並在校舉辦照片展覽會。（頁 216-217）	非實際考察
34	1931 年 11 月 5 日	與裴文中、傅斯年等遊周口店「北京人」遺址。（頁 221）	
35	1932 年 1 月 3 日	與顧廷龍、商承祚、錢穆、王庸等同遊孔廟、國子監、東岳廟。（《顧廷龍年譜》，頁 24。）	

（續）

	時　間	考　察　內　容	備　註
36	1933 年 4 月 2 至 9 日	參加燕京大學哈佛燕京社考古團，藉春假作正定隆興寺（即大佛寺）考古。同行者：博晨光、許地山、容庚等，從建築、佛像、金石、壁畫、寺史等各方面調查該寺。（頁 234）案：同行者尚有顧廷龍，見《顧廷龍年譜》，頁 30。	
37	1933 年 4 月 29 日至 5 月 1 日	與潘由笙、顧廷龍遊妙峰山。（頁 234）	
38	1933 年 5 月	應洪業邀遊雲崗石窟。同行者還有容庚、馬鑑等。（頁 234）	
39	1934 年 4 月 6 至 15 日	與顧廷龍赴包頭。遊包頭、綏遠、大同雲崗。（頁 246）	
40	1934 年 5 月 5 至 6 日	與顧廷龍、向達、賀昌群、王振鐸、侯仁之、李安宅、容媛等遊周口店龍骨山，觀洞穴，由裴文中、賈蘭坡等導遊。（頁 247；《顧廷龍年譜》，頁 33。）	
41	1934 年 5 月 12 至 13 日	與王振鐸、侯仁之、張全恭遊通縣。（頁 247）	
42	1934 年 5 月 19 至 20 日	與燕大同學吳世昌、于道源等遊妙峰山。（頁 247）	
43	1934 年 7 月	因平綏鐵路局長沈昌欲編該路旅行指南，邀冰心任撰述，遂組織旅行團，由路局備專車，供食宿，隨處可停留遊覽。冰心夫婦約顧頡剛、鄭振鐸、陳其田、雷潔瓊等前往。七日啟行，遊土木堡、宣化、張家口、大同、口泉、豐鎮、平地泉等處。平地泉以西因水災阻隔交通，只得返轅，十八日回平。（頁 248）	

	時　間	考　察　內　容	備　註
44	1934 年 8 月 8 日	旅行團又登程，此次同行者除上次諸人，還有容庚。十七日因繼母病篤，與同人作別，乘車東返，十八日抵平。（頁 250）	
45	1935 年 7 月 1 日	始到北平研究院上班。北平研究院史學研究會歷史組正式成立，主要工作有：派吳世昌、張江裁帶隊普查北平古跡，以大小廟宇為重點，編輯《北平廟宇通檢》等書；派劉厚滋任金石編纂工作；派吳豐培負責邊疆史地研究。（頁 262）	未自考親察
46	1935 年 9 月 12 至 29 日	與北平研究院考古組主任徐炳昶到河北磁縣南北響堂寺及邯鄲、邢臺、曲陽等處，為該院搜集拓片。參加工作者有何士驥、劉厚滋等。年底在懷仁堂舉辦響堂拓片展覽。後編成《南北響堂寺及其附近石刻目錄》一書出版。（頁 267）	
47	1935 年 11 月	禹貢學會出版遊記叢書，第一種是李書華《黃山游記》，後陸續出版謝國楨《兩粵游記》、李書華《房山游記》、《天臺、雁蕩游記》、譚惕吾《新疆之交通》。（頁 272）	非實際考察
48	1936 年 4 月 19 日	與燕大同人遊居庸關。（頁 283）	
49	1936 年 5 月 27 日	與燕大同人遊妙峰山。（頁 284）	

（續）

	時 間	考 察 內 容	備 註
50	1936 年 7 月	應王喆之邀，在禹貢學會組織河套水利調查團前往，成員有李榮芳、張維華、侯仁之、蒙思明、張瑋瑛。該團在二十餘天調查中所獲報告書、調查表及關於河套渠道之繪圖甚多，後編為「河套水利調查專號」，在《禹貢》半月刊發表。（頁 287）	未 親自 考察
51	1936 年 7 月	與燕大校方商議增設地理課、古物古跡調查實習課，並請史界名人講演等。（頁 288）	非 實際 考際 察
52	1936 年 9 月	於燕大歷史系新開「古跡古物調查實習」課，與容庚、李榮芳共同擔任，目的在養成學生自動搜集材料之興趣，俾所學不受書本限制。不久清華大學歷史系師生亦加入，利用周六下午參觀北平各處古跡，並乘周日之便，到涿州、張家口、宣化參觀。（頁 290）	
53	1936 年 10 月 4 日	與顧廷龍、聞一多、劉壽民、容庚、磊崇岐、侯仁之、張偉瑛、張西堂等以及清華學生遊涿州。（《顧廷龍年譜》，頁 55。）	
54	1936 年 11 月	禹貢學會組織張維華、馮家昇、侯仁之、陳增敏赴察哈爾省調查蔚縣古石刻。及至察省教育廳，乃知石刻散在各處，即改道赴懷安觀漢代漆器，陳增敏又獨赴大同、宣化考察盆地。（頁 296）	未 親自 考察
55	1937 年 1 至 6 月	仍任燕大歷史學系「古物古跡調查實習」課，清華歷史系亦加入。率學生調查北平城內及四郊之古物古跡，稍遠則至昌平、房山、妙峰山等處，更遠則至洛陽、開封等地。（頁 300）	

	時　　間	考　察　內　容	備　註
56	1937 年 4 月 4 至 16 日	應綏遠當局邀，在燕大組織綏遠蒙旗考察團，由歷史、社會、新聞三系學生參加，社會學系教授李安宅率隊，赴綏遠各旗盟調查，清華亦有數人加入。（頁 309）	未親自考察
57	1937 年 4 月	在燕大歷史學系組織汴洛考古旅行團，去洛陽、開封等地調查古物古跡。（頁 309）	未親自考察
58	1937 年 6 月	在北平研究院史學研究會組織燕趙古跡調查團，成員有吳世昌、劉厚滋、王振鐸等。赴河北邯鄲、定縣、易縣，實地測繪調查趙王城、漢中山王陵寢、燕下都。十一日，到火車站為調查團送行。（頁 311-312）	未親自考察
59	1937 年春間	西北移墾促進會、河北移民協會、燕京大學聯合組織暑期西北考察團。七月一日，考察團出發，以病發燒未得同行。（頁 313-314）	未親自考察
60	1937 年 8 月 21 日	得管理中英庚款董事會杭立武來電，囑往甘、青、寧三省考察教育。9 月 29 日抵蘭州（頁 316），1938 年 9 月 9 日離蘭州。（頁 327）	
61	1938 年 11 月 15 日	與費孝通至祿豐，參觀學校、寺廟，調查趕街及夷人村落。（頁 329）	
62	1939 年 7 月 22 至 24 日	與徐炳昶、方國瑜、方矓仙遊盤龍山、天女山、金砂山等處。（頁 335）	
63	1940 年 1 月 上旬	與黎光明等至灌縣遊青城山及都江堰。（頁 337）	

（續）

	時　間	考　察　內　容	備註
64	1940 年 5 月 6 至 10 日	在四川郫縣遊望帝叢帝陵、劉公墓、何武墓等處。（頁 342）	
65	1940 年 9 月至年底	在成都齊魯大學國學研究所開設「古物古跡調查實習」課；九、十月間，與諸生調查新都、新繁等處古跡。（頁 345）	
66	1940 年 11 月 3 日	與錢穆等遊郫縣望帝叢帝陵、何武墓、郫筒井、溫公誕生地、子雲故里等處。（頁 346）	
67	1940 年 12 月	應四川省政府古物保存委員會邀到外縣視察古物古跡。十九日，至雙流，遊蠶叢祠、文昌宮等處。二十一日，至新津，遊觀音寺、木魚山漢墓等處。二十四日，至邛崍，遊天慶寺、鶴林寺等處。（頁 347）	
68	1941 年 1 月初	在大邑遊普陀庵、文昌宮、老君殿、城隍廟等處。（頁 347）	
69	1941 年 3 月	遊新都、新繁、彭縣等處。（頁 350）	
70	1943 年 3 月底至 4 月初	與中國史學會同人遊北碚、合川、釣魚城等處。（頁 362）	
71	1945 年 4 月	參加楊家駱主持之大足石刻考察團，二十四日出發，先後至合川、銅梁、大足，觀漢墓及唐宋造像。歸途經璧山。五月八日，返北碚。考察團成員還有馬衡、何遂、莊嚴等十餘人。（頁 371）	

原發表於中央研究院中國文哲研究所主辦之「變動時代的經學和經學家（1911-1949）第一次學術研討會」，2007 年 7 月 12 日。又刊於《政大中文學報》第 13 期（2010 年 6 月），頁 117-150。

第五章
現代學術獎勵機制觀照下的羅偉漢之經學成就

第一節　引言

　　羅偉漢（1898-1985），原名偉勤，字孟韋，別名孟瑋、執青。一八九八年十二月二十八日生於廣東省興寧縣大坪鎮，一九一九年考進北京大學哲學系，攻讀外國哲學。一九二五年畢業後曾任教於北京、興寧、廣州諸中學。一九二七年曾短暫擔任興寧縣縣長。一九三三年，東渡日本，就讀日本東京帝國大學研究院，攻讀歷史和哲學。抗日戰爭爆發後回國，先後擔任桂林師專、雲南澂江中山大學師範學院、成都金陵大學、廣東省立文理學院等校教授。一九四九年後，任教於廣東省立文理學院、華南師範學院，擔任二級教授、歷史系主任，直至一九六〇年退休。一九八五年八月十二日病逝於廣州，享年八十七歲。羅氏的主要著作有早年所著之《詩樂論》、《史記十二諸侯年表考證》，晚年（一九七八）亦嘗收集他於一九三八年至一九四五年間發表在報章雜誌中的二十多首古體詩，名《青塘詩》，油印出版。[1]

---

1 以上羅氏生平資料主要根據林鈞南：〈緬懷羅孟瑋教授〉，廣東省興寧縣政協文史委員會編：《興寧文史》第 5 輯，頁 158-160、何國華：〈正直愛國的學者羅偉漢教授〉，《興寧文史》第 16 輯（1992 年 9 月），頁 80-88、廣東省立中山圖書館與香港大學馮平山圖書館編：《羅香林論學書札・附錄・書札相關

　　羅氏所學及執教經歷，雖然主要集中在哲學與歷史二學門中，然其早年之學術表現及用心之所在卻厥為經學，這可從其早年所著且也為其一生代表作——《詩樂論》與《史記十二諸侯年表考證》二書中看出。《詩樂論》之〈自跋〉敘述其寫作此書之宗旨，云：

> 禮以道行，樂以道和，曰禮樂。學詩以事君父，正樂以別雅頌，曰詩樂。興於詩，立於禮，成於樂，曰詩禮樂之通貫。舉數千年前之文物，措之行事，不敢以謬悠之說，荒唐之言，無端崖之辭，以求之無何有之鄉，廣莫之野，曰《詩樂論》。蓋以為《三百篇》者，發於孔子之前，民族情志之源泉也。自經學興而據之以言禮樂，其間蓄變之道，曲折深複而不能遽達，欲條而理之，以見仁心之寄，王跡之所存。[2]

　　《史記十二諸侯年表考證》雖名為《史記》，然其實際所考者卻在《左傳》，欲藉考證《史記・十二諸侯年表》與《左傳》之先後關係，來論證《左傳》早出，非劉歆偽作。其〈自序〉云：

> 溯《左氏》著錄，始於太史。〈十二諸侯年表〉明言《左氏春秋》，則〈表〉之所據，必有攸在。予於是校讀〈史表〉，得〈表〉之據《左》者數百條，視他書不啻倍蓰。而《春秋》編年，貽於《左氏》，《左氏》書法，□於馬遷，跌蕩昭彰，

　　人物小傳》（廣州：廣東人民出版社，2009 年，頁 616-617），及戴偉華：〈羅倬漢事蹟編年〉，《經學研究論叢》第 18 輯（2010 年 9 月），頁 1-9。
2 羅倬漢：《詩樂論》（臺北：正中書局，1970 年臺 1 版），頁 271。

更無掩飾。此史公明見今本《左氏》，不可誣也。[3]

不過他所運用的研究方法還是從考證入手，其自云《史記十二諸侯年表考證》云：

> 這是考證，目的是證明《左傳》出於戰國的可靠，為古史根據地樹下一點堅實基礎。其實古史考證是一件不容易得到一個結果的問題。[4]

而其對《詩樂論》亦有如下的自白：

> （此書）仍是以考證為主的，是接著《年表考證》說下來的，不過目的更明確些。但此書在考證中卻談到經學思想問題，而此經學思想，是以「情理雙融」的「仁」來貫串。……為「仁」樹立生命，為經學樹立生命。[5]

由此可知，二書的趨嚮為由《左傳》而古史，再由古史而經學。因此若說他為一位具有史學意識的經史學家，或甚至是一位道地純正的經學家，應不為過。

羅倬漢雖有經史之學專著行世，然而其聲名卻頗不彰。事實上，

---

3 羅倬漢：〈自序〉，《史記十二諸侯年表考證》（重慶：商務印書館，1943 年版），頁 1。

4 羅倬漢：《手稿》，原文未見，引自何國華：〈正直愛國的學者羅倬漢教授〉，頁 83。

5 羅倬漢：《手稿》，原文未見，引自何國華：〈正直愛國的學者羅倬漢教授〉，頁 83。

他在當代學界中也並非沒沒無聞，與世獨立的學人。例如他與許壽裳（1883-1948）就有著極為親近的關係，他們二人兩度在雲南澂江中山大學和成都金陵大學共事過，在澂江時，羅倬漢與浙東學人交往特密，曾自許與許壽裳、李季谷（1895-1968）、林覺辰（1894-1978）、章微穎（銳初，1894-1961）、林本橋（1898-？）等人為「澂江六逸」。[6]他們二人還曾與林覺辰、章微穎共寓居於一處。[7]根據刊布出來的許壽裳的日記也可以看到，在許壽裳一九四〇年至一九四四年間所寫的日記中就頻繁地記載他與羅倬漢的互動關係，包括書信往來、酬酢、聚會、訪視……[8]，而剛出版的《許壽裳書簡集》也收羅四通羅倬漢致許壽裳的信札[9]，這些都在在顯示出兩人交情之深厚。

除此之外，羅倬漢在抗戰期間還曾與錢穆（1895-1990）與顧頡剛（1893-1980）等知名學者有所交往，錢穆不但曾為《史記十二諸侯年表考證》寫過序，而且二人在成都時過往還頗為密切，錢穆稱其為在蜀「所交益友之一」。[10]顧頡剛亦有跟他通信，其中一封信即

---

6 戴偉華：〈羅倬漢事蹟編年〉，頁 5-60。又關於章微穎事請參李鍌：〈章銳初先生與臺灣國文教學〉，《漢學研究之回顧與前瞻國際學術研討會論文集》（臺北：國立臺灣師範大學國文學系，2006 年），頁 1-19。

7 許世瑛（1910-1972）：《許壽裳年譜》，收入北岡正子、陳漱渝、秦賢次、黃英哲編：《許壽裳日記：1940~1948》（臺北：國立臺灣大學出版中心，2010 年），頁 465。

8 一九四〇年的日記有三十三天的記載提及羅倬漢，一九四一年亦有二十五天，一九四二年有十五天，一九四三年有六天，一九四四年只有二天，以後就不再有關於羅倬漢的記載。在此五年的日記中，共有八十一天記錄了他和羅倬漢交往的點點滴滴。從這裡的確可看出二人非泛泛之交。

9 許壽裳：《許壽裳書簡集》（彭小妍、施淑、楊儒賓、北岡正子、黃英哲編校，臺北：中央研究院中國文哲研究所，2010 年），下冊，頁 1123-1136。

10 錢穆的序見羅倬漢：《史記十二諸侯年表考證》，頁 1-3；又見於錢穆：《素書樓餘瀋》，《錢賓四先生全集》（臺北：聯經出版事業公司，1998 年），

登錄在《史記十二諸侯年表考證》一書中。[11]至於他晚年在廣東任教
的階段，則與當時在廣州中山大學任教的陳寅恪（1890-1969）有所
往來，陸鍵東在《陳寅恪的最後二十年》書中提及陳寅恪晚年與羅
倬漢的交遊情況時，曾對他做了如此的評論：

> 羅氏在 1930 年代曾留學日本東京帝國大學研究院，專攻歷
> 史與哲學，嗜書如命，博覽廣採，1950 年代在廣東史界便以
> 「博學」知名。羅倬漢一生惜墨如金，雖然從未停止過治學，
> 但除早年有成名作《史記十二諸侯年表考證》及《詩樂記》
> （案：應為《詩樂論》）面世外，以後竟不屑再刊新著。[12]

第 53 冊，頁 8-10。錢穆與羅倬漢的交往，參錢穆：《師友雜憶》，《錢賓四
先生全集》，第 51 冊，《八十憶雙親師友雜憶合刊》，頁 257-258。

11 顧頡剛致羅倬漢的信寫於一九四一年八月二十七日，收錄於羅倬漢：《史記十
二諸侯年表考證》，頁 1。案：顧頡剛一九一六年秋進入北京大學中國哲學門
學習，一九二〇年春天畢業，羅倬漢晚他三年入北大哲學系就讀，因而二人
應當在學生時代就已結識。在顧頡剛的日記中首次記載他與羅倬漢的交往是
始於一九二七年十一月一日（顧頡剛：《顧頡剛日記》〔臺北：聯經出版事
業公司，2007 年〕，第 2 卷，頁 100），但二人頻繁往來還是在一九四〇到
一九四三年間，這段期間，他們不但有經常見面聚會的機會，而且顧頡剛還
常與他通信。（參《顧頡剛日記》第 4 卷，頁 441、452、460、473、490、495、
497、506、541、564、569、572、575-579、599、635、644、650、697、708；
第 5 卷，頁 39、60、74、137。）

12 陸鍵東：《陳寅恪的最後二十年》（臺北：聯經出版事業公司，1997 年），
頁 518。其他與羅倬漢有過學術交往的學者，就吾人掌握的資料所知者尚有楊
樹達（1885-1956）、劉節（1901-1977）與羅香林（1906-1978）等人。楊逢
彬整理的《積微居友朋書札》中曾收錄了一封羅倬漢於一九四八年六月二十
四日寄贈給楊樹達其所撰著之〈論經學〉一文，希望楊氏能加以裁正指教的
信札。（參楊逢彬整理：《積微居友朋書札》〔長沙：湖南教育出版社，1986
年〕，頁 196。）在楊樹達的回憶錄中也曾記載羅倬漢於一九四八年五月十五
日在廣州拜訪楊氏，並以其所著《史記十二諸侯年表考證》贈送楊氏，羅倬
漢還恭維楊氏：「今日善說金文者惟先生與郭沫若耳。」此外，在一九四

至於其著作之價值，亦並非無人知曉，如當代極負盛名的古史學者
李學勤就曾在其著作中對羅氏之《史記十二諸侯年表考證》有過正
面評價。[13]

年三月十二日，楊氏停留廣州期間，羅偉漢又去拜訪楊氏，並以其所著《詩
樂論》請其校閱。直至二十六日，羅偉漢復來拜訪，楊氏以讀該書之所見告
之，楊氏稱此書「頗有見到處」。（以上參楊樹達：《積微翁回憶錄》〔北
京：北京大學出版社，2007 年〕，頁 193、203、204。）在現存的劉節日記
中，亦可看到羅偉漢與任教廣州中山大學歷史系的劉節在一九五二至五三、
一九五七至五八及一九七二至七七年間有著頻繁的接觸與書信往返。（參劉
顯曾整理：《劉節日記》〔鄭州：大象出版社，2009 年〕，上冊，頁 267、
295、306、316、448、453、457、463、465；下冊，頁 752、787-788、818、
834-835、873、889、891-892、895、902-904、911-913、924、926、939-940、
942、944-946、951。）而羅香林也曾於一九三〇年五月五日寫給羅偉漢一封
題為〈與宗人執青論客家界說問題書〉的論學書信。（收錄於廣東省立中山
圖書館、香港大學馮平山圖書館編：《羅香林論學書札》，頁 20-22。）羅偉
漢曾針對此問題，於一九三一年五月連寫兩函給羅香林，為羅香林登載於《國
立中山大學文史學研究所月刊》1 卷 5 期（1933 年 5 月 25 日）。又羅常培
（1899-1958）在成書於一九四二年的《蜀道難》遊記中，敘及他在一九四一
年七月二十六日至四川成都考察華西、齊魯、金陵等大學時，他將這幾間大
學中文系的師資陣容做了番比較，其中在金陵大學的部分，他也提到了羅偉
漢，但並未做任何評論。（參氏撰：《蜀道難》，《羅常培文集》〔濟南：
山東教育出版社，2008 年〕，第 10 卷，頁 181。）案：羅常培記載羅偉漢為
金陵大學教授，然而錢穆《師友雜憶》卻稱羅偉漢為金陵女子文理學院教授
（頁 257），二人所記不同。不過羅常培《蜀道難》撰作時間在一九四一至一
九四二年間，見聞印象應較新鮮真確，而錢穆《師友雜憶》所記為晚年追憶，
難免失真，兩相比勘之下，羅常培的記載或許較符合真實情況。

13 李學勤在《東周與秦代文明》的〈導論〉中，曾從司馬遷《史記》關於春秋史
的敘述幾乎均出自《左傳》一書的角度，來證實《左傳》的史料價值，其印
證的資料之一就是《史記十二諸侯年表考證》一書。（參氏撰：《東周與秦
代文明》〔臺北：駱駝出版社，1983 年〕，頁 13、頁 16 註 6。）又其在《春
秋左氏傳舊注疏證續·序》中評論《左傳》係劉歆偽作說時，如此說道：「一
九四三年羅偉漢出版《史記十二諸侯年表考證》，說《史記》實據《左傳》，
『司馬遷時，《左傳》本子即已如此』，這個問題的論爭應該說已告結束了。」

　　但這些有限的學術交遊與學界評價畢竟仍然改變不了羅氏學術
成就及影響晦默無聞的事實，致使其在當代文史學界幾乎是一位被
遺忘的人物。然而無人聞問知曉與遭人遺忘不意味著其人其書之學
術成就一定低下拙劣，且學術影響之大小有無也不一定真實反映其
人其書之客觀學術地位。重要的是，吾人是否有仔細地探查學術史
的真實狀況與其中存在的種種細節，而這個工作對現代學術史的研
究而言，尤其重要。民國以來的經學和經學家，雖然看似資料不少，
相關論著亦甚豐富，但遺漏及未受正視的面向亦甚多，學界對羅倬
漢之經學內容及成就之把握幾乎呈現一片空白的窘狀就是一個很好
的例子。

　　羅倬漢之學術成就雖沈晦不彰，但這不意味著羅氏是個不問世
務，完全脫離或自外於其所身處之主流學術氛圍的學者。相反地，
在羅氏回國之後，雖然遭逢抗戰的亂世，但其時中國後方的學術機
構還是不受炮火的影響，弦歌不輟，照樣在運轉著。從其生平經歷
來看，羅倬漢當時是完全地投入及置身在這個機制中，擔任大學教
職、從事學術研究、寫作及發表學術論著，以及參與學術獎勵的活
動……等，與當時主流的學者沒有兩樣。在深受西方學術影響下的
中國現代學術機制中，學術獎勵的制度應是比諸如學歷、職級、年
資等更能客觀地反映或呈現學者實際學術成就的一項指標。因為獎
勵制度施行的基礎就在於公正、客觀的審查機制，而透過客觀、公
正的學術審查機制所施予的學術獎勵，理論上也應能在相當程度上
保證被獎勵者之實際學術成就。羅倬漢在一九四〇年代就曾積極地
參與由國民政府教育部所主導的學術獎勵活動，並且也獲得不錯的

（見吳靜安：《春秋左氏傳舊注疏證續》〔長春：東北師範大學出版社，2005
年〕，頁 2。）

成績,當時相關的審查及獎勵資料猶有所存留。在當今學界仍然普遍欠缺對羅氏學術成就具體了解的狀況下,本文擬從現代學術獎勵機制的視角切入,嘗試直接利用這些一手文獻史料,希望能夠較為有效地呈現羅氏的客觀學術成就,並以此為基礎,再嘗試解答諸如羅氏之影響、名聲與評價之相關問題。

第二節　現代學術獎勵機制與羅倬漢學術成就之肯定

左玉河在《中國近代學術體制之創建》一書中指出:「學術獎勵是現代學術體制運行之動力」,他觀察民國時期創建的學術獎勵機制,主要分為如下的三種類型:

> 一是現代大學設立的各項獎學金,旨在鼓勵和資助優秀學子從事學術研究,培養學術後備人才;二是民間新式學會及學術研究機構設立的各項獎勵金,對學術研究有突出成績者給予獎勵;三是政府設立各種獎勵金,對全國在學術研究有貢獻者給予獎勵。[14]

他還進一步地肯定:

> 這三類獎勵金之設置及其相應的規章制度之制定及實施,成

---

14 左玉河:《中國近代學術體制之創建》(成都:四川出版集團・四川人民出版社,2008 年),頁 608。

為中國現代學術獎勵體制初步建立之重要標誌。[15]

在這三類獎勵金中，羅倬漢所參與的正是由當時國民政府教育部所設立的獎勵機制，而主導及負責執行的機構就是著名的「學術審議委員會」（以下簡稱學審會）。關於教育部學審會的成立過程，在一九四八年由教育部教育年鑑編纂委員會所編修的《第二次中國教育年鑑》（以下簡稱《教育年鑑》）有清楚完整的記載。以下根據《教育年鑑》之所記及左玉河《中國近代學術體制之創建》所敘及者，將學審會設立之過程、職掌及所辦理的學術獎勵做一概略的敘述。

一九三八年四月，中國國民黨臨時代表大會通過的〈戰時各級教育實施方案綱要〉，其中第十二項規定：「全國最高學術審議機關應即設立，以提高學術標準」[16]，將學審會的成立正式提到全國教育與學術行政工作的日程表上。同年七月，國民參政會第一屆會議根據這項原則通過的〈各級教育實施方案〉，其中亦具體闡明了全國最高學術審議機構之任務。一九三九年七月，教育部即根據上述兩項文件之規定，制定了〈學術審議委員會章程〉，一九四○年三月呈准行政院公佈施行。根據該章程，學審會的任務一共有八項，分別為：一、審議全國各大學之學術研究事項；二、建議學術研究之促進與獎勵事項；三、審核各研究院所之碩士學位授予，暨博士學位候選人之資格事項；四、審議專科以上學校重要改進事項；五、專科以上學校教員資格之審查事項；六、審議留學政策之改進事項；七、

---

15 左玉河：《中國近代學術體制之創建》，頁 608。
16 見《中國國民黨抗戰建國綱領、戰時各級教育實施方案綱要、各級教育實施方案》（教育部印，1938 年 7 月），頁 6；又見教育年鑑編纂委員會編：《第二次中國教育年鑑》（臺北：文海出版社，1986 年），第一編，《總述》，頁 9。

審議國際文化之合作事項；八、審議教育部部長交議事項。[17]

學術獎勵正是這八項職掌任務中的第二項，而且也是戰時學審會實際運作最富成效，最具影響的學術審議工作之一。[18]本此法源基礎，學審會遂於一九四〇年五月一日，於第一次大會中通過〈補助學術研究及獎勵著作發明〉一案，其中關於「獎勵著作發明」的部分，旋由教育部照原案頒行〈著作發明及美術獎勵規則〉，明確規定了獎勵之範圍。其中「著作」分一、文學；二、哲學；三、社會科學；四、古代經籍研究。「發明」分一、自然科學；二、應用科學；三、工藝製造。「美術」則分一、繪畫；二、雕塑；三、音樂；四、工藝美術。而此項獎勵每年舉辦一次，由教育部就本國學者之著作發明及美術製作中，按照以上各類選拔若干種，予以獎勵。參加獎勵者之作品應以最近三年內完成者為限，且特就著作獎勵之範圍而言，凡中小學教科用書、通俗讀物、紀錄表冊或報告說明、三人以上合編之著作、翻譯外國人之著作、編輯各家之著作而無特殊見解者、字典及辭書及講演集均不在著作獎勵之列。而著作獎勵之審查標準亦有明確規定，大致包括作者觀點或所代表之思想是否正確、參考材料是否詳贍、結構是否完美、有無特殊創建、是否有獨立體系或自成一家之說、是否為有系統之敘述或說明、整理前人學說有無改進之點或特殊貢獻、是否適合國情或對於我國社會經濟及農工業各方面之影響如何、是否有學理根據、是否確係發明或創作等。至於給獎之標準則分為三等，一、具有獨創性或發明性，對於學術

---

17 以上參教育年鑑編纂委員會編：《第二次中國教育年鑑》，第六編，《學術文化》，頁 72；左玉河：《中國近代學術體制之創建》，頁 651-655。

18 其他幾項工作還有審查專科以上學校教員資格、審議部聘教授及休假進修教授、審議博士學位評定會組織法草案及博士學位考試細則草案，審核碩士學位候選人論文等，參張瑾：〈抗戰時期教育部學術審議委員會述論〉，《近代史研究》1988 年 2 期，頁 174-188。

確係特殊貢獻者，列為第一等；二、具有相當之獨創性或發明性而有學術價值，但不及第一等者，列為第二等；三、在學術上具有參考價值，或有裨實用，但不及第一等第二等者，列為第三等。雖分為三等，但一律嚴格審選，寧缺無濫。[19]

在實際執行的過程中，這套獎勵機制也力求公正與客觀，教育部聘請參與評審的專家學者，不僅有學審會之聘任委員，還動員了全國研究該領域深孚眾望的學者，這些學者包括曾任或現任大學教授，擔任有關該項著作或發明之學科者；或研究院所之研究員，原係研究該項學科者；或對於該項學科確有研究已有重要著作者，在學術界有相當高的學術權威，具有高深學術造詣者。從今日可見的資料中可以看到，楊樹達、熊十力（1885-1968）、張君勱（1887-1969）、吳宓（1894-1978）、朱光潛（1897-1986）、朱自清（1898-1949）與唐君毅（1909-1978）等當時的一流學者都曾擔任過審查的工作。[20]而

19　以上參教育年鑑編纂委員會編：《第二次中國教育年鑑》，第六編，《學術文化》，頁 72-73；左玉河：《中國近代學術體制之創建》，頁 636-640。案：根據一九四二年四月十六、十七日召開的學審會第三次大會（即全體委員會議）決審第一屆請獎作品時，會中決議第一等獎每類最多一名，每名獎金一萬元；第二等獎每類至多二名至四名，每名獎金五千元；第三等獎每類至多四名，每名獎金二千五百元。並且決議各類作品，一律嚴格審選，給獎名額，寧缺毋濫。（參教育部學術審議委員會：〈三年來學術審議工作概況〉，《高等教育季刊》2 卷 3 期〔1943 年 9 月〕，頁 121。）不過隨著通貨膨脹的加劇，獎金的金額也隨之劇增，對此問題的相關討論，請參註 27。

20　楊樹達就曾在回憶錄中屢次提及學術獎勵審查之事，如其於一九四六年十二月十八日的回憶錄中記道：「教育部學術審議會寄到徐復著《語言文字學論叢》請審查。」又於一九四七年九月十一日記道：「為學術審議會審查劉詠溙著《說文廢字輯略》，擬三等獎。」又於一九四八年十二月二十九日記道：「閱教育部委託審查某君著《文選註訂補》，給二等獎。」（以上分別見楊樹達：《積微翁回憶錄》，頁 178、185、202）徐復後來獲得一九四六、四七年度（第六屆）文學類三等獎（獲獎紀錄參附錄），可知楊氏應該是有讓徐復通過獎勵，但劉詠溙及某氏的得獎紀錄則未見。熊十力參與審查事參註 33。張君勱

在實際操作中,審查標準亦不斷修改,以力求完善。例如第一屆學
術獎勵標準採取「評分制」,即由審查人就審查作品之價值給予分
數,並加上評語,最後核填總分及總評。但在第二屆時就改為審查
人就有關各項詳加評判填注意見,最後於總評一欄敘明應否給予獎
勵及應予給獎之等第以作參考。[21](具體的審查案例及表格形式可參
下節)對於審查方式由簡略的評分改進為詳細的給獎理由之評語,

則曾審查唐君毅的《道德自我之建立》一書,審查意見表原稿複印及釋文見
楊儒賓、馬淵昌也編:《中日陽明學者墨跡》(臺北:國立臺灣大學出版中
心,2008 年),頁 64、107。唐書獲得一九四三年度(第三屆)哲學類的三
等獎。又據何兆武云:張君勱(1887-1969)亦是馮友蘭(1895-1990)於一九
四一年參獎作品《新理學》一書的審查者。(參何兆武口述、文靖撰:《上
學記》〔修訂版,北京:三聯書店,2009 年 2 版〕,頁 156。)吳宓參與審
查事則見其一九四三年十二月八日星期三日記中之所記:「晨,續撰〈審查
朱光潛《詩論》意見書〉,完。即連同原書,以航空快信($33)郵寄教育
部學術審議委員會。」(吳學昭整理:《吳宓日記》〔北京:三聯書店,1998
年〕,第 9 冊,頁 160。)吳宓應該有建議讓朱光潛獲獎,因為朱光潛就以《詩
論》一書獲得一九四三年度(第三屆)文學類的二等獎。至於朱光潛則是擔
任羅倬漢《詩樂論》的審查工作。(詳參第三節)而朱自清則曾審查洪深
(1894-1955)的《戲的念詞與詩的朗誦》一書,並建議給予三等獎。審查原
件見朱茂男、楊儒賓主編:《東亞朱子學者暨朱氏前賢墨跡》(臺北:中華
民國朱氏宗親文教基金會出版,2006 年),頁 51。此事在朱自清的日記中也
有所反應,其於一九四三年十一月十二日星期五記道:「讀完洪深的《戲的
念詞與詩的朗誦》。」又於同月二十八日星期日記道:「摘記《戲的念詞與
詩的朗誦》一文要點。」三十日星期二又記:「(赴)教育部。」(以上均
見朱喬森編:《朱自清全集》〔南京:江蘇教育出版社,1998 年〕,第 10 卷,
頁 267、270。)朱自清在審查書上落款的時間正好是「(民國)卅二年十一
月」,與日記正相吻合,而洪深的該部著作也獲得一九四三年度(第三屆)
文學類的三等獎。唐君毅亦曾審查單宴一(1909-1989)的《莊子天下篇薈釋》,
審查意見表原稿複印及釋文見楊儒賓、馬淵昌也編:《中日陽明學者墨跡》,
頁 65、108。)但此書未見得獎紀錄。(參附錄)

21 以上敘述參左玉河:《中國近代學術體制之創建》,頁 639。

左玉河認為這「無疑反映了審議標準之完善與進步」。[22]此外，審查
程序也力求周延與嚴謹，以第一屆學術獎勵之辦理情形為例，在收
到著作發明之申請案件後，學審會即先後送請專家二人分別初審及
複審，經初審複審均認為及格並由學審會第七次常會甄審，方提至
第三次大會決審。提至大會後，復由大會指定委員組織審查會嚴格
審選，最後再由全體會議議決最後得獎結果。[23]審查標準與程序之不
斷追求完善進步正代表著學審會所主導的這套獎勵機制在追求學術
公正與客觀上的努力與用心。

　　學審會所辦理的這項學術獎勵，從一九四一年度開始實施，一
直到一九四七年度結束，總共舉辦了六屆，羅倬漢分別於一九四一
年度（第一屆）及一九四二年度（第二屆）兩年獲得著作獎勵中的
「古代經籍研究類」的獎勵肯定。第一年獲得的是三等獎，參獎著
作是《史記十二諸侯年表考證》，第二年則得到了二等獎，參獎著作
是《詩樂論》。從統計資料來看，一九四一年度申請「古代經籍研究
類」的件數共有二十件[24]，獲得獎勵的有六件，通過率只有百分之三
十，但比所有申請件數（共二百三十件）獲得獎勵（共三十件）的
百分之十三通過率還是高了些。不過到了一九四二年度，「古代經籍
研究類」在總共有十一件申請的情況下，卻只有二件獲得獎勵，通
過率銳減至百分之十八。而與此同時，總通過率卻在一百六十六件

---

22 左玉河：《中國近代學術體制之創建》，頁 639。
23 教育部學術審議委員會：〈三年來學術審議工作概況〉，頁 121-122。
24 教育部學術審議委員會：〈三年來學術審議工作概況〉，頁 121。然《第二次
　　中國教育年鑑》中的數據則是十七件。（參教育年鑑編纂委員會編：《第二
　　次中國教育年鑑》，第十四編，《教育統計》，頁 96。）前者於審議過程細
　　節敘述較詳細，且亦撰作在前，因此其資料應較後者可靠。

申請，四十八件獲獎的情況下，暴增至百分之二十八。[25]

　　不但通過比率偏低，而且與他同年（一九四一及一九四二年度）得獎的學界名人與明星亦復不少，如一九四一年度獲哲學類一等獎的馮友蘭（獲獎作品為《新理學》）及二等獎的金岳霖（1895-1984，獲獎作品為《論道》）。同樣是古代經籍研究類，有獲二等獎的楊樹達（獲獎作品為《春秋大義述》）與陳啟天（1893-1984，獲獎作品為《韓非子校述》），獲三等獎的黎錦熙（1890-1978，獲獎作品為《方志今議》）、金景芳（1902-2001，獲獎作品為《易通》）等人。一九四二年度獲獎的人文領域知名學者有文學類三等獎的王力（1900-1986，獲獎作品為《中國語法理論》）、社會科學類二等獎的郭寶鈞（1893-1971，獲獎作品為《中國古銅器學大綱》）與胡厚宣（1911-1995，獲獎作品為《甲骨學商史論叢》）及三等獎的全漢昇（1912-2001，獲獎作品為《中國自然經濟》）、費孝通（1910-2005，獲獎作品為《祿村經濟》）與羅香林（《國父家世源流》）等人。[26]這些人或在當時，或在後世，或二者兼有，所享有的學術聲望與影響皆遠高過羅倬漢。更難能可貴的是，羅倬漢還不只一次獲得獎勵，而是連續兩年皆獲獎，這項殊榮在當時屬於人文學科諸領域的獲獎學者當中，也是不多見的。獲得三次的僅有名聲與影響比他大得多的楊樹達一人[27]，而同獲二次獎勵的也只有陸懋德（1888-1961?）、

25　參教育年鑑編纂委員會編：《第二次中國教育年鑑》，第十四編，《教育統計》，頁96。

26　獲獎名單見教育年鑑編纂委員會編：《第二次中國教育年鑑》，第六編，《學術文化》，頁73-78。

27　楊樹達獲得的是一九四一年度（第一屆）古代經籍研究類二等獎（得獎著作為《春秋大義述》）、一九四四年度（第四屆）工藝製造類下附此外獎助者（得獎著作為《積微居金文說》）、一九四六、四七年度（第六屆）文學類二等獎（得獎著作為《造字時有通借證及古文字研究》）。又關於得獎狀況，楊

施之勉（1891-1987）、陳延傑（1888-1970）、徐復（1912-2006）與
陰法魯（1915-2002）等五人而已！[28]（獲獎名單請參附錄）

樹達在回憶錄中亦有記載，如其於一九四二年四月十九日記道：「報載教育
部學術審議會獎勵著作名單：一等獎二人，為華羅庚、馮友蘭；二等十人，
首金岳霖，次為余；三等十七人，有陳銓、黎錦熙、陸懋德、羅倬漢等。二
十九人中屬文史科目者十一人。」（楊樹達：《積微翁回憶錄》，頁 130。）
楊氏此處所記為第一屆得獎情況。又其於一九四八年四月二十三日記云：「報
載教育部學術審議會決定余古文字研究得二等獎。」（同上，頁 192）此所記
為第六屆得獎情況。甚至連獎勵金之數目亦有記錄，如一九四二年第一屆獲
二等獎的獎勵金為五千元。（同上，頁 131）根據同年獲得哲學類一等獎的馮
友蘭的回憶，當時一等獎的獎金為一萬元，這筆錢在通貨膨脹還不十分厲害
的當時，算是一個相當大的數目。（參氏撰：《三松堂自序》，《三松堂全
集》，〔鄭州：河南人民出版社，2001 年 2 版〕第 1 卷，頁 96-97。）不過到
了國共內戰方酣的一九四八年，楊樹達雖亦獲得一九四六、四七年度第六屆
的二等獎，但獎金金額卻暴增至二千萬元。根據當時擔任學審會委員且時任
浙江大學校長竺可楨（1890-1974）在日記中的記載，他於一九四八年四月二
十一日在南京教育部參加學審會第三屆委員第一次會議時，當天會議議決通
過第六屆著作獎金計一等三千萬元，二等二千萬元，三等一千萬元。（竺可
楨：《竺可楨全集》〔上海：上海科技教育出版社，2006 年〕，第 11 卷，頁
93。）但當時物價水準如何呢？竺可楨在同年四月三十日，於杭州西湖的樓
外樓宴請張伯苓（1876-1951）等人晚膳，一席十人左右的酒菜要價五百萬元，
外帶小費、二成稅金、水果及車夫費用，共達八百萬元。（同上，頁 100。）
看來楊樹達領的獎金頂多只能在杭州西湖吃兩、三桌酒席。
28 陸懋德獲得的是一九四一年度（第一屆）社會科學類三等獎（得獎著作為《中
國上古史》）與一九四二年度（第二屆）社會科學類二等獎（得獎著作為《史
學方法大綱》）；施之勉獲得的是一九四四年度（第四屆）社會科學類三等
獎（得獎著作為《古史攟實》）與一九四六、四七年度（第六屆）社會科學
類二等獎（得獎著作為《漢史考》）；陳延傑獲得的是一九四四年度（第四
屆）文學類三等獎（得獎著作為《晡陽詩》）與一九四五年度（第五屆）古
代經籍研究類三等獎（得獎著作為《周易程傳參正》）；徐復獲得的是一九
四四年度（第四屆）古代經籍研究類三等獎（得獎著作為《後讀書雜誌》）
與一九四六、四七年度（第六屆）文學類三等獎（得獎著作為《語言文字學
論叢》）；陰法魯獲得的是一九四三年度（第三屆）美術類三等獎（得獎著

這樣的獎勵對得獎者本人在學術界的地位與名望的提升是否有實質的作用？金景芳的自述或許就對這個問題提供了部分的解答：

> 1939 年我在東北中學寫了一本小書，名為《易通》。它幫了我很大的忙。
>
> 第一，我依賴它獲得 1941 年教育部學術獎勵三等獎。
>
> 第二，1940 年我在東北中學任教務主任時，有人攻擊我沒有上過大學，不合格。我獲獎後，不但作中學教師合格，作大學教授也合格了。原因是，當時教育部新發文件規定，大學畢業可作助教。作助教四年，提出相當於碩士的論文，可作講師。作講師三年，提出相當於博士的論文，可作副教授。作副教授三年，提出相當於得學術獎勵的論文，可作教授。我已經獲得學術獎勵，當然作教授合格了。[29]

在這樣的學術機制與學術氛圍中，羅倬漢儕身其中，優而為之，用實際學術表現證明了自己的學術能力與成就。

第三節　朱光潛關於羅倬漢《詩樂論》之審查意見評析

在羅倬漢的兩次獲獎紀錄中，目前已知者，只有一九四二年度

作為《先漢樂律初探》）與一九四五年度（第五屆）音樂類獎助（得獎著作為《唐宋大曲之來源及其組織》）。

29 金景芳：〈金景芳自傳〉，收入陳恩林、舒大剛、康學偉主編：《金景芳學案》（北京：線裝書局，2003 年），上冊，頁 27。

第二次參獎的《詩樂論》仍留有原始審查意見資料。此審查意見書是由當時任教於四川嘉定樂山武漢大學的朱光潛所撰，原件複印刊載於朱茂男、楊儒賓所主編之《東亞朱子學者暨朱氏前賢墨跡》中。且不只於此，此書還一併刊登了朱光潛寫給教育部審畢的覆函一通，此函的內容如下：

> 承命審查羅倬漢先生《詩樂論》，茲已竣事。此書對於《詩經》研究貢獻頗多，為近數年來不易多得之著作。惟文字似欠剪裁，辭有不達意處，不免為白璧微瑕。鄙意以為可給第二等獎，是否有當？
> 尚聽卓裁　謹呈教育部二月一日[30]

在這封覆函中，朱光潛言簡意賅地對羅氏此書的正面價值與缺失做了清楚地評判，最後還建議給予二等獎。

　　但覆函畢竟仍只是簡略地述及審查結果，比較詳細完整的審查意見還是寫在審查意見書中，這篇審查意見書的格式分為前後兩部分二個欄位，前半部分的欄位依第二節所述，審查人應就有關各項審查標準詳加評判，並填注意見。後半部分就是總評一欄，在此欄內審查者敘明應否給予獎勵及應予給獎之等第以作參考。朱光潛在前後欄位中都填寫了密密麻麻，極為詳細的評語，錄之如下：

> 本書研究《詩經》，脫去章句訓詁窠臼，就全經要旨及其相關問題詳加考訂，頗多創見。舉其要義，略有三端。一、《詩經》編定寓有尊王之義，孔子正樂非刪《詩》，《詩》在孔子

---

30 朱茂男、楊儒賓主編：《東亞朱子學者暨朱氏前賢墨跡》，頁47。

正樂前已有定本，惟孔子亦略有增益及更動。二、論《詩》與樂之關係，風、雅、頌不同。雅為樂曲，存於《詩》先；頌又為歌，聲為主而舞容次之；風之名起於編《詩》之後，其始僅為歌謠，後始入樂。三、禮樂起於生活而微於宗教，極於政教一貫，情理雙融。詩與樂相通，亦與禮相會。此僅其粗略者，至於書中，因發揮要旨而涉及枝節問題，陳義甚多，茲難枚舉。

總評：

作者記問甚淵博，能貫通群經諸子，以自圓其說；不囿於漢宋而兼有漢宋之長。其意見頗新穎，而思想則甚平通達，無時下考據家穿鑿附會之病。本書為冥心孤往，慘澹經營之作，一望而可知。惟本書頗不易讀，其由有二：一、作者擅長在考訂而不在立論，其述考訂者尚能明白曉暢，而立論處則迷離恍惚，不易捉摸。二、全書文章組織似欠周密之斟酌，繁簡重輕未能安排適宜，例如論經今古文學及考訂《左傳》諸節本身雖多可取，而混入本書，不免令人易忘本題；第二篇第三章論封建諸節以及第四篇第二章論禮樂之情諸節，意本簡單而文則冗曼晦澀。論內容，可列第一等；以文字稍遜，擬置第二等。

審查人朱光潛卅二年一月八日[31]

---

[31] 朱茂男、楊儒賓主編：《東亞朱子學者暨朱氏前賢墨跡》，頁 47。案：關於朱光潛的覆函及審查意見書之文字辨識工作，承蒙臺灣師範大學國文系賴貴三教授的協助，方得以順利完成，謹識於此，一則聊表謝忱，二則以示不敢掠美。

與此審查意見書相比較，原件同樣收錄於《東亞朱子學者暨朱氏前賢墨跡》一書中的朱自清評審洪深《戲的念詞與詩的朗誦》一書之審查意見書，其在總評一欄中的評語就簡單的多了，只有「擬給予三等獎」六個字。[32]但這並不意味著朱自清輕率馬虎，而是原來的評審辦法就是如此規定的。因此對於評審字數的多寡，只能說朱光潛太過認真，而不能說朱自清態度怠慢。[33]

綜合朱光潛的兩份材料，可知他對羅倬漢《詩樂論》一書的審查意見大致分為四個部分：一、全書主旨要義之撮述；二、該書之優點及價值；三、該書之缺失及值得改進之處；四、給獎等第之斟酌。第四部分是根據前面三部分的評審意見而來，所以前面三者才是朱氏評審的重點。朱光潛一開始先扼要地指出此書的要旨略有三端，包括：《詩經》與孔子的關係、《詩》與樂的關係，以及闡述詩樂相通、詩禮相會的道理。從其評語中亦可以看得出朱光潛對羅氏此書的研究是頗為稱許的，不但讚美此書的實質價值（「脫去章句訓詁窠臼，就全經要旨及其相關問題詳加考訂，頗多創見」、「意見頗新穎，而思想則甚平通達，無時下考據家穿鑿附會之病。」），而且也對羅倬漢的學問根柢（「作者記問甚淵博」）與治學方式（「能貫通群經諸子，以自圓其說」、「不囿於漢宋而兼有漢宋之長」等）均多

32　朱茂男、楊儒賓主編：《東亞朱子學者暨朱氏前賢墨跡》，頁51。

33　案：熊十力當時也有參與學審會著作獎勵的審查，然而熊十力卻雅不願撰寫審查意見，為此，他還致函學審會大發牢騷，其云：「……可獎就獎他，認為不可獎，就另行包好寄還他了事，何必發下什麼評語。審查酬金，我尚未取。論看了，則可受；論未填表，則又似不好受，不填表可否受？還是請賜示便遵為要，表則絕不填也。我亦不願為今日這幾元得罪人也，老實話也。實則不必獎的，僅可寄還者，不須發什麼致語與他。輕獎，也是於人心與學風有大害。……」（原件複印及釋文見楊儒賓、馬淵昌也編：《中日陽明學者墨跡》，頁67、108。）

所肯定。因此,就總體來看,無怪乎朱光潛對該書有如下的美評了:「此書對於《詩經》研究貢獻頗多,為近數年來不易多得之著作。」

但朱光潛也不是只會一味講好話,極力地吹捧此書,他畢竟是一位訓練有素且經驗老到的學者,他從文字表達及組織結構兩方面對羅氏此書提出了較為嚴厲的批評。整體來看,他明確指出羅倬漢此書「頗不易讀」,造成讀者不易讀的原由有二,一在作者的文字表達欠清晰,二在全書文章之組織欠周密。就前者而言,朱氏直指羅倬漢長於考訂而不擅立論,故凡涉及立論的地方,皆不免給讀者「迷離恍惚,不易捉摸」的感覺。再就後者來說,朱光潛認為羅氏此書的章節結構存在著「繁簡重輕未能安排適宜」的問題,在全書的主幹脈胳外,混入太多枝節問題的討論。全書既以《詩》與樂為立論主軸,但朱氏指出,「論經今古文學及考訂《左傳》諸節本身雖多可取,而混入本書,不免令人易忘本題」,又如「第二篇第三章論封建諸節以及第四篇第二章論禮樂之情諸節,意本簡單而文則冗蔓晦澀。」這樣的寫作立論方式,讓一向注重表達的朱光潛也不得對其有「文字似欠剪裁,辭有不達意處,不免為白璧微瑕」的微詞。當然,這也無可避免地影響到了朱光潛對羅氏此書的總體評價,所以在給獎等第之斟酌上面,他才有如下的評語:「論內容,可列第一等;以文字稍遜,擬置第二等。」

專研文藝心理學的朱光潛對寫作表達之道的確是非常講究的,他在抗戰年間出版,且獲得一九四三年度文學類二等獎的《詩論》,其中第四章〈論表現〉就專門探討情感思想與語言文字的關係,他以自己的經驗現身說法道:

> 我作文常修改,每次修改,都發現在話沒有說清楚時,原因都在思想混亂,把思想條理弄清楚了,話自然會清楚。尋思

必同時是尋言，尋言亦必同時是尋思。[34]

而同樣在抗戰期間寫成的《談文學》一書，其中〈作文與運思〉一篇亦有類似的觀點，其云：

> 思想不清楚的人做出來的文章決不會清楚。思想的毛病除了精神失常以外，都起於懶惰，遇著應該分析時不仔細分析，應該斟酌時不仔細斟酌，只圖模糊敷衍，囫圇吞棗混將過去。[35]

朱光潛本人顯然能身體力行這點，所以他寫的書都以曉暢清晰出名，如朱自清在一九三二年為朱光潛的名著《文藝心理學》寫序時，就讚美此書：

> 全書文字象行雲流水，自在極了。他像談話似的，一層層領著你走進高深和複雜裡去。他這裡給你來一個比喻，那裡給你來一段故事，有時正經，有時詼諧，你不知不覺地跟著他走，不知不覺地「到了家」。他的句子，譯名，譯文都痛痛快快的，不扭捏一下子，也不盡繞彎兒。這種「能近取譬」、「深入顯出」的本領是孟實先生的特長。[36]

34　朱光潛：《詩論》，《朱光潛全集》（合肥：安徽教育出版社，1996 年 1 版），第 3 卷，頁 102。

35　朱光潛：《談文學》，《朱光潛全集》第 4 卷，頁 206。

36　朱光潛：《文藝心理學》，《朱光潛全集》第 1 卷，頁 525。

朱光潛所論原只是針對一般人作文章或作家創作詩文的狀況,但語文表達的道理其實都是相通的,學術作品的寫作更需要條理的表達,羅倬漢此書的表達方式顯然就不符合朱光潛的標準。不但行文出之以艱澀的文言文,而且篇章結構有欠缺周密的組織,時而在枝節問題上歧出或在某些細節地方做太過冗曼的討論,以致無法突顯全書的主要論旨,最終使讀者不易理解作者在該書中所欲傳達的訊息,如此一來,自然限制了該書的流傳與學術影響力。

第四節　結論

　　透過具公信力的現代學術獎勵機制來衡量羅倬漢的學術成就,自然有其一定的客觀性,因為這個獎勵機制畢竟是建立在嚴謹的學術審查制度的基礎上。但無論如何,僅憑一兩次的獲獎紀錄及少數同行專家學者的評審,還是無法充分有效地呈顯當事人的全幅學術成就。但這是所有評審及獎勵機制所共同存在的問題,要靠某一兩次的得獎紀錄或評審過程來證明某學者的實際學術成就,無異緣木求魚。因此若欲對羅倬漢的學術有更真實而準確地把握與評估,仍有待於學界持續地對其著作做更全面、更深入地探究。戰時學審會的獎勵制度及朱光潛對《詩樂論》的審查意見已經為吾人提供了很好的參考基點。

　　不過衡量學術成就是一回事,評估學術名聲與學術影響又是另外一回事。學術成就不等於學術聲望,而學術成就與聲望也不保證學術影響的廣大與否。縱使吾人能重新表彰羅倬漢的客觀學術成就,也能夠從當代學人的傳記資料中勾稽出羅氏的交遊與時人的相關評價,從而多少還原羅氏在當代學界可能俱有的學術名聲,但這

依然無法改變羅氏在當時及後世影響俱不彰著的事實。更具體地來說，就是羅氏那兩本經學著作似乎根本不在當代學界發揮任何影響力的窘狀。分析其中可能的原因，或許這兩本書皆是出版於兵荒馬亂的抗戰時期，以至於流通不廣，再加上戰後乃至於中共建政後，此二書皆未能再版（《詩樂論》有在臺灣再版過），所以使得許多人根本不知道有這兩本書的存在，或者即使知道，但也尋覓無門。此外，羅氏在一九四九年後又很少發表學術著作，也削弱了他在學界的實質影響力。但如果暫時撇開外在的因素不論，單從學術內部的角度，或許也能找出一些蛛絲馬跡。例如朱光潛所批評的「文字似欠剪裁，辭有不達意處」及「立論處則迷離恍惚，不易捉摸」的表達問題，使得讀者不易理解其論旨，自然也對其學說之推廣傳播造成不利的影響。又如他此二書所論者皆是道地而純正的經學課題，《史記十二諸侯年表考證》更是直接關涉到晚清民初以來的以《左傳》真偽為核心的今古文學之爭。但顧頡剛在一九三七年四月二十一日嘗寫下如下的一段話，頗發人深省，其云：

> 近來學者厭倦於經今古文學的爭論，相率閉口不談這個問題，但古史問題又是非談不可，於是牽纏於漢人的雜說，永遠弄不清楚。[37]

是否是因為經今古文學的問題已不再讓當時的學者感到興趣，因而連帶使得討論這一議題的著作皆不易獲得學界的共鳴，自然就造成羅氏此書無人聞問的情況？而與此同時，經學這門學問在當時也退出人文學術的主流中心地位，所以也不易使學界將目光聚焦於大談

---

37 見顧潮編著：《顧頡剛年譜》（增訂本，北京：中華書局，2011 年），頁 307。

經學思想的《詩樂論》一書上。[38]

　　從羅倬漢的例子可知，民國年間所開始施行的現代學術獎勵與審查機制本身，確實可以對吾人在民國學術史的研究上提供不少的助益。而其中所存留下來的相關資料（尤其是審查意見書），更是蘊藏了許多有價值的學術資源，有待開發。這其中最著者當推陳寅恪與金岳霖（1895-1984）為馮友蘭《中國哲學史》所撰寫的審查報告。[39]而當代學人的日記及傳記資料中亦保留了不少有關這方面的記載，如楊樹達在回憶錄中就屢屢記載審查之事，如其於一九三四年十月十八日及一九三五年十一月二十二日就有他審查許維遹（1900-1950）送交清華大學出版之《呂氏春秋集釋》一書之紀錄，他對許氏未盡照其意見修改，頗致不滿。[40]又如其於一九四六年十二月二十四日記道，他受教育部之請，審查張震澤所著《許慎年譜》一書，他對張氏考定許慎生於東漢明帝永平七年（公元 64），不予苟同，認為「並無明據」。[41]又如錢穆在《師友雜憶》中亦提及他的《先秦諸子繫年》當年申請列入《清華叢書》中，但最終審查未過，反對者正是馮友蘭，他的意見是「主張此書當改變體裁便人閱讀」。[42]這方面的史料一方面可以讓吾人對學術審查機制的運作及在學人心理、學術社群及整個學術生態間所生發的作用與影響有更深入且親切地認識；另一方面也可略窺審查者的學術主張及其審查標準。這些不但深具學術史的價值，而且或許在某種程度上，更富含現實的意義。

---

38 關於此問題的討論，請參第一章。

39 馮友蘭：《中國哲學史‧上》，《三松堂全集》第 2 卷，頁 612-619；《中國哲學史‧下》，《三松堂全集》第 3 卷，頁 460-462。

40 楊樹達：《積微翁回憶錄》，頁 62、75-76。

41 楊樹達：《積微翁回憶錄》，頁 178。

42 錢穆：《師友雜憶》，頁 162。

附錄：一九四一年至一九四七年度學術審議委員會著作獎勵獲獎名單

一九四一年度（第一屆）	一九四二年度（第二屆）
文學類	文學類
・三等獎四名 邵祖平 《培風樓詩續存》 盧　前 《中興鼓吹》 陳　銓 《野玫瑰》 曹　禺 《北京人》	・三等獎三人 王　力 《中國語法理論》 唐玉虬 《國聲集及入蜀稿》 孫為霆 《巴山樵唱》
哲學類	哲學類
・一等獎一名 馮友蘭 《新理學》 ・二等獎一名 金岳霖 《論道》 ・三等獎二名 李柏顯 《朱子哲學》 王萬鍾 《孫文學說疏證》	・三等獎一人 劉　奇 《論理古例》
哲學類（續）	古代經籍研究類
古代經籍研究類	・二等獎一人 羅倬漢 《詩樂論》 ・三等獎一人 丁超五 《易理新詮》
古代經籍研究類	社會科學類
・二等獎二名 楊樹達 《春秋大義述》 陳啟天 《韓非子校述》	・二等獎四人 郭寶鈞 《中國古銅器學大綱》 陸懋德 《史學方法大綱》 胡厚宣 《甲骨學商史論叢》

（續）

·三等獎四名 　黎錦熙　《方志今議》 　羅倬漢　《史記十二諸侯年表考證》 　賀栩慶　《周易卦序研究》 　金景芳　《易通》	胡元義　《破產法》 ·三等獎六人 　全漢昇　《中國自然經濟》 　張印堂　《滇緬鐵路沿線經濟地理》 　吳文暉　《中國土地問題及其對策》 　費孝通　《祿村經濟》 　張金鑑　《人事行政學》 　羅香林　《國父家世源流》
社會科學類	
·二等獎一名 　胡煥庸　《縮小省區方案研究》 ·三等獎一名 　陸懋德　《中國上古史》	

一九四三年度（第三屆）	一九四四年度（第四屆）
文學類	**文學類**
·二等獎一人 　朱光潛　《詩論》 ·三等獎五人 　程伯臧　《影史樓詩抄》 　宗　威　《度遼吟草及劫餘吟》 　洪　深　《戲的唸詞與詩的朗誦》 　高華年　《昆明核桃等村土語研究》 　鄒賢夫　《斷藤記傳奇》	·二等獎二人 　羅根澤　《周秦兩漢文學批評史》 　李嘉言　《賈島年譜》 ·三等獎八人 　馮沅君　《古優解》 　李辰冬　《紅樓夢研究》 　方　重　《英國詩文研究》 　祝文白　《文選六臣註訂譌》 　陳紀瀅　《新中國幼苗的成長》 　陳延傑　《晞陽詩》 　酈承銓　《顧堂詩錄》 　繆　鉞　《杜牧之年譜》
哲學類	
·一等獎一人 　湯用彤　《漢魏兩晉南北朝佛教史》	

・三等獎二人 　唐君毅　《道德自我之建立》 　胡世華　《方陣概念之分析》	**哲學類** ・二等獎一人 　黃建中　《比較倫理學》
古代經籍研究類 ・二等獎一人 　聞一多　《楚辭校補》 ・三等獎二人 　王如心　《孟子趙朱異注纂疏》 　錢基博　《增訂新戰史例孫子章句義》	**古代經籍研究類** ・一等獎一人 　勞　幹　《居延漢簡攷釋》 ・二等獎一人 　吳毓江　《墨子校注》 ・三等獎三人 　徐　復　《後讀書雜誌》 　蔣禮鴻　《商君書錐指》 　張國銓　《新序校注》
社會科學類 ・一等獎二人 　陳寅恪　《唐代政治史述論稿》 　劉　節　《中國古代宗族移殖史論》 ・三等獎十一人 　曾資生　《中國政治制度史》 　鄭天廷　《發羌之地望與對音等論文 　　　　　三篇》 　王煥鑣　《曾南豐年譜》 　鄧廣銘　《宋史職官志考證》 （以下皆屬法律、經濟、社會、教育等 領域，茲不錄。）	・二等獎五人 　蕭一山　《清史大綱》 　簡又文　《太平軍廣西首義史》 （以下三人屬法律、經濟領域，茲不 錄。） ・三等獎十六人 　藍文徵　《中國通史》（上卷） 　洪啟祥　《古代中日關係之研究》 　施之勉　《古史撫實》 　王伊同　《五朝門第》 　吳　康　《新人文教育論》 （以下皆屬政治、外交、社會、經濟諸 領域，茲不錄。）

（續）

一九四五年度（第五屆）	一九四六、四七年度（第六屆）
文學類	**文學類**
• 二等獎二人 　柴德賡　《鮚埼亭集謝三賓攷》 　姚薇元　《鴉片戰爭史事攷》 • 三等獎七人 　孫文青　《南陽草店漢墓畫像集》 　嚴濟寬　《中國民族女英雄傳記》 　李秀峯　《成人教養之實驗》 　王玉哲　《鬼方攷》 　許澄遠　《魏晉南北朝教育史》 　張德琇　《語數位形測驗之編造與試 　　　　　用》 　段青雲　《選學叢說》 • 獎助者五人 　許毓峯　《周濂溪年譜》 　朱謙之　《哥倫布前一千年中國僧人 　　　　　發現美洲說》 　李曼瑰　《女畫家》 （餘二人屬教育領域，茲不錄）	• 二等獎一人 　楊樹達　《造字時有通借證及古文字 　　　　　研究》 • 三等獎一人 　徐　復　《語言文字學論叢》
	哲學類
哲學類	• 二等獎一人 　張西堂　《顏習齋學譜》
• 三等獎二人 崔書琴　《三民主義新論》 金平歐　《心理建設論》	**社會科學類**
	• 二等獎三人 　馬學良　《撒尼保語語法》 　施之勉　《漢史考》 　劉銘恕　《中外交通史論叢》 • 三等獎四人 　曾仲謀　《廣東經濟發展史》 　張秀勤　《日本史正名篇》 　竇季良　《同鄉組織之研究》 　徐松石　《奉族獞族粵族考》 • 受獎助者一人 　黃貴祥　《文盲字彙研究》
社會科學類	**古代經籍研究類**
（得獎諸人純屬社會科學諸領域，茲不 錄。）	• 三等獎二人 　胡樸安　《周易古史觀》 　楊明照　《漢書顏注發微》

古代經籍研究類	
・三等獎二人 　陳延傑　《周易程傳參正》 　蘇維嶽　《詩經叢著》	

案：一九四四年度（第四屆）在工藝製造類下附「此外獎助者八人」，與人文領域
　　有關之名單如下：

　　楊樹達　《積微居金文說》

　　楊蔭瀏　《本國音樂史綱》

　　朱相顯　《宋明哲學》

又案：在一九四三年度的美術類及一九四五年度的音樂類，亦均有與人文領域學
　　者之學術著作獲獎，前者有張清常（獲獎作品為《中國上古音樂史論叢》）及
　　陰法魯（獲獎作品為《先漢樂律初探》），後者則有陰法魯（獲獎作品為《唐
　　宋大曲之來源及其組織》）。

原發表於香港浸會大學中文系與中央研究院中國文哲研究所合辦之
「中日韓經學國際學術研討會」，2010 年 5 月 27 日。又刊於《經學
研究論叢》第 18 輯（2010 年 9 月），頁 19-42。

第六章

典範轉移與建立中的現代《詩經》學
——趙沛霖《現代學術文化思潮與詩經研究：二十世紀詩經研究史》評析

第一節　引言

在人文學術日趨專業化與體制化的當代學術環境中，研究論著的發表、基本典籍文獻的整理、專業性的工具性書籍（如目錄、資料彙編等）之編纂、相關學術會議的召開、研究計畫的提出與執行等，皆是衡量或評判某一學門或研究領域的學術水平與總體表現的重要指標。但學術除了是一種「活動」之外，更重要的是，它還是一種「事業」，一種繼往開來、永續經營的事業，或用韋伯（Weber Max ，1864-1920）的話來說：「一種志業」。因而對某一學門或學術領域在其專業範圍內的表現所做的評估，就不應只注視在短期或近期的時間範圍內所進行的種種學術活動，而應放眼於長期的時間脈絡中的整體學術成就。帶有回顧與總結性質的專業學門或研究領域的學術史，不但在促進與提升其學門領域的整體研究水平方面扮演著重要的角色，而且這類論著在評估學門領域的總體表現時所具有的指標意義，不但不遜於前面所提及的各種指標，而且在重要性方面還可能更勝過其中的某些指標，特別是對並非身處該學門領域的人們來說，更是如此。

　　從這個意義來說，則不得不說，在深受西方影響下所形成的中國現代人文學術中，《詩經》研究的表現與成果確實是極為突出的，幾部記錄這段時期的《詩經》學史的論著就充分有力地證明了這點，如林慶彰先生的〈近四十年臺灣詩經學研究概況〉[1]、楊晉龍的〈臺灣近五十年詩經學研究概述（1949-1998）〉[2]、夏傳才的《二十世紀詩經學》與趙沛霖的《現代學術文化思潮與詩經研究——二十世紀詩經研究史》等。[3]這幾部現代《詩經》學術史論著各有千秋，林文與楊文著重描述臺灣近五十年來的《詩經》研究成果，夏氏與趙氏的論著則以整個二十世紀的中國《詩經》學為論述範圍，包括臺灣在內的海外研究成果並非其討論重點。[4]夏氏與趙氏的《詩經》學史雖有共同的論述範圍，但二書的寫法並不相同，夏書以時間序列為線索，平鋪直敘，眉目清楚，給讀者提供一簡易平實的理解架構。趙書則以議題為主，用作者的話來說，即是「時代學術文化思潮」

1　林文刊於《文學遺產》，1994 年 4 期。

2　楊文原載於《漢學研究通訊》20 卷 3 期（2001 年 8 月），頁 28-50；修訂版以〈詩經學研究概述〉為題收入林慶彰主編之《五十年來的經學研究》（臺北：臺灣學生書局，2003 年）。楊教授亦嘗撰有〈近五十年臺灣詩經學研究概述〉一文（國科會人文學中心委託計畫，1998 年）。此文據云長約八萬多字，內容當較前文詳細，惜迄今仍未刊布，筆者未曾寓目。此外楊教授某些單篇論文亦有涉及臺灣近五十年《詩經》研究之回顧與檢討者，如〈開闢引導與典律：論屈萬里與臺灣詩經學研究環境的生成〉（收入《屈萬里先生百歲誕辰國際學術研討會論文集》，臺北：國家圖書館等編印，2006 年）、〈論二十世紀五〇年代後臺灣學者對秦風兼葭的詮釋〉（發表於臺北：世新大學人文社會學院主辦之「兩岸三地詮釋學與經典詮釋」學術研討會，2007 年 5 月 5 日），讀者可一併參看。

3　夏書由北京學苑出版社於 2005 年出版，趙書亦由北京學苑出版社出版，出版時間是 2006 年。

4　夏氏書將臺灣與香港的《詩經》研究成果並列一章敘述，參氏撰：《二十世紀詩經學》，第 10 章。趙氏書則將臺灣的部分放在海內外學術交流一章中來處理，參氏撰：《現代學術文化思潮與詩經研究——二十世紀詩經研究史》，第 11 章。

（頁 20），因此所呈顯出的《詩經》學史內容自然就是比較深入繁複的論述，這樣的論述方式已經不只是做單純的學術回顧，而是有意地對二十世紀既有的《詩經》研究成果做一全面的總結與反省，並希望從中開展出更具前瞻性與開創性的《詩經》研究方向與方法論建構。這樣帶有整體學術研究領域檢討與反省性質的專業學術史論著所提供的不是單純地對既有成績的總結表列，而是某種雙向的學術對話，一方面與既存且發生實際作用與影響的學術成果對話，另一方面則又與那尚未全然發生但卻又方興未艾的新興學術趨勢與可能發展的契機對話，用司馬遷寫史時所自覺意識到的書寫精神來說的話，即是他所謂的「述往事，思來者。」[5]本文選取趙書做為評介對象，除了這是一部範圍較全面的現代《詩經》學著作外，最主要的理由就是此書提供了一個很好的學術對話架構，吾人不但可從此書中所闡述的議題展開與作者的對話，而且也可與其所論述的現代《詩經》學直接進行對話。

第二節　趙書的主要內容

趙氏這部詳細論述二十世紀《詩經》研究史的論著連同緒論與結論，一共有十三個章節，其主體部分則是以其所謂的「時代學術文化思潮」的議題呈顯方式來逐章展開論述，這些議題包括：《詩經》學的傳統和轉型（第一章）、疑古辨偽思潮與《詩經》研究（第二章）、唯物史觀與《詩經》研究（第三章）、極左思潮干擾下的《詩經》研究（第四章）、文化意識與《詩經》研究（第五章）、《詩經》學術史

---

5 見司馬遷：《史記》（臺北：鼎文書局，1993 年），〈太史公自序〉，卷 130，頁 3300。

研究的勃興（第六章）、文化人類學與《詩經》研究（第七章）、二十世紀考古發現與《詩經》研究（第八章）、現代學術意識與《詩經》傳注訓詁（第九章）、大眾化意識與《詩經》的白話文翻譯（第十章）、開放意識與《詩經》研究的海內外學術交流（第十一章）等。章節的排列大致依照其論述的這些時代學術文化思潮發生的時間序列，但從第七章開始所討論的議題在二十世紀《詩經》研究史中所真正發生的時間，與其章節呈現的次序位置並不那麼一致。如用文化人類學的觀點來研究《詩經》，這種做法早在二十世紀三、四十年代即已開始了（頁17），而這個時間點只比《詩經》研究深受疑古辨偽思潮和唯物史觀影響的年代略晚一些。趙氏這麼處理，主要還是著眼於用文化人類學的觀點來進行《詩經》研究的方式不是只流行於三、四十年代，而是一直持續到二十世紀的最後二十年，並且在其時取得顯著的發展與成績。如此一來，將這章置於較後面的章節位置來論述，當然有其合理性。考古發現、傳注訓詁與白話翻譯等章的安排應也是基於同樣的考量。

　　不過可能因為須論述的議題太過龐雜繁複了，而整個二十世紀的歷史變動又太過劇烈波折了，讀者在仔細閱讀過後，誠然可以對個別具體的議題內容與相關細節具有深入的了解，但卻可能無法在腦海中形成一幅較清晰的二十世紀《詩經》學史發展脈絡的整體圖像。其實只要將上述章節加以稍做歸納重組一番，應該就不難達到這個效果。這個重組的架構包括五個部分，開始的部分是基本史觀架構的提出，此即趙書在第一章中對《詩經》學的傳統和轉型的描述。在這裡，趙氏將傳統《詩經》學和經過現代轉型所形成的《詩經》學做了強烈的對比，他認為現代《詩經》研究的轉型主要表現在下述四個方面，即一、由經學向科學的轉化；二、研究方法的變化；三、新語言、新概念的引入和創造；四、研究成果形式的變化。

（頁45-53）第二部分則是敘述在《詩經》研究現代轉型的早期階段中的主要成績，這主要表現在疑古辨偽思潮與唯物史觀的籠罩下所產生的《詩經》研究，趙沛霖在書中用略帶吃驚與若有憾焉的語氣提出以下這個引人深思的問題：「為現代《詩經》學開路的歷史任務，為什麼主要不是由文學家承擔，而歷史地落在了以顧頡剛為首的史學家肩上？」（頁56）第三部分是對二十世紀《詩經》研究的某些特殊發展及嶄新的學術面向的介紹，這其中包括第七章所論述的文化人類學、第八章所提及的考古發現，以及第十一章對開放意識與海外學術交流的關注等。第四部分則是對中國大陸近數十年來在特殊的政治、文化氛圍中所產生的《詩經》研究成果所做的平實報導，第四章與第五章分別對極左思潮干擾下的《詩經》研究與八十年代改革開放後所興起的「文化熱」下，所形成的《詩經》研究。最後一個部分是對《詩經》既有研究成績的展現方式之思考，這包括了學術史的回顧、傳注訓詁的研究與呈現，以及白話翻譯本的出版等。趙氏書的第六、九、十章就分別處理這些議題。

　　經過以上的重整，該書學術史的脈絡應該可以更加清楚鮮明的呈現出來，而其所論述的這些「時代學術文化思潮」在二十世紀《詩經》研究史中所起的作用及其佔有的位置，相信也可以更好地為吾人所把握。例如若從學術內在的方法論的應用或特殊研究方式的提出的角度來評估的話，則第三部分所論述的內容無疑是極具價值的，但若從外在的學風思潮與政治文化氛圍來觀察這個時期《詩經》研究的走向與表現的話，第二與第四部分所討論的內容就提供讀者一個不錯的理解場域。而這兩者又有不同，前者的《詩經》研究主要是受到當時所盛行的主流學術思潮所影響，而後者的《詩經》研究則係因政治上的意識型態與某種特殊文化氛圍的籠罩下所形成的。至於第五部分所討論的內容，一方面是《詩經》研究的自然發

展結果,如學術史的回顧與傳注訓詁的呈現;但也有因應外在學風思潮與時代意識所產生出來的成果,如早期白話譯本的出現就與大眾意識的興起與盛行脫離不了關係。

第三節　趙書的特色與殊勝之處

　　趙沛霖教授這本洋洋灑灑,篇幅將近五百頁的現代《詩經》學史新著不是只在內容的豐富與論題的寬廣等「量」的方面,給人深刻的印象,更重要的是作者本人憑藉著嚴謹的治學、深厚的學養,以及在《詩經》研究的領域上辛勤耕耘所累積來的豐富經驗[6],從而使本書在「質」的方面也達到極高的學術水平。此書之所以能取得這樣的成績,就筆者淺見,其中最可值得稱道之處就表現在作者具有強烈的方法意識與學科建設的企圖、開放的精神與廣濶的視野、高度的批判反省精神這三個面向上,以下不妨依序逐一論列。

　　(一)方法意識的自覺與學科建設的企圖。看過此書的讀者相信都很難不為趙氏強烈的方法意識及學科自覺留下深刻的印象。翻開此書的第一個章節,映入眼簾的是〈緒論——關於學術史的一些思考〉,而闔上書卷的最後一個章節則是〈總論——現代詩經學的學科建設〉,以方法論的思索始,以學科建設的總結終,顯示出趙氏本人確實是深受當代學術意識薰習的現代型學者。所謂現代學術意識用他自己的話來說明,即是:「以科學觀念和科學方法為基礎的學術意識」,其與傳統學術意識判別的主要標準就在於「有無嚴格的科學

---

6 趙氏關於《詩經》學的研究,除了本書之外,尚有《興的源起:歷史積澱與詩歌藝術》(北京:中國社會科學出版社,1987年)與《詩經研究反思》(天津:天津教育出版社,1989年)等書。

精神」。（頁 316）現代學術的訓練與素養最具體地展現於他在此書
第一章中所勾勒出的現代《詩經》學的史觀架構：由傳統朝向現代
的轉型。趙氏在此書所看重的主要也正是這些具現代意義或深受現
代學術啟迪的《詩經》研究成果。[7]為了較好地將這些深受現代學術
文化影響的研究成果在學術史的框架與脈胳中呈顯出來，趙氏在〈緒
論〉一章中花了很多筆墨去探討學術史的寫法，或其所謂的「學術
史的建構模式」（頁 2），最後他決定揚棄較通行的以學者為基本單
元的所謂「列傳式」的寫法，而採取他所提出的「時代學術文化思
潮」的「開放式」的建構模式來撰寫二十世紀《詩經》學術史，因
為他認為：

> 學術發展與時代學術文化環境的統一，學術研究與宏觀的整
> 體學術視野的融合以及不同學科之間的相互滲透和吸納，是
> 學術發展的總體趨勢。在這種條件下，傳統學科也不可能保
> 持自我封閉，而只能在與時代學術文化思潮以及其他學科的
> 相互「對話」中求得發展。（頁 19-20）

正是基於《詩經》研究的發展過程不可避免地會與時代學術文化思
潮發生「相互作用」和「對話」的關係，如此一來，用時代學術文
化思潮的建構模式來把握二十世紀《詩經》學的做法應是極其合理

---

7 趙氏在〈緒論〉中曾自述寫作此書努力的兩個方向，其中之一是「彰顯學術研
　究的時代特徵和發展趨勢」（頁 31），而他所把握的二十世紀《詩經》學的時
　代特徵和發展趨勢之一就是 「現代性」（頁 32）。趙氏對此的體認是：現代性
　精神的核心是理性精神，即理性地對待自己與世界。而對於學術研究來說，則
　在於是否能夠理性地對待自己，亦即是否具有自我批判和自我反思的精神，他
　認為這正是檢驗這門學術是否具有現代精神的最好尺度之一。（頁 32-33）

的。

趙氏撰寫《詩經》學術史的企圖與關懷應該不只是單純地回顧、總結既有的研究成果，做為一位深具現代學術意識的當代人文學者，他不只表現出高度的方法意識，更重要的是他具有強烈的學科自覺意識。這種自覺意識就是希冀透過方法的檢討、理論的反省與學術史的回顧，從而為該學科或研究領域奠立堅實穩固的基礎，並在這基礎上不斷地提升與擴大既有的質與量。相信就是這種學科建設的強烈責任感與使命感，才驅使趙教授本人不辭辛勞地從事《詩經》學術史的研究與寫作。其所著眼與關注的，豈僅前人之陳跡哉！

（二）開放的精神與廣濶的視野。除了「現代性」外，「開放性」與「世界意識」是趙氏在此書中對二十世紀《詩經》學所突出強調的時代特徵和發展趨勢。（頁 33-34）他認為《詩經》研究的開放性主要表現在其自覺地把握其與時代學術文化思潮之間的關係，基於此認識，趙氏在選取那些對現代《詩經》研究起著重要影響或對話交流關係的時代學術文化思潮時，他所採取的態度就是積極地對相關的學術發展與動態加以掌握，如史學、考古學、文化人類學等，並對這些學術發展所型塑出的《詩經》研究成果給予相當程度的重視與客觀公允的評價。從趙氏在此書中所論述的內容可以看出，他不但對影響及於二十世紀《詩經》學的現代人文學術及思潮有極淵博的認識，更難能可貴的是，他亦能廣泛的採納吸收立場各異的新的學術研究成果，例如在評述唯物史觀的《詩經》研究時，他期待史學家對《詩經》時代社會歷史的最新研究成果可以為吾人提供一個真實可靠的歷史根據和時代背景，因此有需要「擺脫舊觀點的束縛，開濶視野」。（頁 117）為了達到這一目的，他主張不妨「多看一看最近出版的歷史學著作對《詩經》的分析」。（頁 117）於是他徵引了何茲全（1911-2011）的《中國古代社會》、徐復觀（1903-1982）

的《兩漢思想史》與許倬雲的《西周史》中與《詩經》有關的論述
文字，目的在呈現一個對比的效果，亦即這三位著名史學家對於做
為詩歌主體的抒情主人翁身分的論斷，遠較一般深受唯物史觀影響
的中國大陸《詩經》研究者們來得慎重，他們從不直截了當地說某
某是奴隸或農民等。趙氏認為這個現象值得深思，並且提醒這些《詩
經》研究者們多注意史學家研究的新成果，如此方有助於他們更加
準確和深刻地對《詩經》進行文學分析。（頁 118-120）

　　再就「世界意識」而言，趙氏認為這主要有兩層含義，一、讓
《詩經》及其研究向世界開放；二、將世界意識滲入到《詩經》研
究中去。（頁 34-35）其實從漢學的角度來說，《詩經》研究本來就是
其中的一個環節，而國際漢學界對其研究也從來沒有止歇過，從這
個意義來說，《詩經》研究早就向世界開放了。既然已經開放了，則
世界意識本也就不可避免地滲入到《詩經》研究中。趙氏在此書中
之所以對此如此強調與重視，其所針對的應是在政治封閉的年代
中，對接收海外漢學研究成果較顯閉塞與保守的中國大陸學術界。
身為從封閉年代中走過來的中國大陸人文學者，趙氏這種積極向世
界開放，勇於接受外在挑戰與刺激的開闊心胸，的確令人佩服，而
其用心也確實良苦。此所以趙氏在此書中特立〈開放意識與詩經研
究的海內外學術交流〉一章（含該章附錄〈海外學者詩經研究評
說〉），有系統地介紹包含臺灣在內的海外學者的《詩經》研究成果。
雖然其所評述的內容主要集中在一九九三年至二○○一年在中國大
陸連續舉行的五次由中國《詩經》學會主辦的《詩經》國際學術研
討會的論文，在數量的涵蓋性上並不夠那麼全面，且在重要性和代

表性方面也略嫌不足，但畢竟已跨出了一小步，仍值得嘉許。[8]

（三）高度的批判反省精神。趙氏在〈緒論〉中曾說過，檢驗一門學術是否具有現代精神的最好尺度之一就是其是否具有自我批判和自我反思的精神。（頁 33-35）就這點而言，趙氏在探究二十世紀《詩經》學術史時就充分展現了高度的批判反省精神。這最明顯的表現在他對唯物史觀與極左思潮下的《詩經》研究的弊病與缺點的批判與反省。對深受唯物史觀薰陶的中國大陸當代學人，在很長的一段時期內，這套理論可說是支配主宰了他們的思想意識[9]，趙氏在評述唯物史觀一章時，一開始也用了許多正面的讚語來歌頌唯物史觀對《詩經》研究的貢獻，如其云：

> 如果進一步問，對於二十世紀《詩經》研究影響最大的史學思想是什麼，我們也可以肯定地回答：唯物史觀。把唯物史觀引入《詩經》學園地，立即引起《詩經》研究出現了多方面的變化。（頁 87）

---

8 趙氏這種世界性的意識的形成可能和他自己深受文化人類學的影響，並且以之從事《詩經》研究的學術背景有關。在其評述文化人類學與《詩經》研究一章時，他就曾自覺的指出作為一種研究方法和研究模式，文化人類學的基本特徵之一即是「世界性的學術視野」。（頁226）而在評述《詩經》文化人類學研究取得的主要成績時，他是如此說道的：「突破民族和地域的狹隘視界，以世界的目光審視《詩經》，必然要打通中西文化，形成中西文化的會通。……把學術視野擴大到整個世界，以世界文化為研究平台，必然形成跨文化、跨民族的比較研究。由於視角的擴大和參照物的增加，會極大地激發學術創造力，催生新見解和新觀點的誕生，這當然有利於推動《詩經》學的發展。」（頁 245）把這段話移做《詩經》研究與世界意識的關聯之脈絡中，可能同樣貼切。

9 趙氏承認在一九四九年之後，唯物史觀成為中國大陸意識型態和學術思想的指導理論，佔有絕對的統治地位。（頁 94）

又如：

> ……也許只有這種新的思想觀念和理論才能增強詩義分析
> 的科學性和深刻性，從根本上改變《詩經》詩義研究的整體
> 面貌，把《詩經》研究提高到新水平。這種新的思想觀念和
> 理論就是唯物史觀。（頁 91）

但趙氏畢竟是深具現代學術意識的學者，不會只從單一的視角來看
待問題，更不會不經批判反省地接受現有的一切。在指出唯物史觀
對《詩經》研究的正面貢獻後，他轉而對其不足和弊病提出深刻的
檢討。不過趙氏的檢討並非那麼冷靜中立的，而是帶有沈痛的反省
意味。趙氏云：

> 數十年來，由於唯物史觀在學術思想中的「正統」性質，再
> 加上與政治結緣而得到非學術力量的支持，使它始終處於特
> 殊的地位上。這種特殊的地位不但沒有促進它的健康發展，
> 反而帶來了不利的影響。（頁 94）

這種不利的影響作用在《詩經》研究中，從 20 年代的郭沫若
（1892-1978）在《中國古代社會研究》中的首開風氣伊始，直到五、
六十年代變得更加變本加厲，趙氏批判說：

> 由於對唯物史觀的片面理解……分析方法流於簡單化，把文
> 學分析變成了經濟基礎的形象解說，導致了《詩經》研究道
> 路越來越狹窄:《詩經》研究被縮小為思想內容研究，而思

想內容研究又被縮小為那些……具有階級鬥爭意義的作品
的研究……對唯物史觀的片面理解和庸俗社會學的研究方
法的盛行，完全否定了《詩經》的多方面的價值，否定了《詩
經》創作個性、藝術形式和審美特徵的研究，最後只能是取
消文學和文學研究，走向文學虛無主義。（頁 111-112）

由此可見，趙氏對這個教訓的感受確實是十分深刻的。

相較於唯物史觀的沈痛反省，趙氏在極左思潮一章中則展露出
強烈的批判態度，他用語帶嘲諷的語氣說道：在五四時期走出經學
陰影的《詩經》，卻不曾想到在幾十年後，竟然再次喪失了獨立的地
位，而淪為文化專制主義的附庸。（頁 124）他嚴厲地抨擊這段時期
的《詩經》研究是：

閉目塞聽，徹底割斷了與《詩經》學優秀傳統的聯繫，而聽
憑政治的操縱，胡亂杜撰，把封建時代《詩經》學術史上最
荒誕、最愚昧、最落後的東西發展到登峰造極的地步。（頁
124）

雖然趙氏對這段時期的《詩經》研究抱持著高度的批判態度，但他
仍秉持著求實的嚴謹治學態度，在其書中評述了許多當時的重要文
獻資料，如邵荃麟（1906-1971）於一九五八年在四川大學以〈如何
對待古典文學，如何古為今用〉所做的報告，又如茅盾（1896-1981）
亦於同年出版的《夜讀偶記》，以及在大躍進年代中，大學生所編寫
的各種文學史，包括北大中文系 55 級學生撰著的《中國文學史》、
北京師範大學中文系三、四年級學生和古典文學教研組教師合著的

《中國文學講稿》、北京師範大學中文系 55 級學生撰著的《中國民
間文學史》，以及復旦大學中文系古典文學組學生集體撰著的《中國
文學史》等。這些資料是否具有客觀的學術價值，仍有待評估，但
無論如何，這些材料畢竟是這個瘋狂年代的真實紀錄，其所具有的
史料價值和意義仍是不應被忽略的。

第四節　建設性的學術對話

　　誠如余英時在為崔瑞德（杜希德，D.C.Twitchett，1925-2006）
《唐代的財政管理》（*Financial Administration under the T'ang
Dynasty*）一書做書評時所曾說道的：「評論者不可能僅僅通篇羅列
本書的優點，而忘了書評的責任之一是給被批評者挑毛病。」[10]且如
同第一節所說的，趙氏此書提供了一個很好的學術對話架構，因此
一方面為了盡書評的責，另一方面也確實希望可以進行一有意義的
學術對話，以下就大膽的提出幾點筆者閱讀此書時所觸發的感想與
疑惑，並希望在思索這些困惑的過程中，能嘗試提出對《詩經》研
究的一些野人獻曝式的不成熟意見。

　　前面提過，趙氏在此書第一章中曾為二十世紀的《詩經》學發
展史提出一個由傳統向現代轉型的基本史觀架構。不論是自覺的或
非自覺的，這種架構的使用本身就隱含著極端的對立性式的思考與
評價。既然是傳統向現代轉型，則傳統的必然就是落伍、愚昧與不
合時宜的，而現代的則是先進、優越和時勢所趨的。在這樣的「進
步史觀」的眼中，傳統《詩經》學之被揚棄也是理所當然的，而其

10　余英時：《漢代貿易與擴張》（鄔文玲等譯，上海：上海古籍出版社，2005
　　年 1 版），頁 269。

價值如何也是不難想像的。當然用這麼截然對立的字眼來描述趙氏的史觀，他可能並不會太服氣，因為他並沒有完全否定傳統《詩經》學的優點，例如在第一章中，趙氏指出了《詩經》學傳統是由積極因素和消極因素所構成的，所謂積極因素亦即優良傳統，他認為包含了（一）對《詩經》的文學研究。（二）嚴謹求實，言必有據的實證精神。（三）敢於向傳統和權威挑戰的精神。而消極因素則主要有（一）違背文學性質和特徵的研究方法。（二）因襲保守的思維模式。（三）重師承，輕是非的門戶觀念。（頁 40-44）而在具體研究的實踐中，趙氏也做了看似平實的評析，如其云：

> 傳統《詩經》學對作品的解讀主要在考據、訓詁和解析詩義題旨兩個方面，前者即考據、訓詁是其強項，後者即解析詩義和題旨是其弱項。無論是漢儒的以詩附史、美刺說詩，還是宋儒的聖人感物理論，都不可能真正揭示《詩經》的本來面貌，不可能正確把握作品的思想性質、內容特徵以及意義價值等。（頁 87-88）

不過重點並不在他如何稱頌傳統《詩經》學的優點，而是在於他如何看待那些被他視為消極因素的傳統《詩經》學的表現。其實直截了當地說，在他看來，傳統《詩經》學之所以會有這些負面的表現完全是與儒學－經學脫離不了關係。正是因為做為傳統封建王朝意識型態的儒學－經學之蠱惑與禁錮，猶如一清純少女被妖魔鬼怪施以法術咒語控制，因此才導致傳統的《詩經》學「完全喪失了其本來的面貌和獨立的地位」。而與此相應的是，「很多《詩經》學者也變成了經學家。」變成經學家後的下場如何？他筆下所描繪出的景

象是：

> 沒有獨立的立場，而是唯經是從，不容討論；唯上是聽，不
> 容質疑。這樣的經學「窒息學術，禁錮思想」，各種各樣的
> 錯誤思想觀點也就應運而生。（頁 39）

但趙氏這種觀點令人不解的是，如果傳統的《詩經》學都是被如此
冥頑不靈的儒學－經學權威給籠罩了，那麼又如何會產生出「優良
傳統」？且這群「經書的奴隸」又何以能夠表現出「嚴謹求實，言
必有據的實證精神」？而他們又如何有天大的膽量敢向傳統和權威
挑戰？更令人納悶的是，同樣是在傳統儒家《詩經》學傳統中，何
以從宋代開始，《詩經》的文學研究才真正獲得開展？更別說考據、
訓詁等強項又為何會在這「唯經是從，不容討論」、「唯上是聽，不
容質疑」、「窒息學術，禁錮思想」的學術荒原上生長起來？

　　這是趙氏採用這種過度簡化事實的「傳統 VS 現代」的史觀模
式所必然帶來的理論後果，而在他這種兩極對立式的史觀架構下，
傳統的大致就等同於儒學－經學的，而其評價也是消極的、落後的
與負面的。這種簡化事實的做法不但未能有效地將傳統《詩經》學
與現代《詩經》學間所存在的既繼承又揚棄、既創新又因循的千絲
萬縷的複雜關係清理清楚，而且也不能對在儒學－經學的典範
（paradigm）主導下的傳統《詩經》學之內涵與特質有較為公允客
觀的看待與評價，這是頗令人遺憾的。

　　趙氏這種「傳統 VS 現代」的史觀其隱含的另一層意思其實就
是儒學－經學與文學這兩種學術典範的對峙。他雖也承認「《詩經》
具有文學、史學、思想、民俗學和神話學等多方面的價值」（頁 212），

但他在引用程俊英（1901-1993）與蔣見元的下面這段話中卻很能把
他這個意思表達出來：

> 文學藝術的價值意義，才是《詩經》最根本的實質之所在。
> 雖然這種實質在整個《詩經》研究史中被強大的經學主流所
> 掩蓋，但它總是不可磨滅地顯現著光輝。對這種實質的研究
> 也連綿不斷地延續下來，構成了《詩經》研究中與經學相反
> 相成的另一個側面。（頁 212）

趙氏同意這種觀察，並且將《詩經》學術研究史歸結為兩種實際存
在的情況：一種是把《詩經》作為經學來研究，一種是把《詩經》
作為文學來研究。（頁 212）由此可知，在趙氏的心目中，《詩經》
學主要就只有兩種研究典範，即經學的與文學的。而經學的典範也
就代表了傳統的《詩經》學，文學的典範所代表的就是現代的《詩
經》學。所謂《詩經》學由傳統向現代的轉型，也就是兩種新舊典
範的競爭，當最終新典範取代了舊典範之後，如此也就自然的完成
了舊典範向新典範轉移的過程。

　　這樣的理解方式的確很有說服力，但令人疑惑的是，是否真能
用這兩種典範來概括《詩經》的研究？尤其是文學研究的典範是否
就能涵蓋現代《詩經》的所有研究面向？前面提到趙氏承認《詩經》
也具有文學之外的史學、思想、民俗學和神話學等多方面的價值，
而且他在第一章中亦曾提及胡適（1891-1962）在〈談談詩經〉一文
中所倡導的用「社會學的，歷史的，文學的眼光」來審視《詩經》。
（頁48）在文化人類學與《詩經》研究一章中，他認為從歷史發展
和文化性質的角度來看，《詩經》可說是保存文化遺留最多的典籍之

一，因此其所反映的社會和人生的範圍十分廣泛，涉及到社會生活
的各個面向。如此一來，對《詩經》的研究就絕非一般的文學研究
所能駕馭得了的，而必然涉及到許多學科，如歷史學、宗教學、神
話學、民俗學、心理學，乃至於自然科學等。（頁 230-231）此外在
他評述文化意識與《詩經》研究一章時，他也承認在文化解釋出現
之前，文學研究和文學解釋被封閉在一個狹窄的空間中，只能面對
文學文本，侷限於文學「自身」的研究。（頁 163）而他認為文化視
野下的《詩經》研究的特點之一是對《詩經》進行整體把握和綜合
研究。之所以須如此做，是因為僅僅侷限於純文學的範圍內是不可
能完成的。如此一來，就很自然地把《詩經》與哲學、政治、宗教、
歷史、倫理道德、民族性格、審美趣味、風俗習尚等諸多文化領域
聯繫起來加以審視。（頁 175-177）舉例來說，同時兼具人類學家身
分的當代法國著名漢學家葛蘭言（Marcel Granet，1884-1940）在其
研究《詩經》的名著《古代中國的節慶與歌謠》（*Fêtes et chansons
anciennes de la Chine*）中，就試圖透過對《詩經‧國風》中的情歌
的分析，來看出古代中國社會的「型態」。[11]又如日本漢學家白川靜
（1910-2006）撰著《詩經的世界》一書的目的也是在「建立《詩》
篇時代的中國社會，使讀者對古史產生立體感，以領會當時中國先
民的感情和生活。」[12]這種從廣袤的「歷史－社會－文化的」視野來
對《詩經》進行研究，所呈現出的是《詩經》的世界──不只是詩
篇文本內容的世界，還包括孕育出這些詩篇的時代、社會與環境的

---

11 葛蘭言（Marcel Granet）：《古代中國的節慶與歌謠》（*Fêtes et chansons anciennes
　de la Chine*，趙丙祥、張宏明譯，桂林：廣西師範大學出版社，2005 年），趙
　丙祥〈譯序〉，頁 2。

12 白川靜：《詩經的世界》（杜正勝譯，臺北：三民書局，2002 年），〈譯者
　自序〉，頁 iv。

世界，以及創作這些詩篇的人們之心靈與精神的世界。這樣的研究
視角與進路當然不是文學與經學的典範可以含攝的。就二十世紀《詩
經》的研究史來看的話，這種包含了史學、人類學與文化學等多重
學門與領域的「歷史－社會－文化的」研究方法與進路應該是與傳
統儒學－經學、文學等研究模式占有一樣重要的地位，「三分天下有
其一」的說法應該不誇張。

　　「歷史－社會－文化的」研究方法不但是現代《詩經》研究的
一個重要模式，而且與傳統的儒學－經學的研究模式和被現代大多
數《詩經》研究者視為理所當然的主流的文學的研究模式，其彼此
間的關係是既非相互排斥，亦非相互取代的。更有甚者，應是相互
補充、相互調合的關係。這三種研究模式在《詩經》研究的版圖中
其所處的「疆域」應是：最內層的核心部分是關於《詩經》「文本－
文學的」研究，包含做為《詩經》文學研究基礎的文字、音韻、訓
詁與文獻考據的文本研究以及文學研究本身。中間一層則是以理解
或重建《詩經》的世界——物質的與精神的——為目標的「歷史－社
會－文化的」研究模式。最外一層則是以《詩經》在歷史上所生發
的作用為研究目標的研究模式，亦即《詩經》學術史（包含研究史、
詮釋史、接受史、影響史與效用史等）的研究。當然，在兩千多年
的《詩經》學術史中，最主要的內容就是儒學－經學，因而對這層
的研究就主要是「儒學－經學的」研究。

　　這三層次的目標不同，其研究方法與進路亦各不相同，雖然拆
開來，各自獨立，互不隸屬，但惟有三者合起來才可能構成一幅完
整的《詩經》研究圖像。

原刊於《中國文哲研究通訊》18 卷 2 期（2008 年 6 月），頁 221-233，原題作〈述往思來的學術對話：趙沛霖現代學術文化思潮與詩經研究——二十世紀詩經研究史讀後〉。

附錄一
顧頡剛與何定生的師生情緣[1]

第一節　引言

在現今討論顧頡剛（1893-1980）學術影響與其門人弟子的問題時，鮮有人提及何定生（1911-1970）教授。[2]學界對何定生的介紹，寓目所及，唯王學典主撰之《顧頡剛和他的弟子們》及張昌華《曾

---

1 本文與徐其寧合撰。具體分工如下：題目、章節結構及寫作要旨為筆者所定，徐其寧負責撰寫初稿，筆者復在此初稿上加以增修補充。

2 關於何定生教授之相關傳記資料留存下來的並不多，較為原始的資料計有《何定生日記》、何定生致顧頡剛及他人之書信、自撰之〈簡歷〉，以及其自撰之著作。而與顧頡剛有關者則保存在《顧頡剛日記》及《顧頡剛全集》中之《書信集》。本文之作主要依據這些材料，並參酌其家屬的訪問稿、門人曾志雄教授的紀念文章與楊晉龍教授撰寫的〈何定生教授年表〉。關於這些材料的來源說明如下：何定生教授家屬訪問稿係楊晉龍教授採訪整理，《何定生日記》亦由家屬提供，目前由楊晉龍教授整理中。楊教授撰寫的〈何定生教授年表〉已充分利用家屬訪問稿與《何定生日記》這二項材料，本文主要透過楊教授的〈何定生教授年表〉而間接利用了這兩項材料。何教授致顧頡剛及他人共計十通的書信則見刊於《國立中山大學語言歷史學研究所週刊》，《顧頡剛全集》中之《書信集》則收錄七通顧氏致何定生的書信。至於何定生編著之《治學的方法與材料及其他》一書係由顧潮教授所提供。〈簡歷〉則由顧潮教授與山東大學歷史系的王學典教授共同提供，何定生自著《詩的聽入》一書則由北京清華大學歷史系博士生張濤先生至北京大學圖書館複印寄贈，在此一併向資料提供者致上最大謝忱。又本文初稿曾承顧潮教授指正，修訂二處明顯的錯誤，亦再申謝忱於此。

經風雅：文化名人的背影》二書中有所述及。[3]何定生以經學名家，
尤其致力於《詩經》的教學與研究。其學術生命的開啟雖受乃師顧
頡剛的影響甚鉅，但其過早疏離於顧頡剛在當代中國學界所開創的
學術事業，尤其是一九三〇年代在顧氏聲望如日中天時所領導的古
史辨運動及禹貢學會的歷史地理和邊疆史地領域的新走向[4]，以致在
學界中名聲不彰。然何定生一生的治學方向，實與顧頡剛息息相關。
事實上，何定生的學術起點，就是從其就讀於廣州中山大學，從學
於顧頡剛開始的。當時受顧頡剛啟發而初次點燃學術熱情的年輕大
學生，就與顧頡剛熱烈地展開對許多學術議題的討論，如《山海經》
的成書年代、《尚書》的文法、《詩經》的研究與詩的起興……等問
題。從選題到成文，都是在顧頡剛的提示、鼓勵與指導下進行與完
成的，其中的《詩經》研究甚且成為何定生終生的學問追求。可以
說，在何定生的學術生命中，似乎一直伴隨著顧頡剛的巨大身影。
甚至在其晚年病重時，他還是念念不忘著他的顧老師，甚盼能夠再
見到他，並且能看見他所著的書。[5]

　　何定生教授逝世距今已四十年了，為紀念這位在臺灣《詩經》
學史上佔有一席之地且又具有相當貢獻的前輩學者，本文擬從作為
何定生學術淵源及人生導師的顧頡剛和其互動的角度入手，並參酌
相關當事人的一手材料，嘗試為何定生的生平及學術經歷，勾勒出
一幅較完整而清晰的圖像。

3　王學典主撰：〈始於愛而終於離──顧頡剛與何定生〉，《顧頡剛和他的弟子
　　們》（增訂本，北京：中華書局，2011 年），頁 81-122；張昌華：《曾經風雅：
　　文化名人的背影》（桂林：廣西師範大學出版社，2007 年），頁 123-124。

4　參鄭良樹：〈序──論顧頡剛之學術歷程及其貢獻〉，《顧頡剛學術年譜簡編》
　　（北京：中國友誼出版公司，1987 年），頁 11-14。

5　曾志雄：〈永遠的懷念──紀念何定生教授逝世四十週年〉，《中國文哲研究
　　通訊》20 卷 2 期（2010 年 6 月），頁 73。

第二節　賞識與追隨：1927-1929 年

　　何定生，廣東揭陽人，一九一一年生，一九二六至一九二九年就讀廣州國立中山大學國文系[6]，修習顧頡剛「中國上古史」、「《書經》研究」、「書目指南」課程，一年級學弟陳槃（1905-1999）亦同時修習。[7]此階段二人之信函往來，以問學為主，總計八封[8]，其中六封何定生致顧頡剛信函均載於《國立中山大學語言歷史學研究所週刊》。一九二八年三月八日，何定生首次致信顧頡剛，向他詢問《山海經》的相關問題，包括：

　　　一、《山海經》到底是何代之書？……
　　　二、《山海經》是不是巫術之書？……
　　　三、關於言《山海經》之書有若干種？……
　　　四、《山海經》此書在學術上有什麼價值？……[9]

顧頡剛三月十九日回信[10]，此回信連同何定生原函同時登載於何定生發表在《國立中山大學語言歷史學研究所週刊》第二集第二十期中

6　楊晉龍：〈何定生教授年表〉，《中國文哲研究通訊》20 卷 2 期（2010 年 6 月），頁 5-7。

7　顧頡剛：《顧頡剛日記》（臺北：聯經出版事業股份有限公司，2007 年），卷 2，頁 138，1929 年 2 月 29 日。

8　可惜的是，此階段顧頡剛回覆的論學信件，除論《山海經》、文法二信尚能寓見，餘皆佚失。

9　何定生：〈致顧頡剛〉，《國立中山大學語言歷史學研究所週刊》2 集 20 期，頁 640，1928 年 3 月 13 日。案：此函實撰於 1928 年 3 月 8 日。

10　顧頡剛：《顧頡剛日記》，卷 2，頁 146，3 月 19 日記。

的〈山海經成書年代考〉文後。[11] 此後，何定生常至顧頡剛處，顧頡
剛亦常留之共飯。同年五月一日，何定生又致信向顧頡剛報告對《論
衡・亂龍篇》是否為偽作之看法。[12] 一九二八年五月二十五日，復致
信詢問文法事。信云：

> 頡剛先生：古代文法，我想仍須研究個整個的結束。代詞固
> 然有個很有趣的軌道，但，這還於整個古今文法之變，沒有
> 什麼大的貢獻。……生想便以這一回的興趣，索性寫十萬字
> 來結束古代整個文法，師以為可否？這種工作，會值得做
> 否？尤望時時加以指導，督促，俾生了這一個小公案也。[13]

何定生自四月二十八日撰成〈漢以前的文法研究〉後，其治學
方向便自《論衡》、《山海經》轉向文法研究。這樣的轉變，是在辨
偽的需求下，希望能找到一判斷古籍時代先後更方便、更有系統且
可信的辨偽量尺，顧頡剛對此自然大加鼓勵。顧頡剛將何定生原信
加註按語，刊載於《國立中山大學語言歷史學研究所週刊》中，他
回應何定生說：

---

11 顧頡剛：〈致何定生〉，《國立中山大學語言歷史學研究所週刊》2 集 20 期，
　　頁 640-641，1928 年 3 月 13 日。此函又收入《顧頡剛全集》（北京：中華書
　　局，2010 年），第 40 冊，《顧頡剛書信集》卷 2，頁 313-315。

12 何定生認為〈亂龍〉不為偽作，原因有二：一、書中不乏祥瑞災異之說，當為
　　敷演漢室所作之主張；二、王充信命定說，影響因果判斷的真實性。此信登
　　於《國立中山大學語言歷史學研究所週刊》3 集 30 期，頁 1011-1013，1928
　　年 5 月 23 日。

13 何定生：〈致顧頡剛〉，《國立中山大學語言歷史學研究所週刊》3 集 32 期，
　　頁 1088-1089，1928 年 6 月 6 日。案：此函撰於 1928 年 5 月 25 日。

頡剛案，此函所言確是研究古文辭最好的方法；用了這個方法去研究，一定可以打破許多模稜的解釋而得到新的確實的解釋。至於真正不能明白的句子，有了這一番甄別之後，也可說一聲「不懂」而不去強做解釋了。……現在定生兄有了文法的工具，而又有時代觀念去運用這個工具。不致如《馬氏文通》之混合三千年文句作一種的解剖，必定可以有很大的成功。[14]

六月一日，何定生又詢問〈盤庚〉時代的問題，信云：

日前言及〈盤庚〉時代的話，先生謂當出於西周及東周之間；以其文較〈大誥〉、〈康誥〉……等為易曉，且與〈呂刑〉為近云云。（大致如此，不知有否誤記）此說頗給生以一種新的注意。……生以為凡研究一個問題，若有一種新的提醒，不論其於結論為合為反，都是絕有利益，如此類是也。生此論〈盤庚〉，即全誤，仍甚愉快。願先生永以此教告之。[15]

七月九日，他再致書顧頡剛詢問《尚書》年代，因感「古代文法，寫到《尚書》，便發生大的岔路，不將此部奇妙之書弄個頭緒，終是寫不下的。」[16]是以有〈尚書的文法及其年代〉這篇最能代表何定生

---

14 附於何定生〈致顧頡剛〉文後，《國立中山大學語言歷史學研究所週刊》3 集 32 期，頁 1089。未書撰作時間。

15 何定生：〈致顧頡剛〉，《國立中山大學語言歷史學研究所週刊》4 集 40 期，頁 1447、1449，1928 年 8 月 1 日。此函實撰於 1928 年 6 月 1 日。

16 何定生：〈致顧頡剛〉，《國立中山大學語言歷史學研究所週刊》4 集 42 期，頁 1513，1928 年 8 月 15 日。此函撰於 1928 年 7 月 9 日。

廣州求學期間的鴻文之寫作。然而,《尚書》年代問題對於一個二十
歲不到的青年來說,畢竟過於龐雜繁複,何定生在此文前寫了有十
頁長的「作者的自白」,對撰作期間的苦思歷程有詳盡的敘述。當中
特別感謝其其師顧頡剛與友人鄭楚生的勉勵,他說:

> 我友楚生說「快點寫罷,又在想什麼?」我往往在他這樣的
> 話下接下去的。……我學力既完全沒有,聰明又有限,心境
> 又不安靜,這樣勉強寫得有個段落,成文之力宜屬之顧師及
> 我友楚生。[17]

此文因文長,合三期篇幅以專號刊出。刊出後,學界回響頗大,
當時學術界的名人錢玄同(1887-1939)、黎錦熙(1890-1978)與胡
適(1891-1962)等人,都注意到了這篇文章。如顧頡剛在一九三〇
年一月十八日致何定生的信中就對他說道:

> 當我和你到上海的時候,適之先生對你說:「玄同和劭西都
> 注意你這篇東西」。我聽了這話,眼前頓覺一亮……。[18]

胡適在一九二八年十月二十一日的日記中也如此寫道:

> 今天看見兩篇很有價值的文章:……何定生的〈尚書的文法

---

17 何定生:〈尚書的文法及其年代〉,《國立中山大學語言歷史學研究所週刊》
　　5 集 49-51 合刊,「尚書的文法及其年代」專號,頁 1787,1928 年 10 月 17
　　日。
18 顧頡剛:〈致何定生〉,《顧頡剛全集》,第 40 冊,《顧頡剛書信集》卷 2,
　　頁 327。

及其年代〉(《中山大學語言歷史研究所週刊》第 49-51)。何君是頡剛的學生，方法很細緻。……他只認西周的正確作品只有〈大誥〉，東周的正確作品只有〈費誓〉、〈秦誓〉，其餘都是湊上去的。何君有〈漢以前文法的研究〉一文，見《週刊》第 31-33 期，〈尚書文法〉一篇乃是其中的一部分，而變為長篇。[19]

然而何定生卻對突如其來的大名感到不自在，他在致楊筠如的信上不禁向他透露心聲：

> 我在上海見適之先生時，他也竟提起我的文來討論；到北平，錢玄同先生都對我有所指導。……我自此文發表，臉皮之嫩程度，與時間成正比例。在上海在北平，我凡遇到學術界的大人先生們，我都惴惴然慮頡剛先生給我介紹。有一次我竟向頡剛先生要求了，我說：「先生，你以後不要同人家給我介紹我的大作。」[20]

但愛才惜才也愛護學生的顧頡剛不但積極地向人推介這位當時才大二的年輕學者，而且更體恤何定生家貧，以此文向校方申請二百元獎學金以及學費減免等提議，但卻不幸遭到否決，他在致何定生的信中向他說明具體的情況：

---

19 胡適：《胡適日記全集》（曹伯言整理，臺北：聯經出版事業公司，2004 年），第 5 冊，頁 397-399。

20 何定生：〈致楊筠如〉，《國立中山大學語言歷史學研究所週刊》8 集 91 期，頁 3650，1929 年 7 月 24 日。案：此函撰於 1929 年 5 月 20 日。

何思敬一加入，就根本反對。他說：「要是一個學生做了一篇論文，學校中就給他幾百元的獎，學校那能供給得起。況且這篇文章我也看過，其中引某夫人的話，她是文學家，如何可以引用她的話。」[21]

此事雖經月餘後方成[22]，但何定生與中山大學嫌隙已生[23]，再加上顧頡剛亦糾葛於人事的紛擾，所以決定北上任教燕京大學。[24]何定生感念顧頡剛提攜之情，遂於一九二九年二月二十四日毅然退學，隨顧頡剛北行，經香港，前往上海、杭州、蘇州等地，至五月一日方抵達目的地北平。[25]

---

21 顧頡剛：〈致何定生〉，《顧頡剛全集》，第 40 冊，《顧頡剛書信集》卷 2，頁 316，1928 年 12 月 18 日。事隔五十餘年，顧頡剛仍對此事耿耿於懷，他在 1980 年 5 月 18 日的日記中追憶此事，如此寫道：「何定生，廣東潮州人。學於中山大學，天分絕高，為一班首。曾以半年之力作〈尚書各篇之時代分析〉。予為之請於校當局，給以獎金二百元。一時忌者蜂起，謠諑紛來（可指名者為伍俶、羅庸、羅常培等）。」（《顧頡剛日記》，第 11 卷，頁 710。）

22 顧潮在《顧頡剛年譜》1928 年 11 月下記載道：「為何定生〈尚書的文法及其年代〉文而請學校當局給彼獎學金二百元。經先生力爭，月餘後事成。」（顧潮：《顧頡剛年譜》〔增訂本，北京：中華書局，2011 年〕，頁 184。）

23 顧頡剛在 1980 年 5 月 18 日的日記中追憶何定生獎學金風波事後，又接著敘述此事對何定生的後續影響，云：「渠不安於位，遂請退學，隨予至蘇、至京。」（《顧頡剛日記》，第 11 卷，頁 710。）

24 關於顧頡剛離開中山大學，北上就燕京大學聘的經過及心理轉折，請參本書第四章第一節。

25 據顧潮《顧頡剛年譜》記道：1929 年 2 月 24 日，顧頡剛與家人離廣州，抵香港。何定生退學隨行。26 日，啟程北行。3 月 1 日，抵達上海。6 日，到杭州，會晤諸親友。4 月 29 日，離開蘇州北上，5 月 1 日，抵達北平。何定生一路同行。（顧潮：《顧頡剛年譜》，頁 192、195。）

第三節　忿隙與疏離：1929-1930 年

　　何定生隨顧頡剛來到北平後，便住在顧頡剛位於北平景山東街的大石作寓所中，一切生活所需，悉由顧頡剛提供。與此同時，顧頡剛也對何定生賦予極大的期望，希望他能在學問上繼續上進。[26]但在一九二九年九月，何定生卻趁著顧頡剛返回蘇州之際[27]，假顧頡剛之名，避開審查程序，在樸社出版了《治學方法材料及其他》一書。[28]此書因內容涉及對胡適治學方法的批評，出版之後，震驚學界。而且又因何定生與顧頡剛有著親密的師生關係，所以當時有不少人認為是顧頡剛假借何定生的名義出版此書的，動機是為了挑戰胡適的學術地位。顧頡剛在得知此事之後，大為駭異，馬上在九月二十八日寫信給何定生，責怪他不該出這樣的書：

　　　　傅孟真先生見了我，就笑道，「想不到頡剛會出這樣的書！」
　　　　我前次告你，著這本書的責任，在你固然以為自己負責，但

26　顧頡剛於 1929 年 10 月 10 日在致何定生的信上說道：「那時的你確是想在學問上上進的。我愛你的有志氣，能用功，所以我帶你北來。」（《顧頡剛全集》，第 40 冊，《顧頡剛書信集》卷 2，頁 321。）

27　顧頡剛於是年 6 月 27 日離平南下，29 日抵蘇，7 月為父作壽，直至 9 月 12 日方返回北平。(參顧潮：《顧頡剛年譜》，頁 197。)

28　此書原名《關於胡適之與顧頡剛》。關於何定生在樸社出版此書的原委，顧頡剛在 1929 年 9 月 28 日致何定生的信中有清楚的描述：「馮芝生先生說：『金先生講，《關於胡適之與顧頡剛》這本書的付印，所以不給我看，為的是何定生說：「這本書已給顧先生看過了。」』這樣付印書，在金先生方面固然手續未合，但你用了我看過的話來矇他，也實在不合。……我是樸社總幹事，尚且自己要出的書都給馮先生審查，為什麼你倒要用了我的名義來逃過馮先生審查這一關？」（《顧頡剛全集》，第 40 冊，《顧頡剛書信集》卷 2，頁 318。）

在別人看來必以為是我叫你作了提高自己的地位的。從傅先
生的話看來，豈不是證實了這個豫測？[29]

年輕氣盛而又「初生之犢不畏虎」的何定生出版了這本書確實
觸及到了胡適與顧頡剛二人敏感的學術神經[30]，顧頡剛的好友王伯祥
（1890-1975）從上海來信告誡顧頡剛：

在上海看見了這本書，中間對於胡、顧頗有優劣異同之論，
察視出版處所，則為樸社。弟意在此年頭，遇事生風者太多，
一朝偶為所弄，不將執此區區，造為胡、顧分裂之論乎？[31]

對乃師胡適極為尊敬的顧頡剛對此書所可能造成的負面影響度
是極為惶恐的[32]，為此他在信中將何定生數落了一頓：

我對於適之先生感情甚好，今你出了這書，使得愛我的人懼
二人交情之分裂，足徵「優劣異同之論」的可怕。你是自認

---

29 顧頡剛：〈致何定生〉，《顧頡剛全集》，第 40 冊，《顧頡剛書信集》卷 2，
   頁 318，1929 年 9 月 28 日。
30 「初生之犢不畏虎」是顧頡剛對其行為的評語，見顧頡剛：〈致何定生〉，《顧
   頡剛全集》，第 40 冊，《顧頡剛書信集》卷 2，頁 328，1930 年 1 月 18 日。
31 顧頡剛：〈致何定生〉，《顧頡剛全集》，第 40 冊，《顧頡剛書信集》卷 2，
   頁 318，1929 年 9 月 28 日。
32 關於此中曲折，請參王學典主撰：《顧頡剛和他的弟子們》，頁 100-105。案：
   葉青（任卓宣，1896-1990）在 1934 年 8 月出版於上海的《胡適批判》中，就
   已即時地徵引到了這本書對胡適的批評（葉青：《胡適批判》〔上海：辛墾
   書店，1934 年〕，下冊，頁 1017。）此書〈序言〉作於 1933 年 8 月 29 日，
   則該書的完成當在此之前，離《治學方法材料及其他》出版不到四年，由此
   可知，何定生此書在當時確實是造成了一定的影響。

傻的，只憑了你的直覺說話，但社會上一班的人原不能知道
你的心，只看見一班人的挑撥長技，自然也用了挑撥的眼光
來看你，自然也用了結黨的眼光來看我。……你這本書出了
兩星期，平、滬兩地看見的不多，已有這些反響……最使我
恐怖的，是我和適之先生關係的惡化。我覺得再要尋到像適
之先生這樣待我的人已不可得了，若因這書的出版，而經旁
人加以煽惑，使我失去這一個良師，如經羅常培們的挑撥而
使我失去傅孟真先生這一個良友一樣，我真是痛心極了。[33]

除了寫信責罵何定生，顧頡剛更於十月三日去函向胡適解釋，
同時請求樸社停止發行此書。[34]在致胡適的信中，他極力地向恩師表
明自己的心跡：

有一件事情，使我很不安的，是何定生君編了一本《關於胡
適與顧頡剛》，趁我不在北平的時候，用話騙了樸社同人，
印出來了。……其中對於先生頗有吹索之論。這也不管。他
不該題這書名，使得旁人疑我們二人有分裂的趨勢，而又在
樸社出版，使人疑我有意向先生宣戰。近幾年來，我深感到
處世的痛苦，我竟成為嘍囉們捧場或攻擊的目標。所以一定
要脫離廣州，回到北平，即是「寧為牛後，毋為雞口」的意

---

33 顧頡剛：〈致何定生〉，《顧頡剛全集》，第 40 冊，《顧頡剛書信集》卷 2，
頁 318-319，1929 年 9 月 28 日。

34 顧潮《顧頡剛年譜》1929 年 10 月 3 日：「致胡適信。因何定生作《關於胡適
之與顧頡剛》一冊，『趁予在蘇州時印成。此次予來，見之大駭。恐小人藉
此挑撥，或造謠言，即請樸社停止發行，且函告適之先生，請其勿疑及我。』」
（顧潮：《顧頡剛年譜》，頁 198。）

思。因為北平前輩甚多，青年們罵不到我，也捧不到我，容
許我安心讀幾年書，打好我學問的基礎。不料何君如此對
我，惟恐我在北平不成一個箭靶。[35]

在夾雜著惶恐不安與盛怒難奈的情緒下，顧頡剛竟要求何定生
離開他，在九月二十八日致何定生的信中他對他下了最後通牒：

現在我覺得我們之間只有兩條路可走：
1.我給你盤費，請你回去。從此以後，你如何捧我或如何罵
  我，我都不管。
2.你在北平，生計由你自己設法，不要來問我。我和你維持
  極簡單的友誼，彼此不要相批評。……
  定生，我假使對你有一些辦法，我決不肯如此決絕地對你
  的。我不敢求你的原諒，但我也希望你想一想我的苦處。
  我更希望你想一想，照這樣子下去，於你有什麼益處？於
  我有什麼益處？與其在一種大家苦痛之下容忍下去，何如
  索性分手，各尋其樂趣之為愈乎？[36]

氣急敗壞的顧頡剛不但在當天寫給何定生的信中提出分手之議，而
且還致書給何定生的姐姐何峻機，將他的情況告知她，希望他家裡
人將其領回廣東。在這封信中，顧頡剛對何定生的情感狀態有較詳

---

35 顧頡剛：〈致胡適〉，《顧頡剛全集》，第 39 冊，《顧頡剛書信集》卷 1，
   頁 466，1929 年 9 月 28 日，1929 年 10 月 3 日。
36 顧頡剛：〈致何定生〉，《顧頡剛全集》，第 40 冊，《顧頡剛書信集》卷 2，
   頁 320-321。

細的著墨：

> 令弟定生，資質聰穎，文筆婉曲，又向剛問業時對於課業極
> 端用功，故此次欲與剛同行北來，剛即允之，並供給其膳宿，
> 蓋甚願發展其所長，在學術界中得占一席地也。不幸渠在杭
> 州晤一女士，其後即時相通問，而此女友人甚多，不能獨鍾
> 情於定生，彼乃大悲，無復人生之樂。到北平五個月，精神
> 日就銷沈，體力亦寖衰弱，至今不獨將由粵北行時之志願完
> 全丟棄，且以喪失靈性、入於寂滅為其想像之樂事。剛既已
> 挈之北來，對於彼之行動不能不負責，故勸其就學，俾以學
> 校規律生活救濟其頹唐之精神，彼又不願。囑其繼續研究學
> 問，彼亦不肯。長此以往，作何了局！頗欲令其回粵，彼又
> 不表同情。且剛等眷屬均已在此，令其一人獨行，亦不放心。
> 應如何辦理，乞與尊大人商定見告是幸。[37]

　　然而從何定生的角度來說，他原先希望跟隨顧頡剛來北平後再
繼續就讀於北平的大學，但據顧頡剛晚年回憶，就是因為他出了這
本書「批評胡適，激起北大方面之口舌」，因而最終不得不離開顧頡
剛而就讀於山東的齊魯大學[38]，這本書不僅中斷何定生的學習計畫，
也為恩師顧頡剛帶來意料外的風波。在學業、事業二空的狀況下，
何定生逐漸成為顧頡剛之累。二人性格上的差異，在此時也浮上檯

---

37 顧頡剛：〈致何峻機〉，《顧頡剛全集》，第 40 冊，《顧頡剛書信集》卷 2，
　　頁 372，1929 年 9 月 28 日。
38 參《顧頡剛日記》，第 11 卷，頁 695，1979 年 10 月 9 日，及頁 710，1980
　　年 5 月 18 日。然因資料之限，現無法確認何定生進出齊魯大學的起迄時間。

面，形成彼此生活上的摩擦。顧頡剛致信指責他：

> ……至於你住在公寓中，以我不替你付房飯金為不合，不知
> 我有什麼義務來擔承這一個不勞而食的人的生活費？……
> 我並不是一個有錢的人，今年半載閒居，又為家父作壽，又
> 帶了家眷和你跑來跑去，已是一個負債山積的人了。你不想
> 想我的生活的不優裕，要把你自己的生活費一切交付於我，
> 一不如你的意，就寫信來罵我給你難堪，不知你從何得此優
> 越的權力而可以強迫我來承受？……[39]

而滿腹牢騷的何定生在一九二九年八月於樸社出版的《詩的聽入》
一書中的書尾處，也寫下了一段自憐自艾的詞作，這首題為〈沁園
春〉的詞作是何定生為《的礫小叢書》所作的序，內容如下：

> 自到姑蘇，並家忘却，非食有魚。過狹狹橋衖，深深院
> 宅；柔條牽惹，應榭曲紆；有意低徊，無端欲哭：所謂前生
> 有債乎？龍蛇字，是疏狂故態，累煞瓊琚。
> 今予打疊長吁，則不繫朔風方物殊；正新讀元曲，橫攻
> 蟹字，讓個頭地，供我馳驅：不寫情書，且編結集，南國詩
> 人待笑予？竊自恕，若聰明儔匹，自審弗如。[40]

在《關於胡適之與顧頡剛》出版之後，出現在二人文字中的，

---

39 顧頡剛：〈致何定生〉，《顧頡剛全集》，第 40 冊，《顧頡剛書信集》卷 2，
  頁 324，1929 年 12 月 26 日。
40 何定生：《詩的聽入》（北平：樸社，1929 年），未標頁碼。

即是如同引文中的恚怒、責罵與怨懟。原先相互論學，彼此教學相長的師徒情誼，在一次次日常的衝突中幾乎消磨殆盡。學業既無成，那麼，只能出外謀職。顧頡剛轉介許多師友，希望何定生能在這些師長的身邊，繼續學習，無奈何定生性格孤傲，不願「求」人，加上情感的波瀾[41]，使他一直意志消沉。顧頡剛又致書給他：

> 你口口聲聲說我不替你找事情，你不想想，我為什麼要養你在家裡，使得自己多一筆開銷？我不是優裕的人，如何可以養食客呢。
>
> 當我和你到上海的時候，適之先生對你說，「玄同和劭西都注意你這篇東西了」。（案：〈尚書的文法及其年代〉一文。）我聽了這話，眼前頓覺一亮，我以為你的職業有路尋了。所以到平後，竭力在玄同先生前說你好話，他也答應了。哪知你去了幾封信，說的話不倫不類，使得他怕你，不敢親近你，使得我再不能替你揄揚。於是這條路斷了。
>
> 當徐旭生先生到蘇州的時候，我知道他任女師的院長，所以勸你同游虎邱，好使他認識你。可是你只有哭喪著臉對他，一句話也不說，於是我又沒法進言了。
>
> 我又引你到援庵、上沅諸先生處，你也沒有話，並且我不和你去時你一個人也不肯去。
>
> 吳三立請你吃飯，你覺得他討厭，說，「我是不願意別人向

---

41 顧頡剛在 1930 年 4 月 21 日的日記中記道：「前年在粵，光明、定生、毅卿，都是最好的學生，於學術上甚有希望者。過了一年多，定生墜入愛河了，毅卿要革命了，光明又以孟真之壓逼而失去學問之樂了。」（《顧頡剛日記》，第 2 卷，頁 394。）

我獻殷勤的！」

唉，天下豈有如此待人而可謀得職業者乎？[42]

何定生不願接受顧頡剛的安排，遲遲無法自立，二人關係更加緊張。此時何定生已搬離大石作寓所，另住省黨部，向時任河北省市黨部主席的中大老同學鄭楚生謀職。[43]但鄭楚生卻於一九三一年十二月二十四日猝死，何定生生計再現波瀾。於是顧頡剛又不禁為何定生的職業大感煩惱。[44]

不過顧頡剛似乎是多慮了，何定生當時可能早已在鄭楚生的引介下，參與了國民黨的黨務工作。如顧頡剛於一九三五年六月八日的日記中寫道：

---

42 顧頡剛：〈致何定生〉，《顧頡剛全集》，第 40 冊，《顧頡剛書信集》卷 2，頁 327，1930 年 1 月 18 日。案：顧頡剛的女公子顧潮教授曾如此評論顧頡剛這批寫給何定生的書信：「從這批書信中，可以看出先父對何定生的期望甚高，有些批評對於年方二十歲的年輕人來說是過於嚴厲了⋯⋯。」（顧潮致車行健電子郵件函，2009 年 7 月 25 日。）顧潮教授對於這批顧頡剛致何定生函的態度應是較為持平中肯的。

43 顧頡剛曾多次提及鄭楚生事，最早的是他在 1929 年 1 月 6 日的日記中記道：「定生、鄭楚生（國材）、蒲良柱、履安、自珍、予同到永漢院看《萬王之王》電影，楚生所請。」（《顧頡剛日記》，第 2 卷，頁 241。）而在顧頡剛致何定生的信中敘及何定生搬離大石作寓所，住到省黨部事時，亦連帶提及到鄭氏，云：「我難得進城，楚生兄尚未看見過。閱報悉上月曾為改組派所包圍，受了些驚，聞之為念。新年中能與你同來成府嗎？」（《顧頡剛全集》，第 40 冊，《顧頡剛書信集》卷 2，頁 324，1929 年 12 月 26 日。）又據《胡適日記全集》鈔錄 1931 年 3 月 3 日《北平晨報》的報導，記載河北省市黨部鄭國材主席事。（見《胡適日記全集》，第 6 冊，頁 509。）可知鄭楚生時任河北省市黨部主席。

44 顧頡剛在 1931 年 12 月 24 日的日記中記：「覽報，悉鄭楚生（國材）病急性肺炎死，此後定生職業大是問題，恐又須漂泊矣。」（《顧頡剛日記》，第 2 卷，頁 593。）

> 到何定生處，談時事。……今日去訪定生，見其腰配手槍。[45]

又其於一九三七年五月二十四日亦記道：

> 何定生來訪問予生活思想甚久，備報告中央。[46]

但何定生也因為參與了政治的工作而正式脫離了顧頡剛的學術圈子。

第四節　諒解與失聯：1931-1980 年

　　雖然何定生疏離於顧頡剛的學術圈子而未能再繼續參與顧頡剛在一九三〇年代所開創的學術事業，但他在抗戰之前仍然和顧頡剛保持著一定程度的關係，在顧頡剛的日記中，從一九三一年後，便曾有多次何定生往探顧頡剛的記錄，分別是一九三一年二月九日、十月十一日（赴宴）、十一月三十日、十二月二十日、一九三二年一月十日、六月十四日、九月二十一日、一九三三年五月二十三日、一九三四年二月十一日、七月二十七日、一九三六年十二月二十八日、一九三七年一月三日、五月二十四日、六月五日、六月十二日共十五次。[47]而顧頡剛亦曾多次往視何定生，分別是一九三一年七月十九日（未遇）、一九三五年五月十二日（未遇）、 六月八日。[48]可

---

45 顧頡剛：《顧頡剛日記》，第 3 卷，頁 353。
46 顧頡剛：《顧頡剛日記》，第 3 卷，頁 645。
47 顧頡剛：《顧頡剛日記》，第 2 卷，頁 493、571、585、591、599、649、689；第 3 卷，頁 48、159、216、576、582、645、650、653。
48 顧頡剛：《顧頡剛日記》，第 2 卷，頁 547；第 3 卷，頁 342。

以看到，即使經過一九二九年至一九三〇年的衝突，二人仍相互關心，互有來往，情誼依舊。直到一九三七年七七事變發生後，為躲避日寇，顧頡剛於七月二十一日晚間匆忙離開北平。[49]自此之後，因戰亂的阻隔，二人聯繫遂疏。

一九三八年，何定生重試燕京大學，入歷史系，一九四一年畢業，獲文學士學位。同年進入燕京大學研究院歷史部。當時日軍已入北平，何定生於此修業僅一年，未能取得碩士學位。[50]一九四五年，何定生任山東濟南齊魯中學教務主任[51]，一九四六年二月任齊魯大學史地系講師，七月離職赴北平。同年九月任河北監察使署常務秘書，隔年九月離職，回到故鄉廣東。一九四八年七月任臺灣省林產管理局秘書，隔年去職。一九四九年八月始任教於國立臺灣大學中文系。[52]一九七〇年八月三日因胰臟癌病逝於國立臺灣大學醫學院附屬醫院。[53]

在何定生去世九年後的一九七九年十月九日，高齡八十七歲的顧頡剛，突然收到何定生學生曾志雄教授從香港九龍寄去的《定生

---

49 顧頡剛在《西北考察日記‧序》云：「……蘆溝橋戰事突起，敵人以通俗讀物之宿憾，欲致予於死地，遂別老父孱妻而長行。」（《顧頡剛全集》，第 36 冊，《寶樹園文存》卷 4，頁 408。）又據顧潮所述，顧頡剛是在 7 月 21 日晚與家人匆匆道別後上路。（參顧潮：《歷劫終教志不灰──我的父親顧頡剛》〔上海：華東師範大學出版社，1997 年〕，頁 184。）

50 案：1941 年 12 月 7 日，燕京大學被日軍強行關閉，直到 1945 年 8 月 16 日後才逐漸復校。（見羅義賢，《司徒雷登與燕京大學》〔貴陽：貴州人民出版社，2005 年〕，頁 183、186。）何定生 1941 年自燕大歷史系畢業，獲文學士學位，同年入燕大歷史系研究院，未書畢業時間，亦無學位說明，當受時局之限，未能完成學業。而自撰〈簡歷〉上寫明於燕京大學歷史所修業期限為一年，起訖時間一欄僅書民國三十年。

51 楊晉龍，〈何定生教授年表〉，頁 11。

52 以上據何定生：〈簡歷〉。

53 楊晉龍：〈何定生教授年表〉，頁 24。

論學集》與《詩經今論》二書，與此同時，曾教授也捎去何定生逝
世的消息。顧頡剛為此心情激動不已，在當天的日記中他就寫下了
充滿感傷的一段話：

> 我在燕大時，定生曾偕其夫人來訪，知其肄業齊魯大學。自
> 此五十年，杳不知其所在。今日得九龍寄來臺灣出版之《論
> 學集》，乃知大陸解放後渠在臺北大學任教，且已逝世十餘
> 年。其所論《詩經》與孔學，實為我論學諸文之發展。惜哉
> 此人，如此早逝，真可悲也。[54]

隔了十六天後，他又在日記中寫下他對何定生的懷念：

> 何定生君多年不見，不知其何往，今得其弟子曾志雄寄其遺
> 著《定生論學集》來，乃知其大革命設教於臺北大學，且病
> 癌症死已十年矣。傷哉，此係予中山大學中最能集中精神以
> 治學之一人也！書中有〈詩經與樂歌的原始關係〉長文，將
> 《詩經》與《儀禮》詳細關係鈎索而出，以駁正余倉卒所為
> 之〈論詩經所錄全為樂歌〉之說，使我心服。[55]

又隔了半年多，顧頡剛對何定生仍思念不已，他再一次的在日記中
記下他對這位曾經傾盡全力栽培的學生的回憶，云：

> 何定生，廣州潮州人。學於中山大學，天分絕高，為一班首。

---

54 顧頡剛：《顧頡剛日記》，第 11 卷，頁 695，1979 年 10 月 9 日。
55 顧頡剛：《顧頡剛日記》，第 11 卷，頁 698，1979 年 10 月 25 日。

曾以半年之力作〈尚書各篇之時代分析〉。予為之請於校當
局，給以獎金二百元。一時忌者蜂起，謠諑紛來（可指名者
為伍俶、羅庸、羅常培等）。渠不安於位，遂請退學，隨予
至蘇、至京，又以作文批評胡適，激起北大方面之口舌，遂
捨予而試入齊魯大學。曾到燕京大學視予，匆匆而去。此後
僅一見面耳。病前接其弟子曾志雄寄來《定生論學集》一冊，
研究《詩經》與孔學，知其在臺灣大學任課。然已死十年矣，
傷哉未盡其壽也！[56]

從幾番的「惜哉」、「傷哉」的文詞表露，可見他對何定生的痛惜之
情綿延、橫亙了半年多，仍然未曾消歇，而在這些真情流露的追憶
中，確實令人感受到了顧頡剛內心的不捨與哀痛。

對於何定生的二部著作，顧頡剛在收到書後的連續數日皆手不
釋卷，期間除了因病未記錄閱讀進度外，直到一九八〇年五月二十
日，都仍有其閱讀的紀錄。最後一次的紀錄是在一九八〇年五月二
十日，他讚賞何定生說：「看《定生論學集》，仍未畢，足見其工作
之細。」[57]總的來說，顧頡剛對他這位早年的弟子之學術表現還是頗
為肯定的，固然一方面仍然認為其所論《詩經》與孔學為他論學諸
文之發展，但另一方面，他也不得不承認何定生在《詩經》的研究
在某些地方已超出了他的成就。曾志雄在〈永遠的懷念——紀念何
定生教授逝世四十週年〉一文中就對何定生《詩經》學與古史辨派
的既繼承又超越的關係做了如下的評論：

---

56 顧頡剛：《顧頡剛日記》，第 11 卷，頁 710，1980 年 5 月 18 日。
57 《顧頡剛日記》記載顧頡剛閱讀何定生著作事共八次，分別是 1979 年 10 月 9
　日、10 日、11 日、24 日、25 日、26 日、1980 年 5 月 18 日、20 日。（顧頡
　剛：《顧頡剛日記》，第 11 卷，頁 695、696、698、699、709、710。）

何老師研究《詩經》從古字義和古代禮樂制度出發，注重探求《詩經》的原始面貌和時代意義，以此填補古史辨派對《詩經》研究的不足，這是一般人不易為之的事。由於他親身經歷古史辨派的洗禮，對當時《詩經》研究的情況瞭如指掌，所以晚年在這方面做了不少工作。他在世的最後幾年，臺灣商務印書館出版了他的《詩經今論》，該書一方面挖掘過去「疑古派」在討論《詩經》上的不足，特別著力於〈雅〉〈頌〉禮儀意義的探討；一方面也深入而有系統地闡述了漢人對待《詩經》的態度，以及這種態度對後人的影響。書中對《詩經》問題前後照應，可以說繼往開來；在評述學者觀點時深入淺出，尤見識力，給人耳目一新的感覺。文章中看問題之準，找證據之精，更往往叫人歎為觀止。[58]

至於何定生本人怎麼看待這個問題呢？曾志雄在文中很忠實地記錄下了何定生自己的評語：

他對自己的《詩經》專題研究表現深具信心。他曾經自豪的對我說了不只一次：（二十世紀）三十年代是《詩經》的 Koo's Age（顧時代），現在是《詩經》的 Ho's Age（何時代）！[59]

當年為了中山大學獎學金之事，何定生回了一封信給顧頡剛，在信末他曾豪氣干雲的向一路相挺他的恩師顧頡剛發下豪語：「請看

---

58 曾志雄：〈永遠的懷念——紀念何定生教授逝世四十週年〉，頁72。
59 曾志雄：〈永遠的懷念——紀念何定生教授逝世四十週年〉，頁72。

定生一顯其好身手！」[60]事隔數十年後，何定生終以傑出的《詩經》研究展現出了他的「好身手」，而讓顧頡剛刮目相看，或許這就是回報一路挺身愛護他的顧老師的最佳方式。

何定生有幸成為顧頡剛入室弟子，並能近身學習。展觀現存的書信、日記及相關回憶記錄，仍能讓人感受師弟二人相互間真摯的情誼，以及對學術的熱情與執著，讓人在學術理性的知識建構與傳播之外，更可以感知到學術作為一種安身立命的情感依傍與志業追求。

原刊於《中國文哲研究通訊》20 卷 2 期（2010 年 6 月），頁 53-66。（與徐其寧合撰）

---

60 顧頡剛：〈致何定生〉，《顧頡剛全集》，第 40 冊，《顧頡剛書信集》卷 2，頁 321，1929 年 10 月 10 日。

附錄二

賢嗣傳家學，古史有餘音
——顧潮教授訪談錄

　　顧潮，江蘇省蘇州市人，當代著名經史學家顧頡剛（1893-1980）先生的女公子。一九四六年九月生於上海，一九七〇年畢業於北京農機學院水利系，一九八一年進入中國社會科學研究院歷史研究所，二〇〇一年任研究員，現已退休。長期致力於顧頡剛著作的整理與研究，撰有《顧頡剛年譜》、《顧頡剛評傳》（與顧洪合著）、《歷劫終教志不灰——我的父親顧頡剛》、〈顧頡剛與胡適〉及相關研究論文二十多篇（參附錄），其中《顧頡剛年譜》獲中國社會科學研究院歷史研究所第二屆優秀科研成果獎（1996 年）。

　　二〇〇七年七月下旬，林慶彰教授為執行中央研究院中國文哲研究所「民國以來經學研究」計畫，特地組織了一支學術考察團赴中國上海、北京二地訪察民國時期與此二地有關之經學設施、機構，以及相關經學家的遺跡、文物及親友門生等。顧頡剛先生是這段時期極負盛名，也擁有極大影響力的學者，更難能可貴的是，在不依靠官方勢力或特定學術機構扶翼的情況下，顧先生的著作及相關文獻之保存、整理與出版、流傳皆具有相當程度的可觀局面，著實令人驚歎。而這其中的關鍵，除了顧先生生前對自己著作及相關史料的重視之外，最令人稱道的是，顧先生的後人及門生故舊在其晚年及身故之後，皆一直默默的在為顧先生著作的整理、出版與研究而

盡心盡力，如顧潮、顧洪姐妹、劉起釪教授與王煦華教授等。顧潮教授在其中所扮演的角色尤其重要，從早些年的年譜之編定、傳記之寫作，直至現在，《顧頡剛全集》之編校，顧潮教授的工作份量越來越重，而隨著顧洪的逝世與劉起釪、王煦華二老之年邁力衰，總冊數達六十二鉅冊的《顧頡剛全集》的編校工作幾乎全部落在已為人祖母的顧潮教授身上。在考察期間，我們打聽到了顧潮教授的電話與地址，在七月二十九日晚上，林慶彰教授本想與我親赴顧潮教授家中拜訪，但顧潮教授當時正忙著校對《顧頡剛全集》的工作，家中堆滿了資料，不便待客，結果反倒是顧教授來到我們下榻的北京郵電賓館拜訪我們。於是便趁著這個難得的機會，我們便對顧潮教授進行了訪談。顧潮教授雖是生長於江南水鄉，有著蘇州人的婉約與謙和（此性格與其父極像），但後來隨父北上，一直定居於北京，因此在言談之際也顯露出了北方女子的爽朗大方與直率真誠。在整個訪談過程中，顧潮教授幾乎是知無不言，言無不答，毫不保留的將她所知道的和盤托出，因此，不但訪談的過程極為順利，氣氛也相當愉快。當時參與聆聽訪談過程的考察團成員極夥，但主要提問者則有林慶彰教授、蔣秋華教授（中央研究院中國文哲研究所副研究員）、龔鵬程教授（時任北京師範大學特聘教授，現任北京大學中文系教授）與本人。訪談稿先由國立清華大學中文系博士班徐其寧同學進行初步的文字紀錄，再經本人整理修訂而成，全文最後復經顧潮教授本人及其他參與訪談者的校正。為了方便讀者閱讀，整理者大致根據訪談脈絡，將訪談稿做了必要的分段，並加上適當的段落標題。須聲明的是，為了內容的連貫，整理者不可避免地將某些訪談文句做了些相應的移易調整。當然，這樣的調整最後都經過訪談相關當事人的確認。

一 關於《顧頡剛全集》的編校

車：顧教授我想請問一下，今天下午我們聽王煦華教授說到顧頡剛
先生遺稿整理分工的情形，他說您是整理日記，顧洪整理讀書
筆記，論著的部份由王教授本人負責。現在預備出版的《顧頡
剛全集》其中分工的情形是怎麼樣，具體的情況可否請您再詳
細說明一下？

顧：《全集》整理工作的分工情形大致如王先生所說。顧洪除整理《讀
書筆記》之外，又整理了有關邊疆與民族問題的論著一冊；還
編了一冊《顧頡剛文庫藏書目錄》，這是她與文庫同事張先生一
起編的。我除整理日記之外，又整理了書信；還整理了文集。
王先生年紀大了，我幫他整理了古史和民俗兩部分論著。

車：現在《全集》出版的情形是怎麼樣了？

顧：我們二○○五年與中華書局簽訂了《全集》的出版合同，當年
已經把大部份的稿件交去。二○○六年又把全部稿件編好、交
齊。中華書局很重視這件事，作為他們的重點項目，投入了很
大力量。我們家屬對此非常感激。

車：《全集》預訂出多少冊？

顧：大約有六十冊左右。主要部份有：古史論文十多冊，讀書筆記
十多冊，日記十多冊，這些已經有四十多冊了；其他還有民俗
論著數冊、書信數冊、文集數冊，等等。

車：現在的進度是到什麼地方呢？

顧：現在《讀書筆記》的三校已經完畢，還要四校、五校。其他部
分校樣也即將發回，所有稿件都要五校。我們請了幾位同事、
朋友幫助校對。

車：北京中華書局出的《讀書筆記》與臺灣聯經出版公司出的《讀

書筆記》有不一樣嗎？

顧：有不同。加進去了早年的那部份。我父親的筆記是從民國初年
在北京大學做學生的時候開始寫的，他晚年整理自己的筆記，
卻沒有包括早年的那一部份，大概是覺得那部份學術價值不是
很大。後來我們編《全集》的時候，考慮到這部份筆記中有大
量反映民國初年學術界以及社會狀況的資料，包括北大的不少
情況，現在看來很有史料價值，還是應該收進《全集》的。顧
洪在整理這部份筆記的時候，真是費了大力氣的，因為其中鈔
了很多當時的報紙雜誌發表的文字，可是這些報刊現在要查找
非常困難，沒有辦法核對原文。所以在對這些字句進行斷句、
加引號的時候必須反覆斟酌，這讓顧洪幹得非常辛苦。

車：顧先生在抗戰時期是否寫過一些較通俗的讀物，譬如像《晉文
公》之類的？這些東西有沒有也收入《全集》中？

顧：《晉文公》這篇文字是他根據自己的講義改寫的。這篇文字大概
沒有正式發表，我沒有看到。不過他寫的講義都收入《全集》
了。

車：你們有編一個完整的目錄嗎？就是不管是存或是不存的，找到
找不到的？

顧：我那本《年譜》後面有一個〈著述目〉，包括找不到的。

車：在《禹貢》半月刊裡寫的「通訊一束」也有收嗎？

顧：都收。包括半月刊裡他的案語、啟事、記事等等。

車：現在有一個問題，像林老師比較關心的，就是顧先生有些東西
是別人代做的，這個情況你們會怎麼處理？

顧：那要分別情況處理。只要是我父親修改過的，就作為他的東西
收入，並且註明是某人代作，經他修改的。如果是別人作的，
沒有經他過目，而以他名義發表的，就不會收入，像童書業

（1908-1968）先生作的〈董仲舒思想中的墨教成份〉、〈有仍國考〉、〈讀春秋邾國彝銘因論邾之盛衰〉等文，就不收。

車：林老師聽王煦華先生說他也代作了好多文章，有這種情況嗎？

顧：那是一九七八年王先生調來做助手以後的事。例如〈崔東壁遺書序〉，我父親以前沒有寫完，其中寫成的漢代之前的部份已經發表（題〈戰國秦漢間人的造偽與辨偽〉，收入《古史辨》第七冊），漢代以後的部份僅搜集資料，寫有草稿，後來由王先生將這些草稿連綴補充成文。又如〈「聖」、「賢」觀念和字義的演變〉一篇，是王先生把我父親讀書筆記中有關論述摘錄出來，連綴成文，經我父親改過的。

車：顧先生編的東西呢？將來要怎麼處理？

顧：我父親編的東西太多了，這次都沒有收入《全集》。像《古史辨》、《崔東壁遺書》、《古籍考辨叢刊》等等。以後中華書局等幾家出版社會考慮的。

林：《古籍考辨叢刊》第二輯，今天下午我們看王煦華先生正在校對，我擔心他不知道要弄多久。

顧：是的，這份校樣他已經看了很多年了。

車：顧先生早年編通俗讀物時候印了很多唱本，現在這些還有嗎？

顧：還有一部分，不全了。

車：有計畫再把它們整理出書？

顧：現在有一位北大的研究生，做通俗讀物的論文。她已經把我們目前保存的這些通俗讀物全部拍下來，放在北大的一個網站，供大家使用。

車：顧先生抗戰勝利後為什麼不回燕京大學？

顧：那時候我祖父已經去世，蘇州老家有不少事情需要處理，我父親是家中獨子，不能不回家去安排。

車：他當年離開中山大學時，不是那麼嚮往回到北平嗎？

顧：是的，在抗戰前，北平真正是一個文化中心，對我父親有巨大的吸引力。

車：在他日記裡也反映了對洪業（1893-1980）的不滿，是有什麼特別的原因嗎？

顧：我父親對洪先生的不滿，主要是我父親在燕京大學工作期間承擔「《尚書》學」的課題，有一筆經費，抗戰爆發後日本人要抓他，他隻身跑到後方，在成都接到哈佛燕京學社的信，讓他報帳，可是那些單據都在北平，他認為這是給自己出難題，很生氣，就懷疑是洪先生在裡面怎麼樣了。其實我覺得人家讓按時報課題費帳目，也是照規章辦事，沒什麼錯。實際上洪先生對我父親是很好的，我父親到燕大工作就是洪先生極力推薦的，我父親對洪先生也是特別感激。不過兩個人性格不大一樣，洪先生比較專心於校內的工作，而我父親自九一八事變後在校外從事很多工作，包括通俗讀物社，禹貢學會等等。頭緒很多，校內的工作自然要受影響，洪先生有意見也是正常的。

車：當時他做那個《尚書》的課題好像是找顧廷龍（1904-1998）一起做的？

顧：那部分是《尚書文字合編》。

車：那個也收在《全集》裡？

顧：不收，那屬於編輯的資料。像課題中還有一部分是《尚書通檢》，由童書業先生等人幫我父親一起做的，抗戰前已經出版，同樣也不收入《全集》。

林：顧教授，我們很誠懇的希望您能來臺灣一趟，什麼時候您答應了，我們就邀請您。

顧：不好意思，等我把《全集》的事情做完後再考慮這件事好不好？

　　再說我是半路出家，你們要我談談我父親有關經學的研究，我
　　對這方面並不懂，講不出多少有價值的東西，會讓你們失望的。

林：不一定講經學研究，講顧先生的生平，經歷，跟學術有關的問
　　題。儘管您說外行，我們都感覺您很內行。

顧：像童教英老師，她才是內行，她自己是歷史系畢業的，而且又
　　跟隨她父親童書業先生學史，她才是歷史的行家，能講出很多
　　對你們有價值的東西。

林：我們也要邀她。顧教授您就不要客氣，如果明年不行就後年，
　　我們就等您。

顧：讓你們花很多錢，到時候我又講不出什麼，會覺得愧對你們。

林：您就去看一看，不一定那麼正式，座談會也可以，就好像今天
　　晚上就是座談會。

顧：等《全集》事情完成後再說吧。

林：將來《全集》還是要把《日記》收進去嗎？

顧：當然會收。

林：臺灣版跟大陸版不一樣？

顧：會有一些差別。

龔：您收集的顧先生書信是怎麼收的？

顧：除了我父親當時錄下副本的或是存有底稿的，還有一部份家書，
　　這是原件。其他的就是向他的友人、學生處查找，再就是向有
　　關的圖書館、檔案館去找。這當中不斷有人給我提供信息，說
　　某處某處有，我非常感激大家的幫助。

蔣：臺灣師範大學國文系的陳廖安教授，當年就有意從一些刊物上
　　收集顧先生的東西。

龔：那是在我編《國文天地》的時候。我們本來想出一個顧頡剛的
　　集子，當時收了很多。

顧：喔，您還編過《國文天地》啊？

龔：原來我編的，後來是林慶彰編。當時集了好多，想由《國文天地》出一個《顧頡剛筆記》，我序都寫好了，結果卻沒有出。以後我聽說聯經在做，那我們就不用出了。這是二十多年前的事啦。

顧：我父親有一篇〈清初學者的政治思想〉是在《國文天地》發表的，一九九一年。

林：我們會幫忙收集一些臺灣學者的研究成果，妳可以參考。顧先生寫給屈萬里（1907-1979）先生的信我回去就把影印本寄給你。

顧：那要謝謝你們了。以前石璋如（1902-2004）先生給我寄過幾張當年的合影，還有董作賓（1895-1963）先生的兒子也給我寄過照片。

車：《全集》可能會把照片單獨出嗎？

顧：中華書局可能會考慮，或是附在每一冊的前面。我父親保存的照片在文革時候幾乎全燒了，留下來的不多。

林：顧教授你們編的《全集》，除了顧先生的照片之外，像他編的刊物的創刊號，或是他的著作的第一版，那個應該很珍貴，不然的話我們現在看全集都是現在的排版嘛！

顧：對，就沒有那種感性認識。

林：最早原來是什麼樣子，不清楚。像我們那天去郭沫若（1892-1978）紀念館，看他《卷耳集》，小小本，好像口袋本，我們就覺得很驚訝，早先是那樣一個小的版本。

顧：是的，我們已經拍了很多書稿、刊物的照片。

林：那個應該可以收進去，編成一冊圖版的。人的照片，書稿，還有他編的刊物的封面，還有他常常投稿的刊物啊，那一期有他的文章啊，都可以這樣做，這樣看起來就豐富多了。

顧：對！

林：也可以讓我們去回憶，了解當時的情況。

二　關於顧先生的子女及身後事

車：顧教授您大學念的是北京農機學院，為什麼後來會進社科院歷史所呢？

顧：當時我父親的東西缺少人手整理，所以把我調過去。

車：您的妹妹顧洪是念哪間學校？

顧：她在文革結束恢復高考之後，上的北京師範學院歷史系，現在改名叫首都師範大學。

車：後來也在社科院歷史所嗎？

顧：對，她用兩年讀完大學功課，就考上社科院研究生。那時我父親還在世，與劉起釪先生合招的研究生。顧洪是科班出身的，她比我有根柢，我本來是學工的，對古史尤其是經學那麼高深的學問真是不懂。

車：可是我覺得您編的《顧頡剛年譜》編的非常好。

顧：那個工作做了十年嘛，對於材料比較熟悉。

車：可是剪裁很有方啊。

顧：這主要是依靠我父親留下來的資料。在一九四九年以後歷次政治運動中，為檢討自己的經歷，他多次寫過簡譜。在文革初期他為交代自己所謂的「罪行」，把每一本日記都寫了提要，貼在日記本首頁，那時日記還沒被專案組拿走。這些對我很有用，我寫《年譜》就是按照我父親這些簡譜和提要建立起框架，然後再充實內容的。

蔣：今天您提到您父親葬在哪兒？

顧：在北京西山鳳凰嶺，那裡有個佛山公墓。

林：那個是衣冠塚嗎？

顧：對。我父親去世後遺體捐獻給中國醫學科學院了，所以起初我
　　們沒建墓。一直到我母親去世後，才給他們合葬的。

蔣：那遺體最後還有歸還給家屬嗎？

顧：沒有。就是在中國醫學科學院裡頭，我聽人說就是做了一副標
　　本。

林：做一個標本？他有要你們去看還是……？

顧：（低語）我不想去看。

林：顧教授你是不是還有個弟弟？他在哪裡？

顧：我弟弟在北京。

林：在學術界嗎？

顧：不在。

車：那顧先生過繼的兒子顧德輝呢？

顧：他在上海做中學語文老師，現在退休了，住在顧家花園。

車：顧先生跟第一位妻子生的二位女兒？

顧：我大姐叫自明，日記裡也叫她康媛，是聾啞人，前些年已去世。
　　二姐叫自珍，日記裡也叫她良男，今年九十一歲了，住在南京。

林：年紀那麼大了！

三　關於顧頡剛先生的婚姻與感情世界

車：顧先生日記裡一直提到，他一直在追求譚健常（惕吾，
　　1902-1997），當時顧先生的第二任妻子殷履安（1900-1943）女

士知道嗎？

顧：知道啊。我第二位母親真是一個很好的人。我父親過世以後，我去訪問過譚女士幾次，有一次我問她：「我前一位母親過世以後，我父親不是跟你求婚嗎？為什麼妳不答應呢？」她回答說：「我覺得這位師母，人格太偉大了，我根本不能跟她相比，我替代不了她的位置，所以就沒答應。」我想，這是她真心的話。我父親日記裡對此事另有記載：譚女士當時認為我家中人口單薄，就是我父親自己沒生兒子，應該娶一位能生孩子，能持家務的妻子，而譚是一位社會活動家，終日在外面奔忙，不能滿足我父親的需要，因此她覺得自己不合適。我想，這也是其中一個原因吧。殷氏母親對我父親的情意，在我父親日記裡也有很多反應。比如抗戰勝利後，我父親到天津去接收自己的稿件，這些都是殷氏母親和顧廷龍先生在我父親逃離北平之後替他收拾、寄存的。我父親見到每包文稿上母親寫的封條，睹物思故人，心裡就已經很難受了，沒有想到打開其中包紮的很牢固的一個小包，竟然看到自己在廈門大學時候寫給譚女士的一封長信，他受到極大的刺激，用日記原話說，就是「幾欲瘋狂」了。[1]為什麼呢？我父親寫這封信的時候，家眷沒到，一個人在廈門，心情不好，他有很多話想對譚傾訴，可是當時譚的行蹤也不定，沒有確切地址，寫完也沒法發出去，時間一長，他自己也不知道這封信藏到什麼地方了。按說這封信也可以稱為情書，但我這位母親在整理文稿時見到，並沒有毀棄它，而是特地牢牢地

---

1 案：見顧頡剛：《顧頡剛日記》（臺北：聯經出版事業公司，2007 年），第 5 卷，頁 615，1946 年 2 月 28 日記。

包好，她的心胸真是太寬厚了。她對我父親與譚女士之間的情誼是這樣的尊重，讓我父親感到無以回報。

車：顧先生不是還在日記上寫想要娶妾嗎？

顧：那是在西北考察的時候，不過並沒有實現。

車：殷履安女士知道嗎？

顧：她知道。我父親有失眠的老毛病，殷氏母親晚上總要拍他入睡。可是在西北考察的時候，我父親一個人，就難以入眠。於是當地人建議他找一個人照顧照顧，還幫助他找，後來沒找到合適的，他不久又離開西北，這件事也就不了了之。我覺得殷氏母親真是一位賢妻良母，對我父親幫助有多大啊，無論在生活上，還是在工作上，現在我父親的遺稿裡有好多都是她鈔寫的。我對她是特別的敬佩。

四　關於顧頡剛先生的門生與交遊

林：顧教授我請教你一個問題，顧先生那麼多學生，跟您比較有來往的是誰？

顧：他的學生目前還健在的已經很少了。我接觸比較多的有黃永年（1925-2007）先生，今年一月剛去世。還有史念海（1912-2001）先生、侯仁之（1911-）先生等。

林：黃永年先生是當過顧先生的助理嗎？

顧：我父親在六〇年代整理《尚書》的時候，想調三個人作助手，一位是劉起釪先生，一位是王煦華先生，還有一位就是黃永年先生。大概是因為黃先生當時戴著「右派份子」的帽子，就沒有調成。

林：何定生（1911-1970）妳對他了解多嗎？

顧：不多。他後來不是去臺灣了嗎？

林：是。但是在臺灣也很少人注意他。

顧：我父親當年跟何先生有多封通信，我已收在《全集》裡面。為了介紹收信人的簡單情況，我就請臺灣某位學術界的朋友幫忙。後來他就把資料複印寄來了，是一份何先生的簡歷，大概是他本人填寫的。

林：那可能是在臺灣大學的什麼檔案裡找到的。

車：何先生那個時候跟顧先生回到北京的時候是不是有寫過一個小冊子，叫《關於胡適之與顧頡剛》？

顧：對。我父親藏書中有一本。

車：內容是什麼？

顧：裡面既有他自己的文章，也有別人的文章，很薄很薄的一小冊。其中有一些是批評胡適（1891-1962）先生的學術觀點的。

林：妳對趙貞信（1902-1990）瞭解多嗎？

顧：聽說過一些。他晚年中風了，癱瘓了在床上說不出話來。我曾想向他瞭解一些禹貢學會的情況，但可惜沒能實現這個願望。[2]

林：《古籍考辨叢刊》他好像點了好多？

顧：對，第一冊裡〈論語辨〉，第二冊裡面的歐陽修（1007-1072）、葉適（1150-1223）、袁枚（1716-1797）、崔述（1740-1816）、俞樾（1821-1906）等五種〈辨偽書語〉，都是趙先生輯點的。

林：是，我看他點了不少，顧先生很倚重他。

車：當時禹貢學會那些書呢？

顧：後來就送給中央民族學院了。十多年前我也想找這批書，因為

---

2 案：趙氏係於 1990 年 12 月逝世於北京。

當年學會為捐款募款的人作紀念，在一些書上是蓋有紀念章
的。我很想看一看這個印章的式樣，就請吳豐培（1909-1996）
先生幫助。吳先生是禹貢學會的會員，後來擔任民族學院圖書
館的館長，雖然已經退休，跟館裡面的人還是很熟悉的。他幫
我聯繫了現任的館長，但他們也沒有找到這批書，因為裡面的
變化也很大。直到吳先生去世前我最後一次去看他，一見面他
就說：「真抱歉，妳託我的事沒能辦成……。」這種真心誠意讓
我十分感動。

車：吳豐培一直都是在中央民族學院嗎？

顧：對，自從五〇年代直至去世，他都在民族學院工作。後來還在
　　社科院邊疆史地研究中心兼職，他是邊疆史地研究這個領域裡
　　一位非常重要的學者。

林：顧教授，張西堂（1901-1960）的情況你瞭解嗎？

顧：我不大知道，他後來不在北京，而且去世較早。我父親得知他
　　去世的消息時，在日記裡說：「老友又弱一個」。[3]

林：好像他兒子還在。我看臺灣出了一本《穀梁真偽考》（臺北：明
　　文書局，1994 年），是他兒子點校的。

顧：我不知道他兒子的情況。[4]

林：《古籍考辨叢刊》第一集好像有張西堂點校的。他當時也是禹貢
　　學會的會員？

顧：三〇年代我父親編輯出版的《辨偽叢刊》裡，有張先生點校的

---

3 案：見顧頡剛：《顧頡剛日記》，第 9 卷，頁 31，1960 年 2 月 18 日記。

4 案：張西堂之子為張銘洽，一九四九年生，畢業於西北大學歷史系，獲得史學
　　碩士學位。曾任陝西歷史博物館科研處處長、中國秦漢史研究會副會長及《陝
　　西歷史博物館館刊》副主編，現任陝西省文物局《陝西文物年鑑》編輯部副主
　　任，專研秦漢史。

《唐人辨偽集語》和《古學考》。五〇年代我父親編輯《古籍考辨叢刊》的時候，把這兩種分別收入第一集、第二集。至於禹貢學會，當年學術界許多朋友都參加了。

林：顧教授對樸社、景山書社瞭解多嗎？

顧：他們的舊址我都去找過。八〇年代我一邊整理遺稿，做年譜，一邊就去找這些舊址，想拍照片。但沒找到景山書社舊址。

林：景山書社是不是可以算樸社的門市？

顧：對，門市部。

車：馮友蘭（1895-1990）也當過樸社的社長。

顧：在我父親去廈門、廣州任職期間，馮先生主持過社事。

林：景山書社是不是在景山附近？不然的話怎麼叫景山？

顧：是啊，它就在景山東街，北京大學二院對門。

林：那門牌號碼還在嗎？

顧：沒有了。在那一帶我只找到大石作胡同我父親曾經住過的院子，在北海和景山之間，那是他寫《古史辨》第一冊自序的地方。

車：後來跟顧先生合編《禹貢》半月刊的馮家昇（1904-1970）先生呢？

顧：他去世了，是在文革當中就去世了。他本來有心臟病，那時候知識份子受批判，要勞動改造，讓他挖防空洞，結果心臟病就發作了。

車：他是在哪個學校？

顧：是在中央民族學院。

車：那像這張〈禹貢學會全體職員合影〉照片中出現的還有欒植新、

韓儒林（1903-1983）等幾位先生，您對他們瞭解嗎？[5]

顧：韓儒林先生後來在南京大學，文革中挨整很厲害，健康受到很大傷害。文革後沒幾年就病逝了。照片裡的欒植新、陳增敏等人，我都不知道他們的情況。

林：我在臺灣的東吳大學的圖書館看到顧先生親筆簽名送的書，叫做《漢代學術史略》，送給袁帥南（榮法，1907-1976）。你知道這個人嗎？

顧：袁帥南嗎？我家在上海有幾年住在武康路，那就是他的房子。

林：喔，這樣啊！

顧：袁先生那時候到臺灣去了。

林：是，到東吳大學教書，東吳大學中文系。他後來過世了，這本書就送給東吳大學，我在圖書館有看過，那個簽名我也有印下來，我會寄給你。顧先生為什麼住他的房子？跟他是好朋友嗎？

顧：不是朋友，我父親原來不認識袁先生。當時袁先生搬家去臺灣，想找可靠的人家住進那所房子，大概是通過顧廷龍先生還有別的人介紹，就找到我父親了。[6]

---

5 此張照片載於顧潮：《歷劫終教志不灰——我的父親顧頡剛》（上海：華東師範大學出版社，1997 年），頁 172，攝影時間為 1937 年 3 月。

6 關於此事的原委，顧頡剛在日記裡有詳細的記載，其謂：「袁帥南君，前上海道袁樹勛（謹案：當做勗）之孫，操律師業，住福開森路（今名武康路）二八〇弄九號，洋房一棟，前有草地，今以將去臺灣，恐為兵占，擬借與人住，起潛叔聞之，因介紹予，得其同意。今日與靜秋往觀，頗合理想，惟二層渠已許金陵大學靳君，而廚房只有一所，恐兩家合住不方便耳。予能住此，則離合眾圖書館較近，有參考之便，又附近無兵營，使人安心，而庭院頗大，潮兒可以活動，均為優點。惟離大中國較遠，往返費時耳。」（見《顧頡剛日記》第 6 冊，頁 420，1949 年 2 月 14 日記。）此外，在其讀書筆記中亦有述及居住此屋的狀況，其云：「予於一九四九年三月一日自虹口山陰路邊於滬西武康路之袁氏剛伐邑齋。其地鄰近法華鎮，古法華寺者，上海一劇蹟，與龍華及靜安寺鼎

林：後來那房子……？

顧：七〇年代初我去上海找過那所房子，樓還在，可是花園已經沒有了，蓋上新房子了。

林：袁帥南那時候在大陸算有錢人嗎？

顧：應該算有錢吧，那所花園洋房很不錯的。

車：那山陰路的宅子呢？

顧：那是我很小的時候住過，已經沒有印象了。

龔：您說的那個袁帥南先生是在東吳教詞章的嗎？他們是個世家啊！跟陳伯巖（三立，號散原，1853-1937），就是陳寅恪的父親他們很熟的。他有一個先輩叫袁伯夔（思亮，1879-1939），替陳三立代筆很多文章，本身還有《蘉盦文集》，臺灣文海出的。[7]袁帥南是袁伯夔的兒子還是姪兒，我記不太清楚了[8]，你

足而三者也。袁氏多藏書，任予取資。」（見《法華讀書記》（一），《顧頡剛全集》〔北京：中華書局，2010 年〕，第 20 冊，《讀書筆記》卷 5，頁 3。）

7 案：袁思亮，字伯夔，號蘉盦，湖南湘潭人，曾投贄陳三立門下，早年曾任清廷農工商部郎中，民國肇建後，曾與張君勱（1887-1969）等人籌組共和協進會。後因對北洋政局灰心，遂隱居上海不出，著有《蘉盦文集》四卷、《蘉盦詩詞集》二卷、《冷芸詞》一卷。關於其事蹟可參王爾敏：〈袁思亮小傳〉，收入氏編：《袁氏家藏近代名人手書》（臺北：中央研究院近代史研究所，2001 年），頁 133-134。

8 案：袁帥南，名榮法，以字行，湖南湘潭人。清光緒三十三年（1907）生，民國六十五年（1976）逝世。少承家學，治經史稱精博，尤工詞章。弱冠從伯父袁思亮寄寓上海。1930 年，海上詞人共擁彊村老人朱祖謀組漚社，帥南入社，年最少。1934 年畢業於上海持志學院法律系，以法學士執律務於上海，旋獲膺選為上海律師公會執行委員。1948 年底抵臺灣，先後擔任教育部中華叢書委員會委員兼編審、行政院長機要室文書、參議之職，並兼國防研究院修訂清史編纂委員。公職退休後，應私立東吳大學聘任教授，以詞選教授諸生。（以上據袁孝俊：〈捐贈緣起〉，《袁氏家藏近代名人手書》，頁 7；袁孝儒、袁家傑、袁孝俊：〈序〉，《館藏近代名人法書集屏》〔臺北：國立歷史博物館，1995

查一下文海出的《近代中國史料叢刊》那一套，裡面有他的集子。陳伯嚴不是有文集嗎？除了詩集以外還有文集嗎？文集裡面有一些。他們本身是世家，所以他們可能〔在上海有房子〕，遺老都在上海買房子嘛。像陳散原他們也都在上海待過一段時間。

林：當時在廈門大學，顧先生好像跟魯迅（1881-1936）感情不太好？

顧：是的。其實據我父親留下來的文字資料可以看出，他在北大工作期間，對周氏兄弟的一些作風就不太喜歡。他起初也是《語絲》的撰稿人，後來不參與了，大概跟這點有關。

林：但是我覺得魯迅講的話很刻薄。他說顧先生冬天鼻子會紅，這個紅鼻子除了鼻子會紅以外什麼都沒有。有講過這個話嗎？

顧：魯迅在跟許廣平（1898-1968）的通信裡，罵我父親的話很多。

林：顧先生不是也借錢給他嗎？在廈門大學的時候借五十塊給他？

顧：這件事我不知道。

林：我好像在哪裡有看到？

顧：我父親經常幫人，一般不入日記。像馮家昇先生在燕京大學唸書的時候特別用功，學問也很好，可是家裡窮，交不起學費。我父親就給他錢，幫他繼續完成學業。這件事我原來並不知道，是在我父親去世後，馮先生的夫人來我家看望的時候談到的，她說馮先生一直不忘記這件事。

車：您跟錢穆（1895-1990）先生的家人的關係如何呢？

顧：一九九三年我們在蘇州開會紀念我父親百年誕辰的時候，錢夫人為會議資助了經費，我們很感激她這份心意。在會上還見到

年〕；張壽平編：《近代詞人手札墨蹟》〔臺北：中央研究院中國文哲研究所，2005 年〕，下冊，頁 826。）

錢先生的幾位子女。在此之前，大約是一九八八年，我們為了父親《讀書筆記》出版的事情，曾託人與錢先生聯繫過，儘管當時他身體已經很衰弱了，但仍然很關注這件事。可以說，《讀書筆記》能在聯經公司順利出版，是離不開錢先生夫婦的大力幫助的，我們真是由衷的感謝他們。錢先生過世後，錢夫人來北京，想從我父親日記裡尋找有關錢先生的資料，她說當年錢先生離開內地到香港的時候，就隨身帶一個小箱子，除此之外沒帶其他行李，她幾乎沒有見過什麼此前有關的文字資料。我們給她找出來日記裡面許多相關的記載，她從中瞭解到錢先生當年的交往狀況，並且很有感觸，覺得當年學術界眾多友人之間能夠那樣頻繁地交流、切磋，那種氛圍真是令人神往；可惜後來就分開了，各奔東西了，這對中國學術的發展不免是一種損失。

車：顧先生在日記裡不是也有提到在齊魯大學那段時間，他對錢穆有些微詞？

顧：當年朱家驊（1894-1963）先生要我父親到重慶去編《文史雜誌》，我父親怕他走後齊魯大學國學研究所的前途會受影響，因此他雖然請錢先生來主持所務，可是自己依然兼任所長。他想等到錢先生地位穩定了，自己再正式辭職，所長這個位置自然就是錢先生的。以前他離開中山大學的時候就是同樣做法，當時他請商承祚（1902-1991）先生擔任語言歷史學研究所代理所長，所長仍是自己兼任，當然他只要所長的名義，而把所長的薪水充作所內工作經費，等商先生地位穩定了自己再辭職。我父親總是從學術工作的需要出發來考慮問題，他一心想的是學術的發展，而不是個人的地盤、名利。不過他的做法往往被人誤解，以為他想把持所長的位子，不信任別人。可能錢先生也會有這

種誤解。

龔：可是錢先生在他的《師友雜憶》裡面，最推崇的還是顧頡剛。
他對北京學者都沒一句好話啊，除了顧頡剛以外，我看錢先生
對北京學者都不很欣賞，對其學風也不太欣賞。

顧：我覺得我父親是一個書生，他太不會圓滑處世，這一點他跟傅
斯年（1896-1950）先生是截然不同的。傅先生特別會辦事，特
別有組織能力（林：特別霸氣）。我父親在《古史辨》第一冊自
序裡說自己有雙重人格，在治學時候十分鎮定堅強，有鑑別力，
而在處世時候卻往往急躁慌張，優柔寡斷。這的確是實情。

車：可是顧先生能搞出那麼多成績，又是禹貢學會，又是通俗讀物
編刊社，搞那麼多的活動，我覺得他的活動能力或他的才幹也
不會比傅斯年差到哪裡去。

顧：我父親沒有傅先生這麼會用人，這是他欠缺的地方。

車：可是他提拔的這些人，後來不也都成為蠻重要的學者？

顧：那是在學術上，他開出了新的領域，造成了新的風氣，培養了
許多學者。

林：我看了顧先生的日記，裡面多次提到四川的經學家李源澄
（1907-1958），妳知道這個人嗎？

顧：我從我父親日記裡知道這個人，可是沒有接觸過，不瞭解，不
知道他後來怎樣？

林：他是在反右的時候發瘋了，後來就死掉了。吳宓（1894-1978）
的《日記續編》裡面記了二三頁他過世的過程。如果妳要參考
他的資料，可以在吳宓的《日記續編》裡找。

五 其他

車：顧先生寫的日記是不是有二種？像他在寫《辛未訪古日記》的時候，是不是同時在寫日記？我有稍微對過這兩種，《辛未訪古日記》寫的比較詳細，日記寫的比較簡略。

顧：我父親的日記寫得比較簡單。他寫旅行日記的時候，無論是《辛未訪古日記》，還是《西北考察日記》，都是旅行歸來之後，再以原來的日記為線索，又補充了一些資料。

林：就是有點要寫書的意味。

車：他好像還有一種小的日記本。

顧：那是懷中筆記本。他的日記是大開本的，出門時候不便於攜帶，就留在家裡。出門時候他就把日記寫在懷中小本上，等回家以後再謄到大本上。

車：那等於也是寫二次？

顧：對，有時候來不及謄寫的，時間一久就丟了，像一九五○年他到北京開出版會議，緊接著又到西北農學院組稿，回到上海後沒有及時把日記補上，結果這段日記就丟了。還有像一九四四年底他從重慶到成都齊魯大學講課，日記寫在零紙上，回去以後也沒及時把日記補上，好在那些零紙還夾在日記本裡面，能夠補入。

車：他有讀書筆記，也有寫日記，那他一天的時間安排到底是怎樣？

顧：他白天基本上是伏案工作，他寫字非常快，要不然他的字怎麼都是行書、草書呢。

林：對，我看他給屈先生的信，字如行雲流水。

車：像他在《西北考察日記》裡也寫到他一天到晚幫人題字，他的書法怎麼樣？

顧：當時他給西北人題的字，我沒有見到。聽說他給一些寺廟題的字，有刻在建築物上的，後來在文革當中都被毀掉了。

林：民國初年學者的後代，應該是妳幫令尊的事情做的最多，寫很多書啊，一生都在整理他的東西。

顧：我父親晚年看到自己有這麼多事情沒有做完，心裡特別著急，總是說自己活不了多久了，要抓緊。我看到他著急的樣子也很難受。可是那時候他身體越來越差，經常住醫院，我只能和家人在他身邊照顧他的生活。我父親去世以後，面對那麼多的遺稿，歷史所和社科院的領導也很重視，安排我和妹妹顧洪協同劉先生、王先生一起，從事整理工作。這對我來說是責無旁貸嘛，當然要全力以赴去做。

林：劉起釪先生後來搬到南京去了？

顧：是的。

林：我曾邀他到臺灣過，我也去過他家好幾次，寫給我的信大概有二十多封。劉先生的字很漂亮，寫得很工整。他最近出了一本書，去了那邊還能編書嗎？

顧：基本上可以說不能工作了。

林：這麼晚了，我想我們送妳回去吧！

顧：謝謝，不用送。

林：不用客氣吧，在車上還可以請教妳一些事情。

附錄：顧潮教授論著目錄

一　專著：

1. 《顧頡剛年譜》，北京：中國社會科學出版社，1993 年；北京：中華書局，2011 年，增訂本。

2. 《顧頡剛評傳》（與顧洪合著），南昌：百花州文藝出版社，1995 年。

3. 《中國現代學術經典‧顧頡剛卷》（與顧洪合編），石家莊：河北教育出版社，1996 年。

4. 《歷劫終教志不灰──我的父親顧頡剛》，上海：華東師範大學出版社，1997 年；北京：人民文學出版社，2010 年，改題為《我的父親顧頡剛》

5. 《蘄弛齋小品》（顧潮選編），北京：北京出版社，1998 年。

6. 《顧頡剛集》（顧潮選編），北京：中國社會科學出版社 2001 年。

7. 《顧頡剛學記》，北京：三聯書店，2002 年。

二　論文：

1. 〈顧頡剛與魯迅〉，《中外雜誌》，1989 年 8 期。

2. 〈顧頡剛先生的前二次婚姻〉，《人物》，1991 年 6 期。

3. 〈我的父親顧頡剛〉，《文匯報》1991 年 7 月 24 日。

4. 〈顧頡剛與傅斯年在青年時代的交往〉，《晉陽學刊》1992 年 1 期。

5. 〈顧頡剛在辛亥革命前後〉,《民國春秋》,1992 年 1 月。

6. 〈顧頡剛先生傳略〉,《文史哲》1993 年 2 期。

7. 〈顧頡剛致胡適的信〉,《文匯讀書周報》477 號,1994 年 4 月 16 日。

8. 〈略論顧頡剛先生研究古史的方法〉,《中國史研究》,1994 年 4 期。

9. 〈顧頡剛先生未刊的八封信〉,《學習》,1994 年 6 期。

10. 〈對我父親八封信的詮釋〉,《學習》,1994 年 6 期。

11. 〈顧頡剛遺札〉,《學術集林》卷 1,1994 年 8 月。

12. 〈顧頡剛先生與禹貢半月刊〉,《中國歷史地理論叢》,1997 年 3 期。

13. 〈顧頡剛與胡適〉,《胡適研究叢刊》第 3 輯,北京:中國青年出版社,1998 年。

14. 〈顧頡剛先生與史語所〉,杜正勝、王汎森主編:《新學術之路——中研院史語所七十周年紀念文集》,臺北:中央研究院歷史語言研究所,1998 年。

15. 〈開創古史研究新風的先驅——顧頡剛〉,蕭超然主編:《巍巍上庠百年星辰——名人與北大》,北京:北京大學出版社,1998 年。

16. 〈禹貢學會小記〉,慶祝楊向奎先生教研六十年論文集委會編:《慶祝楊向奎先生教研六十年論文集》,石家莊:河北教育出版社,1998 年。

17. 〈顧頡剛《檀痕日載》〉,《藝壇》1 卷,2000 年 3 月。

18. 〈五四時期的顧頡剛〉,郝斌、歐陽哲生主編:《五四運動與二十世紀的中國——北京大學紀念五四運動八十周年國際學術研討會論文集》,北京:社會科學文獻出版社,2001 年。

19.〈禹貢學會的復員與結束〉，張政烺先生九十華誕紀念文集編委會編：《揖芬集──張政烺先生九十華誕紀念文集》，北京：社會科學文獻出版社，2002 年。

20.〈顧頡剛先生對歷史地理學的貢獻〉，《燕京學報》新 12 期，2002 年。

21.〈關於古史的破壞與建設──論顧頡剛先生的治學〉，《炎黃文化研究》第 9 期，2002 年。

22.〈顧頡剛學案〉，《百年學案》，瀋陽：遼寧人民出版社，2003 年。

23.〈我父親顧頡剛先生的書信〉，《東方文化》第四期，2003 年。

24.〈學習父親為學術事業而獻身的精神〉，《中國社會科學院院報》，2003 年 5 月 20 日；又收入中國社會科學院歷史研究所、中山大學歷史系合編：《紀念顧頡剛先生誕辰 110 周年論文集》，北京：中華書局，2004 年。

25.〈顧頡剛的俗文學研究〉，陳平原主編：《現代學術史上的俗文學》，武漢：湖北教育出版社，2004 年。

26.〈影響顧頡剛治學命運的書〉，《北京日報‧理論周刊》，2004 年 11 月 29 日。

27.〈顧頡剛先生與甪直保聖寺塑像〉，錢理群、嚴瑞芳主編：《我的父親與北京大學》，北京：北京大學出版社，2006 年。

原刊於《中國文哲研究通訊》19 卷 3 期（2009 年 9 月），頁 109-126。（與徐其寧合撰）

徵引書目

　　本書目謹依下列原則排列：一、以書名項居首方式呈顯；二、依著作內容性質，分類排列；三、同類著作中再略依著作涉及內容之時代、成書先後及撰作者生年先後排列。四、西文著作則依西文書目著錄方式，以作者姓氏字母順序排列。

一　經學

《經學講義》，王舟瑤撰，北京：光緒甲辰官書局刊本，光緒 30年刊行。

《經學教科書》，劉師培撰、陳居淵注，上海：上海古籍出版社，2006 年。

《經史抉原》，蒙文通撰，收入《蒙文通文集》第 3 卷，成都：巴蜀書社，1995 年。

《經典常談》，朱自清撰，收入《朱自清先生全集》第 6 卷，南京：江蘇教育出版社，1993 年。

《經學大要》，錢穆口述、胡美琦、何澤恆、張蓓蓓整理，收入《錢賓四先生全集》第 52 冊，臺北：聯經出版事業公司，1998年。

《周予同經學史論著選集》，周予同撰、朱維錚編，增訂版，上海：上海人民出版社，1996 年第 2 版。

《中國經學史》,許道勛、徐洪興撰,增訂版,上海:上海人民出版社,2006 年。

《中國經學史論文選集》,林慶彰編,臺北:文史哲出版社,1992 年。

《五十年來的經學研究》,林慶彰主編,臺北:臺灣學生書局,2003 年。

〈民國時期香港的經學:1912-1941 年間的發展〉,許振興撰,發表於中央研究院中國文哲研究所主辦之「變動時代的經學和經學家(1912-19 49)第一次學術研討會」,2007 年 7 月 12-13 日。

〈民國時期香港的經學:兩種大學中文哲學課本的啟示〉,許振興撰,發表於中央研究院中國文哲研究所主辦之「變動時代的經學和經學家(1912-1949)第四次學術研討會」,2008 年 11 月 6-7 日。

〈20 世紀 30 年代中山大學讀經考察〉,劉小雲撰,《中山大學學報》(社會科學版)48 卷,2008 年第 4 期。

〈錢穆經學思想初探〉,汪學群撰,《錢賓四先生百齡紀念會學術論文集》,香港:中文大學新亞書院,2003 年。

〈尚書的文法及其年代〉,何定生撰,《國立中山大學語言歷史學研究所週刊》5 集 49-51 期合刊,1928 年 10 月 17 日。

《毛詩注疏》,毛公傳、鄭玄箋、孔穎達疏,南昌府學本,臺北:藝文印書館,1993 年。

《詩樂論》,羅倬漢撰,臺北:正中書局,1970 年臺 1 版。

《詩三百解題》,陳子展撰,上海:復旦大學出版社,2001 年。

《詩經注析》,程俊英、蔣見元撰,上海:上海古籍出版社,1991 年。

《詩經詮釋》，屈萬里撰，臺北：聯經出版事業公司，1990 年。

《詩經欣賞與研究》，糜文開、裴普賢撰，臺北：三民書局，1985
　　年 7 版。

《詩經評註讀本》，裴普賢撰，臺北：三民書局，1983 年初版。

《詩經的世界》，白川靜撰、杜正勝譯，臺北：東大圖書公司，2002
　　年。

《詩經通釋》，王靜芝撰，臺北：輔仁大學文學院，1991 年 12 版。

《詩經評釋》，朱守亮撰，臺北：臺灣學生書局，1984 年。

《詩經講座》，夏傳才撰，桂林：廣西師範大學出版社，2007 年。

《詩經正詁》，余培林撰，臺北：三民書局，1995 年。

《詩經圖注（雅頌）》，劉毓慶撰，高雄：麗文文化事業公司，2000
　　年。

《詩經全注》，黃忠慎撰，臺北：五南圖書出版公司，2008 年。

《新譯詩經讀本》，滕志賢撰、葉國良校閱，臺北：三民書局，2010
　　年。

《詩經詳析》，呂珍玉撰，臺北：五南圖書出版公司，2010 年。

《詩經名物新證》，揚之水撰，北京：北京古籍出版社，2000 年。

《興的源起：歷史積澱與詩歌藝術》，趙沛霖撰，北京：中國社會
　　科學出版社，1987 年。

《詩騷考古研究》，廖群撰，香港：香港大學出版社，2005 年。

《惠周惕詩說析評》，黃忠慎撰，臺北：文史哲出版社，1994 年。

《詩經研究反思》，趙沛霖撰，天津：天津教育出版社，1989 年。

《二十世紀詩經學》，夏傳才撰，北京：學苑出版社，2005 年。

《現代學術文化思潮與詩經研究——二十世紀詩經研究史》，趙沛
　　霖撰，北京：學苑出版社，2006 年。

〈近四十年臺灣詩經學研究概況〉，林慶彰撰，《文學遺產》，1994

年 4 期。

〈臺灣近五十年詩經學研究概述（1949-1998）〉，楊晉龍撰，《漢
　　學研究通訊》20 卷 3 期，2001 年 8 月。

〈詩經學研究概述〉，楊晉龍撰，收入林慶彰主編：《五十年來的
　　經學研究》，臺北：臺灣學生書局，2003 年。

〈開闢引導與典律：論屈萬里與臺灣詩經學研究環境的生成〉，楊
　　晉龍撰，收入《屈萬里先生百歲誕辰國際學術研討會論文
　　集》，臺北：國家圖書館等編印，2006 年。

〈論二十世紀五〇年代後臺灣學者對秦風兼葭的詮釋〉，楊晉龍
　　撰，發表於臺北：世新大學人文社會學院主辦之「兩岸三地
　　詮釋學與經典詮釋」學術研討會， 2007 年 5 月 5 日。

《周官成立之時代及其思想性格》，徐復觀撰，臺北：臺灣學生書
　　局，1980 年。

《左傳疏證》，徐仁甫撰，成都：四川人民出版社，1981 年。

《春秋左氏傳舊注疏證續》，吳靜安撰，長春：東北師範大學出版
　　社，2005 年。

〈錢賓四先生劉向歆父子年譜與左傳真偽問題研究〉，《紀念錢穆
　　先生逝世十週年國際學術研討會論文集》，單周堯、許子濱
　　撰，臺北：國立臺灣大學中國文學系編印，2001 年。

〈區大典孝經通義考論〉，許振興撰，發表於香港嶺南大學中文
　　系、臺灣中央研究院中國文哲研究所合辦之「經學國際學術
　　研討會」，2009 年 5 月 29-30 日。

二　史學

《史記三家注》，司馬遷撰、裴駰集解、司馬貞索引、張守節正義，

臺北：鼎文書局，1993 年 7 版。

《史記十二諸侯年表考證》，羅倬漢撰，重慶：商務印書館，1943
　　年。

《世說新語箋疏》，余嘉錫撰，北京；中華書局，2007 年 2 版。

《古史新證——王國維最後的講義》，王國維撰，北京：清華大學
　　出版社，1994 年。

《古史辨》，顧頡剛編，臺北：藍燈文化事業公司，1987 年翻印。

《顧頡剛古史論文集》，顧頡剛撰，收入《顧頡剛全集》第 1-13
　　冊，北京：中華書局，2010 年。

《民族與古代中國史》，傅斯年撰，石家莊：河北教育出版社，2002
　　年。

《古史續辨》，劉起釪撰，北京：中國社會科學出版社，1991 年。

《古史考》，彭振坤編，海口：海南出版社，2003 年。

《古代中國的節慶與歌謠》（*Fêtes et chansons anciennes de la
　　Chine*），葛蘭言（Marcel Granet）撰；趙丙祥、張宏明譯，
　　桂林：廣西師範大學出版社，2005 年。

《古代中國的歷史與文化》，勞榦撰：臺北：聯經出版事業公司，
　　2006 年。

《中國思想的起源》，吳銳撰，濟南：山東教育出版社，2002 年。

《西周銅器斷代》，陳夢家撰，北京：中華書局，2004 年。

《春秋大事表列國爵姓及存滅表譔異》，陳槃撰，增訂本，臺北：
　　中央研究院歷史語言研究所，1969 年。

《東周與秦代文明》，李學勤撰，臺北：駱駝出版社，1983 年。

《章丘歷史與文化》，陳先運主編，濟南：齊魯書社，2006 年。

《秦漢史與嶺南文化論稿》，張榮芳撰，北京：中華書局，2005
　　年。

《漢代貿易與擴張》，余英時撰；鄔文玲等譯，上海：上海古籍出
　　版社，2005 年。

《論戴震與章學誠》，余英時撰，香港：龍門書店，1976 年。

《崔述學術考論》，邵東方撰，桂林：廣西師範大學出版社，2009
　　年。

《現代學人與學術》，余英時撰，桂林：廣西師範大學出版社，2006
　　年。

《新史學之路》，杜正勝撰，臺北：三民書局，2004 年。

《中國近代思想與學術的系譜》，王汎森撰，臺北：聯經出版事業
　　公司，2003 年。

《近代中國的史家與史學》，王汎森撰，香港：三聯書店，2008
　　年。

《歷史地理學與現代中國史學》，彭明輝撰，臺北：東大圖書公司，
　　1995 年。

《法國史學革命：年鑑學派 1929-89》，彼得・柏克（Peter Burke）
　　撰、江政寬譯，臺北：麥田出版公司，1997 年。

《錢玄同研究》，吳奔星撰，南京：江蘇古籍出版社，1990 年。

《胡適批判》，葉青（任卓宣）撰，上海：辛墾書店，1934 年。

《胡適與當代史學家》，逯耀東撰，臺北：東大圖書公司，1998
　　年。

《顧頡剛和他的弟子們》，增訂本，王學典主撰，北京：中華書局，
　　2011 年。

《未盡的才情——從顧頡剛日記看顧頡剛的內心世界》，余英時
　　撰，臺北：聯經出版事業公司，2007 年。

《真理與歷史：傅斯年、陳寅恪的史學思想與民族認同》，施耐德
　　（Axel Schneider）撰；關山、李貌華譯，北京：社會科學文

獻出版社，2008 年。

《香港與中西文化之交流》，羅香林撰，香港：中國學社，1961
　　年初版。

《郭廷以、費正清、韋慕庭──臺灣與美國學術交流個案初探》，
　　張朋園撰，臺北：中央研究院近代史研究所專刊，1997 年。

《中國現代學術研究機構的興起──以北京大學研究所國學門為
　　中心的探討（1922-1927）》，陳以愛撰，臺北：國立政治大學
　　歷史學系，1999 年。

《學術與制度──學科體制與現代中國史學的建立》，劉龍心撰，
　　北京：新星出版社，2007 年。

《從四部之學到七科之學──學術分科與近代中國知識系統之創
　　建》，左玉河撰，上海：上海書店出版社，2004 年。

《中國近代學術體制之創建》，左玉河撰，成都：四川出版集團・
　　四川人民出版社，2008 年。

《從蔡元培到胡適──中研院那些人和事》，岳南撰，北京：中華
　　書局，2010 年。

〈胡適之先生南來與香港文學〉，鄭德能撰，收錄於盧瑋鑾編：《香
　　港的憂鬱──文人筆下的香港（1925-1941）》，香港：華風書
　　局，1983 年。

〈讀劉向歆父子年譜〉，廖伯源撰，《錢穆先生紀念館館刊》第 5
　　期，1997 年。

三　教育史

《北平各大學的狀況》，新晨報叢書室編輯，北平：新晨報，1930
　　年增訂再版。

《京師大學堂》，莊吉發撰，臺北：國立臺灣大學文史叢刊，1970年。

《北京大學日刊》，北京：人民出版社，1981年影印。

《國立北京大學一覽（民國二十四年度）》，國立北京大學編，北平：國立北京大學，1935年。

《北京大學校史（1898-1949）》，蕭超然等編著，北京：北京大學出版社，1998年。

《北京大學史料》，王學珍、郭建榮主編，北京：北京大學出版社，2000年。

《北京師範大學校史（1902-1980）》，北京師範大學校史編寫組，北京：北京師範大學出版社，1982年。

《會友貝勒府──輔仁大學》，孫邦華編著，石家莊：河北教育出版社，2004年。

《北京輔仁大學校史（1925-1952）》，北京輔仁大學校友會編，北京：中國社會出版社，2005年。

《燕京大學課程一覽》，燕京大學編，北平：燕京大學，1941年。

《司徒雷登與燕京大學》，羅義賢撰，貴陽：貴州人民出版社，2005年。

《國立武漢大學一覽（民國二十四年）》，國立武漢大學編，臺北：傳記文學出版社，1971年影印。

《國立武漢大學一覽（民國二十五年）》，國立武漢大學編，武昌：國立武漢大學， 1936年。

《國立中山大學文學院概覽》，國立中山大學文學院編輯，廣州：國立中山大學出版部，1933年。

《國立中山大學現狀》，國立中山大學編，廣州：國立中山大學出版部，1935年。

《國立中山大學現狀》，國立中山大學編，廣州：國立中山大學出版部，1937 年。

《國立西南聯合大學校史——一九三七至一九四六年的北大、清華、南開》，西南聯合大學北京校友會編，北京：北京大學出版社，2006 年 2 版。

《國立臺灣大學中國文學系系史稿》，國立臺灣大學中國文學系編撰，臺北：臺灣大學中國文學系，2002 年。

《臺灣省立師範大學課程綱要》，臺灣省立師範大學編印，臺北：臺灣省立師範大學，1959 年。

《師大要覽》，國立臺灣師範大學編印，臺北：國立臺灣師範大學，1970 年。

《國立政治大學課程說明概覽》，國立政治大學編印，臺北：國立政治大學，1962 年。

《香港大學中文學院歷史圖錄》，單周堯主編，香港：香港大學中文學院，2007 年。

《中國大學十講》，陳平原撰，上海：復旦大學出版社，2002 年。

《大學科目表》，教育部編，重慶：正中書局，1940 年。

《修訂大學科目表》，教育部高等教育司編訂，臺北：教育部高等教育司，1955 年重印。

《大學科目表彙編》，教育部高等教育司編著，臺北：正中書局，1961 年臺初版。

《修訂大學科目表》，教育部高等教育司編印，臺北：教育部高等教育司，1965 年初版、1970 年再版。

《修訂大學課程報告書》，教育部高等教育司編印，臺北：教育部高等教育司，1973 年。

《大學暨獨立學院各研究所碩博士班現行科目表》，教育部高等教

育司編印，臺北：教育部高等教育司，1978 年。

《中國國民黨抗戰建國綱領、戰時各級教育實施方案綱要、各級
　教育實施方案》，教育部印，1938 年 7 月。

《第二次中國教育年鑑》，教育年鑑編纂委員會編，臺北：文海出
　版社，1986 年。

《中華民國史教育志（初稿）》，中華民國史教育志編纂委員會撰，
　臺北：國史館， 1990 年。

〈三年來學術審議工作概況〉，教育部學術審議委員會，《高等教
　育季刊》2 卷 3 期，1943 年 9 月。

〈抗戰時期教育部學術審議委員會述論〉，張瑾撰，《近代史研究》
　1988 年 2 期。

四　考古、民俗、田野調查

《城子崖：山東歷城縣龍山鎮之黑陶文化遺址》，傅斯年、李濟等
　撰，南京：國立中央研究院歷史語言研究所，1934 年。

《中國考古學史》，衛聚賢撰，上海：商務印書館，1937 年。

《中國的遠古文化》，石璋如撰，臺北：中央文物供應社，1954
　年。

《中國史前考古學史研究：1895-1949》，陳星燦撰，北京：三聯
　書店，1997 年。

〈平陵訪古記〉，吳金鼎撰，《國立中央研究院歷史語言研究所集
　刊》第一本第四分，1930 年。

〈章丘龍山鎮附近的水道古城及相關問題〉，羅勛章撰：收入《紀
　念城子崖遺址發掘六十周年國際學術討論會文集》，濟南：齊
　魯書社，1993 年。

《顧頡剛民俗學論集》，顧頡剛撰，收入《顧頡剛全集》第 14-15
　　冊，北京：中華書局，2010 年。

《川西民俗調查記錄 1929》，黎光明、王元輝撰；王明珂編校、
　　導讀，臺北：中央研究院歷史語言研究所，2004 年。

《辛未訪古日記》，顧頡剛撰，收入《顧頡剛全集》第 5 冊，北京：
　　中華書局，2010 年。

《西北考察日記》，顧頡剛撰，收入《顧頡剛全集》第 36 冊，北
　　京：中華書局，2010 年。

五　年譜、傳記、回憶錄

《許壽裳年譜》，許世瑛撰，收入北岡正子、陳漱渝、秦賢次、黃
　　英哲編：《許壽裳日記：1940~1948》，臺北：國立臺灣大學出
　　版中心，2010 年 。

〈余嘉錫先生傳略〉，周祖謨、余淑宜撰，收入《余嘉錫文史論集》，
　　長沙：嶽麓書社，1997 年。

《積微翁回憶錄》，楊樹達撰，北京：北京大學出版社，2007 年。

《錢玄同年譜》，曹述敬撰，濟南：齊魯書社，1986 年。

《錢玄同印象》，沈永寶編，上海：學林出版社，1997 年。

《錢玄同傳》，李可亭撰，開封：河南大學出版社，2002 年。

《陳寅恪的最後二十年》，陸鍵東撰，臺北：聯經出版事業公司，
　　1997 年。

《胡適之先生年譜長編初稿》，胡頌平編著，臺北：聯經出版事業
　　公司，1984 年。

《許地山先生追悼會特刊》，香港：全港文化界追悼許地山先生大
　　會籌備會編， 1941 年。

〈許地山年表〉，周俟松撰，收錄於劉紹銘編：《許地山作品選》，
　　香港：三聯書店，2007 年。

《顧頡剛學術年譜簡編》，鄭良樹撰，北京：中國友誼出版公司，
　　1987 年。

《顧頡剛年譜》，顧潮編著，增訂本，北京：中華書局，2011 年。

《歷劫終教志不灰──我的父親顧頡剛》，顧潮撰，上海：華東師
　　範大學出版社， 1997 年。

《顧頡剛評傳》，顧潮撰，南昌：百花洲文藝出版社，1995 年。

《顧頡剛學記》，顧潮編，北京：三聯書店，2002 年。

《紀念顧頡剛先生誕辰 110 周年論文集》，中國社會科學院歷史研
　　究所、中山大學歷史系合編，北京：中華書局，2004 年。

《顧頡剛先生學行錄》，王煦華編，北京：中華書局，2006 年。

〈顧頡剛與魯迅的恩恩怨怨〉，汪修榮撰，《溫故》第 5 期，桂林：
　　廣西師範大學出版社，2005 年。

〈章銳初先生與臺灣國文教學〉，李鋆撰，《漢學研究之回顧與前
　　瞻國際學術研討會論文集》，臺北：國立臺灣師範大學國文學
　　系，2006 年。

《三松堂自序》，馮友蘭撰，收入《三松堂全集》第 1 卷，鄭州：
　　河南人民出版社，2001 年 2 版。

《師友雜憶》，錢穆撰，收入《錢賓四先生全集》第 51 冊，與《八
　　十憶雙親》合刊，臺北：聯經出版事業公司，1998 年。

《猶記風吹水上麟──錢穆與現代中國學術》，余英時撰，臺北：
　　三民書局，1991 年。

《錢穆賓四先生與我》，嚴耕望撰，臺北：臺灣商務印書館，1992
　　年。

《錢穆紀念文集》，中國人民政治協商會議江蘇省無錫縣委員會

編，上海：上海人民出版社，1992 年。

〈錢賓四先生年譜・上篇〉，錢胡美琦撰，《錢穆先生紀念館館刊》
　　第 3 期，1995。

《國史大師錢穆教授傳略》，李木妙撰，臺北：八方文化企業公司、
　　揚智文化事業股份有限公司聯合出版，1995 年。

〈歷史語言研究所在學術上的貢獻──為紀念創辦人終身所長傅
　　斯年先生而作〉，董作賓撰，《大陸雜誌》2 卷 1 期，1951 年。

〈傅孟真先生與近二十年來中國歷史學的發展〉，勞幹撰，《大陸
　　雜誌》2 卷 1 期，1951 年 1 月。

〈眾家弟子心中的老師傅斯年先生〉，何茲全撰，收入布占祥、馬
　　亮寬主編：《傅斯年與中國文化》，天津：天津古籍出版社，
　　2006 年。

〈傅斯年董作賓先生百歲紀念專刊序〉，張光直撰，收入《傅斯年
　　董作賓先生百歲紀念專刊》，臺北：中國上古秦漢學會，1995
　　年。

〈李濟先生學行紀略〉，李光謨撰，收入張光直主編：《李濟文集》
　　卷 5，上海：上海人民出版社，2006 年。

〈緬懷羅孟瑋教授〉，林鈞南撰，《興寧文史》第 5 輯，未載出版
　　年。

〈正直愛國的學者羅倬漢教授〉，何國華撰，《興寧文史》第 16 輯，
　　1992 年 9 月。

〈羅倬漢事蹟編年〉，戴偉華編，《經學研究論叢》第 18 輯，2010
　　年 9 月。

《蜀道難》，羅常培撰，收入《羅常培文集》第 10 卷，濟南：山
　　東教育出版社，2008 年。

《戴君仁靜山先生年譜及學術思想之流變》，阮廷瑜撰，臺北：國

立編譯館，2008 年。

《封閉社會的敵人：巴柏》，卡爾・巴柏（Karl Popper）撰、劉久
　　清譯，臺北：北辰文化股份有限公司，1988 年。

《無盡的探索：卡爾・波普爾自傳》，卡爾・巴柏（Karl Popper）
　　撰、邱仁宗譯，南京：江蘇人民出版社，2000 年。

〈金景芳自傳〉，金景芳撰，收入陳恩林、舒大剛、康學偉主編：
　　《金景芳學案》上冊，北京：綫裝書局，2003 年。

《我的留學記》，吉川幸次郎撰、錢婉約譯，北京：光明日報出版
　　社，1999 年。

《顧廷龍年譜》，沈津撰，上海：上海古籍出版社，2004 年。

《從煉獄中升華——我的父親童書業》，童教英撰，上海：華東師
　　範大學出版社，2001 年。

〈何定生簡歷〉，何定生撰，臺灣大學人事檔案，1949 年 8 月填
　　寫。

〈何定生教授年表〉，楊晉龍撰，《中國文哲研究通訊》20 卷 2 期，
　　2010 年 6 月。

〈永遠的懷念——紀念何定生教授逝世四十週年〉，曾志雄撰，《中
　　國文哲研究通訊》20 卷 2 期，2010 年 6 月。

《讀史閱世六十年》，何炳棣撰，臺北：允晨文化實業公司，2004
　　年。

《上學記》，何兆武口述、文靜撰寫，修訂版，北京：三聯書店，
　　2009 年 2 版。

《田野圖像：我的人類學生涯》，李亦園撰，臺北：立緒文化事業
　　公司，1999 年。

《香港故事：個人回憶與文學思考》，盧瑋鑾撰，香港：牛津大學
　　出版社，1996 年。

《新學術之路：中央研究院歷史語言研究所七十周年紀念文集》，
　　杜正勝、王汎森主編，臺北：中央研究院歷史語言研究所，
　　1998 年。

《燕京大學人物誌》第 1 輯，燕京研究院編，北京：北京大學出
　　版社，2001 年。

《我的父輩與北京大學》，錢理群、嚴瑞芳主編，北京：北京大學
　　出版社，2006 年。

《曾經風雅：文化名人的背影》，張昌華撰，桂林：廣西師範大學
　　出版社，2007 年。

六　文集、論著、日記、讀書筆記

《崔東壁遺書》，崔述撰，臺北：世界書局，1963 年。

《朱希祖文存》，朱希祖撰、周文玖選編，上海：上海古籍出版社，
　　2006 年。

《許壽裳日記：1940~1948》，許壽裳撰，北岡正子、陳漱渝、秦
　　賢次、黃英哲編，臺北：國立臺灣大學出版中心，2010 年。

《竺可楨全集》，竺可楨撰，上海：上海科技教育出版社，2006
　　年。

《胡適作品集》，胡適撰，臺北：遠流出版公司，1986 年。

《胡適日記全集》，曹伯言整理，臺北：聯經出版事業公司，2004
　　年。

《顧頡剛全集》，顧頡剛撰，北京：中華書局，2010 年。

《顧頡剛日記》，顧頡剛撰，臺北：聯經出版事業公司，2007 年。

《顧頡剛讀書筆記》，顧頡剛撰，收入《顧頡剛全集》第 16-32 冊，
　　北京：中華書局，2010 年。

《浪口村隨筆》，收入《顧頡剛全集》第 31 冊，北京：中華書局，
　　2010 年。

《洪業論學集》，洪業撰，北京：中華書局，1981 年。

《吳宓日記》，吳宓撰、吳學昭整理，北京：三聯書店，1998 年。

《董作賓先生全集》，董作賓撰，臺北：藝文印書館，1977 年。

《錢賓四先生全集》，錢穆撰，臺北：聯經出版事業公司，1998
　　年。

《傅斯年全集》，傅斯年撰、歐陽哲生主編，長沙：湖南教育出版
　　社，2003 年。

《李濟文集》，李濟撰、張光直主編，上海：上海人民出版社，2006
　　年。

《朱自清先生全集》，朱自清撰，南京：江蘇教育出版社，1993
　　年。

《陳君葆日記全集》，陳君葆撰、謝榮滾主編，香港：商務印書館，
　　2004 年。

《劉節日記》，劉節撰、劉顯曾整理，鄭州：大象出版社，2009
　　年。

《陸宗達語言學論文集》，陸宗達撰，北京：北京師範大學出版社，
　　1996 年。

《李亞農史論集》，李亞農撰，上海：上海人民出版社，1962 年。

《羅香林論學書札》，廣東省立中山圖書館、香港大學馮平山圖書
　　館編，廣州：廣東人民出版社，2009 年。

《海遺叢稿二編》，牟潤孫撰，北京：中華書局，2009 年。

《訒庵學術講論集》，張舜徽撰，長沙：岳麓書社，1992 年。

《孫作雲全集》，孫作雲撰，開封：河南大學出版社，2003 年。

《王鍾翰清史論集》，王鍾翰撰，北京：中華書局，2004 年。

《清代學術思潮：何佑森先生學術論文集・下冊》，何佑森撰，臺
　　北：臺大出版中心，2009 年。

《學海書樓主講翰林文鈔》，鄧又同輯錄，香港：學海書樓，1991
　　年。

七　書信、墨跡

《許壽裳書簡集》，許壽裳撰，彭小妍、施淑、楊儒賓、北岡正子、
　　黃英哲編校，臺北：中央研究院中國文哲研究所，2010 年。

《積微居友朋書札》，楊逢彬整理，長沙：湖南教育出版社，1986
　　年。

《顧頡剛書信集》，顧頡剛撰，收入《顧頡剛全集》第 39-43 冊，
　　北京：中華書局，2010 年。

〈致顧頡剛函〉，費孝通撰，《禹貢半月刊》7 卷 1、2、3 合期，「通
　　訊一束」，1937 年 4 月 1 日。

〈訒青兄信〉，羅倬漢撰，《國立中山大學文史學研究所月刊》1
　　卷 5 期，1933 年 5 月 25 日。

〈訒青兄函〉，羅倬漢撰，《國立中山大學文史學研究所月刊》1
　　卷 5 期，1933 年 5 月 25 日。

〈何定生致顧頡剛〉，何定生撰，《國立中山大學語言歷史學研究
　　所週刊》2 集 20 期，1928 年 3 月 13 日。

〈何定生致顧頡剛〉，何定生撰，《國立中山大學語言歷史學研究
　　所週刊》3 集 30 期，1928 年 5 月 23 日。

〈何定生致顧頡剛〉，何定生撰，《國立中山大學語言歷史學研究
　　所週刊》3 集 32 期，1928 年 6 月 6 日。

〈何定生致顧頡剛〉，何定生撰，《國立中山大學語言歷史學研究

所週刊》，4 集 40 期，1928 年 8 月 1 日。

〈何定生致顧頡剛〉，何定生撰，《國立中山大學語言歷史學研究
　　所週刊》4 集 42 期，1928 年 8 月 15 日。

〈何定生致楊筠如〉，何定生撰，《國立中山大學語言歷史學研究
　　所週刊》8 集 91 期，1929 年 7 月 24 日。

《東亞朱子學者暨朱氏前賢墨跡》，朱茂男、楊儒賓主編，臺北：
　　中華民國朱氏宗親文教基金會出版，2006 年。

《中日陽明學者墨跡》，楊儒賓、馬淵昌也編，臺北：國立臺灣大
　　學出版中心，2008 年。

《館藏近代名人法書集屏》，黃永川主編、鄒力耕執行編撰，臺北：
　　國立歷史博物館，1995 年。

《袁氏家藏近代名人手書》，王爾敏編，臺北：中央研究院近代史
　　研究所，2001 年。

《近代詞人手札墨蹟》，張壽平編，臺北：中央研究院中國文哲研
　　究所，2005 年。

八　其他

《國粹與國學》，許地山撰，臺北：水牛出版社，1979 年。

《中國哲學史》，馮友蘭撰，收入《三松堂全集》，第 2、3 卷，鄭
　　州：河南人民出版社，2001 年 2 版。

《雲鄉話書》，鄧雲鄉撰，石家莊：河北教育出版社，2004 年。

《雲鄉漫錄》，鄧雲鄉撰，石家莊：河北教育出版社，2004 年。

《清人文集別錄》，張舜徽撰，武漢：華中師範大學出版社，2004
　　年。

《文藝心理學》，朱光潛撰，收入《朱光潛全集》第 1 卷，合肥：

安徽教育出版社，1996 年 1 版。

《詩論》，朱光潛撰，收入《朱光潛全集》第 3 卷，合肥：安徽教育出版社，1996 年 1 版。

《談文學》，朱光潛撰，收入《朱光潛全集》第 4 卷，合肥：安徽教育出版社，1996 年 1 版。

《詩的聽入》，何定生撰，北平：樸社，1929 年。

《早期北大文學史講義三種》，林傳甲、朱希祖、吳梅撰，陳平原輯，北京：北京大學出版社，2005 年。

九　西文論著

Popper, Karl. *Unended Quest : An Intellectual Autobiography* . London : Routledge, 1992.

Wang , Fan-sen. Fu Ssu-nien : *A Life in Chinese History and Politics* . Cambridge, U.K. ; New York : Cambridge University Press, 2000.

經學研究叢書·經學史研究叢刊 0501001

現代學術視域中的民國經學

——以課程、學風與機制為主要觀照點

作　　者　車行健

責任編輯　吳家嘉

特約校稿　林秋芬

發 行 人　陳滿銘

總 經 理　梁錦興

總 編 輯　陳滿銘

副總編輯　張晏瑞

編 輯 所　萬卷樓圖書股份有限公司

排　　版　百通科技股份有限公司

印　　刷　百通科技股份有限公司

封面設計　果實文化設計工作室

發　　行　萬卷樓圖書股份有限公司

　　　　臺北市羅斯福路二段 41 號 6 樓之 3

　　　　電話 (02)23216565

　　　　傳真 (02)23218698

　　　　電郵 SERVICE@WANJUAN.COM.TW

大陸經銷　廈門外圖臺灣書店有限公司

　　　　電郵 JKB188@188.COM

如何購買本書：

1. 劃撥購書，請透過以下郵政劃撥帳號：

　　帳號：15624015

　　戶名：萬卷樓圖書股份有限公司

2. 轉帳購書，請透過以下帳戶

　　合作金庫銀行 古亭分行

　　戶名：萬卷樓圖書股份有限公司

　　帳號：0877717092596

3. 網路購書，請透過萬卷樓網站

　　網址 WWW.WANJUAN.COM.TW

大量購書，請直接聯繫我們，將有專人為您服務。客服：(02)23216565 分機 10

如有缺頁、破損或裝訂錯誤，請寄回更換

ISBN 978-957-739-711-9

2015 年 1 月初版二刷

2011 年 9 月初版

定價：新臺幣 320 元

國家圖書館出版品預行編目資料

現代學術視域中的民國經學：以課程、學風與機制為主要觀照點 /車行健著.

-- 初版.-- 臺北市：萬卷樓, 2011.09

面；　公分

ISBN 978-957-739-711-9 (平裝)

1.經學　2.研究考訂

090　　　　　　　　　　　　　100012762